O que Einstein disse a seu cozinheiro – 1

ROBERT L. WOLKE

O que Einstein disse a seu cozinheiro – 1

A CIÊNCIA NA COZINHA

INCLUI RECEITAS

Tradução:
Helena Londres

17ª reimpressão

ZAHAR

Este livro é dedicado a minha mulher,
parceira, colega e motivadora, Marlene Parrish

Tradução autorizada da primeira edição norte-americana publicada em 2002
por W.W. Norton, de Nova York, Estados Unidos

*Grafia atualizada segundo o Acordo Ortográfico da Língua Portuguesa de 1990,
que entrou em vigor no Brasil em 2009.*

Título original
What Einstein Told His Cook

Capa
Sérgio Campante

CIP-Brasil. Catalogação na fonte
Sindicato Nacional dos Editores de Livros, RJ

Wolke, Robert L.
W843o O que Einstein disse a seu cozinheiro: a ciência na cozinha: (inclui receitas) / Robert L. Wolke; tradução Helena Londres. - 1ª ed - Rio de Janeiro: Zahar, 2003.

Tradução de: What Einstein Told His Cook.
ISBN 978-85-7110-692-5

1. Culinária. 2. Ciência. - Miscelânea. I. Título.

CDD: 641.5
02-1965 CDU: 641.5

EDITORA SCHWARCZ S.A.
Praça Floriano, 19 — Sala 3001 — Cinelândia
20031-050 — Rio de Janeiro — RJ
Telefone: (21) 3993-7510
www.companhiadasletras.com.br
www.blogdacompanhia.com.br
facebook.com/editorazahar
instagram.com/editorazahar
twitter.com/editorazahar

SUMÁRIO

4. Química na cozinha ▸ 87

5. Por campos e mares ▸ 111

NA TERRA

NO MAR

INTRODUÇÃO

Junto com a recente explosão do interesse pela comida e pela culinária surgiu um desejo crescente de entender os princípios químicos e físicos que determinam as propriedades e o comportamento dos nossos alimentos.

Este livro explica a ciência que está por trás tanto dos alimentos propriamente ditos quanto dos instrumentos usados para prepará-los. A organização e o índice foram deste volume projetados para facilitar a consulta a um fato ou uma explicação específicos.

Os cozinheiros amadores e *chefs* profissionais não cozinham somente. Primeiro eles têm que comprar os ingredientes. A tecnologia atual produz uma variedade tão assombrosa de produtos alimentares, que muitos dos problemas da culinária começam no supermercado. Por essa razão incluí aqui tanto discussões sobre alimentos naturais quanto sobre os preparados, de onde eles vêm, do que são feitos e que consequências práticas podem ter para o cozinheiro e para o consumidor.

Já tendo perdido a conta de há quantos anos ensino em universidades e tendo passado dez desses anos como diretor fundador de uma Secretaria de Desenvolvimento de Docentes, ajudando professores a melhorarem sua maneira de ensinar, identifico duas abordagens possíveis para explicar a ciência da culinária, que chamo de método da faculdade e método da experiência.

Pelo método da faculdade, eu escreveria um livro-texto sobre a ciência da cozinha e depois solicitaria aos meus "alunos" que saíssem para o mundo e aplicassem o conhecimento adquirido para resolver os problemas práticos que surgissem no futuro. Essa abordagem pressupõe que todo o "conteúdo do curso" tenha sido dominado e possa ser lembrado sempre que necessário. Mas tanto a minha experiência como professor quanto, sem dúvidas, a de antigos alunos são testemunhos da inutilidade dessa abordagem.

Em resumo, o método da faculdade tenta fornecer respostas antes que as perguntas apareçam, enquanto na vida real as questões brotam sem aviso e têm de ser resolvidas na hora.

Porém, e se você pudesse consultar um cientista a cada vez que um problema específico surgisse? Embora não se possa ter um cientista (muito menos um Einstein) sempre à mão, a opção que viria logo a seguir seria dispor de uma compilação de respostas para questões com as quais você mesmo provavelmente se depararia, acompanhadas por explicações simples, sem tapeação, sobre o que está acontecendo. Este é o método da experiência. Neste livro escolhi bem mais de cem perguntas que me foram formuladas por cozinheiros amadores, leitores da minha coluna "Food 101", no *The Washington Post* e em outros jornais.

Além das explicações sobre a ciência que está por trás da cozinha, você encontrará diversas receitas pouco comuns e imaginativas, desenvolvidas por minha mulher, Marlene Parrish, autora e professora de culinária. As receitas foram criadas especificamente para ilustrar os princípios que estejam sendo explicados. Podem ser encaradas como aulas de laboratório que você pode saborear no final.

Cada unidade de pergunta-resposta foi projetada para se sustentar isoladamente. Impulsionado pelo sumário, pelo índice ou simplesmente por uma questão que surja em sua cabeça, você poderá abrir o livro e ler a unidade relativa sem ter de dominar uma série de conceitos anteriores.

Para garantir que cada unidade seja conceitualmente completa, e como diversos tópicos estão interconectados, tive muitas vezes de repetir rapidamente um conceito já explicado de modo mais completo em outra unidade. Mas um pouco de repetição aqui e ali apenas melhora o entendimento.

Embora eu tenha tido o cuidado de nunca usar uma palavra técnica sem defini-la na primeira vez em que é usada, você encontrará um breve glossário no final do livro, para refrescar sua memória sempre que necessário.

É claro que não há limites para as coisas que as pessoas conseguem imaginar, e qualquer livro deste tipo só consegue explicar uma pequena fração do que acontece em nossas cozinhas e mercados. Portanto, convido-o a apresentar suas perguntas, junto com seu nome e cidade, enviando-as por correio eletrônico para: questions@professorscience.com. Embora eu não tenha condições de responder a todas, uma Pergunta da Semana será respondida no meu *website*: www.professorscience.com.

Espero que você tenha tanto prazer em compreender a comida quanto em saboreá-la e prepará-la.

capítulo 1

A doce vida

Dos nossos cinco sentidos classicamente reconhecidos – tato, audição, visão, olfato e paladar –, só os dois últimos têm uma natureza puramente química, ou seja, conseguem detectar moléculas químicas. Por meio dos nossos notáveis sentidos de olfato e paladar experimentamos diferentes sensações olfativas e gustativas a partir do contato com moléculas de diferentes compostos químicos.

Você irá ver a palavra molécula com muita frequência ao longo deste livro. Não fique em pânico. Tudo o que você precisa saber é o que é uma molécula, nas palavras de um conhecido meu da primeira série, "um desses trequinhos de que as coisas são feitas". Esta definição, junto com a noção de que coisas diferentes são diferentes porque são feitas de tipos de moléculas diferentes, será útil.

O sentido do olfato só consegue perceber moléculas gasosas que estejam flutuando no ar. O sentido do paladar só consegue detectar moléculas dissolvidas em água, seja no próprio líquido do alimento, seja na saliva. Assim como muitas outras espécies animais, é o cheiro que nos atrai para a comida, e é o paladar que nos ajuda a encontrar alimentos comestíveis – e apetitosos.

Aquilo que chamamos de sabor é uma combinação de odores e gostos percebidos por nossos narizes e papilas gustativas, com as contribuições adicionais da temperatura, da ardência (o "picante" dos temperos) e da textura (a estrutura e a sensação da comida na boca). Os receptores olfativos nos nossos narizes conseguem distinguir entre milhares de odores diferentes, e calcula-se que contribuam com 80% do sabor. Se esse número parece alto, lembre-se de que a boca e o nariz são interligados, de modo que as moléculas gasosas liberadas na boca pela mastigação conseguem subir pela cavidade nasal. Além do mais, o ato de engolir provoca um vácuo parcial na cavidade nasal, que leva o ar da boca para o nariz.

Comparado ao nosso olfato, o paladar é relativamente pobre. Nossas papilas gustativas estão distribuídas sobretudo em cima da língua, mas também encontram-se no palato rígido (a parte frontal e cheia de ossos do céu da boca) e no palato mole, uma placa de tecido mole que termina na úvula, a "campainha", logo antes da garganta.

Antigamente achava-se que só existiam quatro gostos primários: doce, ácido, salgado e amargo, e que teríamos papilas gustativas especiais para cada um. Atualmente há um consenso geral de que há pelo menos mais um gosto primário, conhecido pelo seu nome japonês, *unami*. Ele está associado ao MSG (monossódio glutamato) e a outros compostos do ácido glutâmico, um dos aminoácidos comuns que constituem os blocos de construção das proteínas. O *unami* é um tipo de gosto agradável, associado a alimentos ricos em proteínas, como carne e queijo. Além disso, já não se acredita que cada tipo de papila gustativa responda exclusivamente a um único estímulo, mas que responda também, num grau menor, a outros.

Desse modo, o tradicional "mapa da língua" – que aparece nos manuais mostrando as papilas do doce na ponta, as do salgado ao lado das do doce, as papilas do ácido nas laterais da língua e as papilas do amargo no fundo – é uma simplificação grosseira que mostra apenas as regiões em que a língua é mais sensível aos gostos primários. O gosto que realmente sentimos é um padrão geral de estímulos de todos esses receptores de gosto, as células presentes dentro das papilas gustativas, que na verdade percebem os diversos paladares. O sucesso recente do sequenciamento do genoma humano permitiu que os pesquisadores identificassem os genes que provavelmente produzem os receptores para o amargo e o doce, mas não ainda para os outros gostos primários. Ao chegar no cérebro, essa combinação de estímulos de paladar, olfato e textura ainda tem de ser interpretada. O fato de as sensações gerais serem agradáveis, repulsivas ou algo entre uma coisa e outra vai depender de diferenças fisiológicas individuais, de experiências anteriores (como o bolo ser exatamente igual ao que minha mãe fazia) e de hábitos culturais (os indianos convivem muito melhor com a pimenta do que um norueguês).

A sensação de gosto que inegavelmente é a favorita de nossa espécie, e de muitas outras do reino animal como os beija-flores e os cavalos, é o doce. Não há dúvidas de que a natureza nos programou para isso fazendo com que os alimentos bons, como frutas maduras, tenham gosto doce, e as venenosas, como as que contêm alcaloides, tenham gosto amargo. (A família dos alcaloides nas estruturas químicas das plantas inclui "vilões" como a morfina, a estricnina e a nicotina, sem falar na cafeína.)

Em nossos cardápios, apenas um gosto merece um prato inteiramente dedicado a ele: o doce da sobremesa. As entradas podem ser picantes, os pratos principais podem ter uma combinação complexa de sabores, mas a sobremesa é invariavelmente e às vezes excessivamente doce. Gostamos tanto de doce que o usamos em expressões carinhosas como "meu docinho de coco" e para descrever quase tudo ou qualquer pessoa que seja especialmente agradável, como uma música doce, um temperamento doce.

Quando pensamos em doce, imediatamente pensamos no açúcar. Mas a palavra *açúcar* não designa uma única substância; é um termo genérico para toda uma família de compostos químicos naturais que, junto com os amidos, pertencem à família dos carboidratos. Portanto, antes de satisfazermos nosso desejo de doce – antes de começarmos nosso repasto científico com a sobremesa –, temos de ver onde os açúcares se inserem no esquema dos carboidratos.

CARBOIDRATOS

Eu sei que tanto os amidos quanto os açúcares são carboidratos, apesar de serem substâncias tão diferentes. Por que, quando falamos de nutrição, eles são agrupados na mesma categoria?

Numa palavra: combustível. Quando um maratonista se entope de "carboidratos" antes de uma corrida, é como um carro enchendo o tanque no posto de gasolina.

Os carboidratos são uma classe de substâncias químicas naturais que desempenham papel vital em todos os organismos vivos. Tanto as plantas quanto os animais fabricam, armazenam e consomem amidos e açúcares para terem energia. A celulose, um carboidrato complexo, constitui as paredes das células e o arcabouço estrutural das plantas – seus ossos, se quiserem.

Esses compostos receberam o nome de carboidrato no século XVIII, quando se notou que suas fórmulas químicas podiam ser escritas como se fossem feitas de átomos de carbono (C), mais um determinado número de moléculas de água (H_2O). Daí o nome carboidrato, ou "carbono hidratado". Atualmente sabemos que essa fórmula tão simples não é verdadeira para todos os carboidratos, mas ficamos com o nome.

A semelhança química que une todos os carboidratos é que todas as suas moléculas contêm glicose, também conhecida como "açúcar do sangue". Por causa da onipresença dos carboidratos em plantas e animais, a glicose provavelmente é a molécula biológica mais abundante na Terra. O nosso metabolismo quebra todos os carboidratos em glicose, um "açúcar simples" (monossacarídeo) que circula no sangue e fornece energia para todas as células no corpo. Outro açúcar simples é a frutose, encontrada no mel e em muitas frutas.

Quando duas moléculas de açúcares simples estão ligadas, formam um "açúcar duplo"(dissacarídeo). A sacarose, o açúcar do nosso açucareiro e do néctar das flores, é um dissacarídeo composto de glicose e frutose. Outros dissacarídeos são a maltose (açúcar de malte) e a lactose (açúcar do leite), este último só é encontrado em mamíferos.

Os carboidratos complexos (polissacarídeos) são feitos de diversos açúcares simples, às vezes várias centenas deles. É aí que se enquadram as celuloses e os amidos. Alimentos como ervilhas, feijões, grãos e batatas contêm tanto amido quanto celulose. A celulose não é digerível pelos seres humanos (só os cupins conseguem digeri-la), mas é importante na nossa dieta, como fibra. Os amidos são a nossa principal fonte de energia porque são aos poucos quebrados em centenas de moléculas de glicose. Daí eu ter dito que se entupir de carboidratos é como encher um tanque com combustível.

Embora esses carboidratos sejam tão diferentes entre si em termos de estrutura molecular, todos eles fornecem a mesma quantidade de energia para o nosso metabolismo: cerca de 4 calorias por grama. No final das contas, todos são fundamentalmente glicose.

Dois amidos puros que provavelmente você tem na sua despensa são maisena e araruta. Não é preciso dizer de onde vem a maisena, que é o amido de milho, mas será que você já viu uma araruta? A araruta é uma planta perene, cultivada por seus tubérculos subterrâneos – que são quase amido puro – e encontrada nas Antilhas, no Sudeste Asiático, na Austrália, na África do Sul, nas Guianas e no Brasil. Os tubérculos são ralados, lavados, secados e moídos. O pó resultante é usado para engrossar molhos, pudins e sobremesas. Mas a araruta engrossa molhos a uma temperatura mais baixa do que a maisena. Portanto, é melhor e mais usada para cremes e pudins que contenham ovos, porque estes talham facilmente a temperaturas mais altas.

AÇÚCAR MASCAVO X AÇÚCAR REFINADO

Vi numa loja de produtos naturais diversos tipos de açúcar mascavo. Qual a diferença entre eles e o açúcar refinado?

Não existe tanta diferença quanto eles querem que você pense. O que as lojas de produtos naturais chamam de açúcar mascavo, ou bruto, não é bruto no sentido de ser completamente não refinado. É apenas refinado em um grau menor.

O mel foi durante muitos milênios praticamente o único adoçante conhecido pelos seres humanos. A cana-de-açúcar já era cultivada na Índia há uns três mil anos, mas só chegou ao norte da África e à Europa meridional por volta do século VIII d.C.

Por sorte, a sogra de Cristóvão Colombo possuía uma plantação de cana-de-açúcar, e, antes de se casar, ele trabalhava transportando açúcar para Gênova, proveniente das plantações de cana na Ilha da Madeira. Isso tudo provavelmente fez com que tivesse a ideia de levar um pouco da cana-de-açúcar para o Caribe, em sua segunda viagem ao Novo Mundo, em 1493. O resto é a doce história. Hoje em dia, um norte-americano come cerca de 20kg de açúcar por ano. Experimente só: esvazie dez sacos de 2kg de açúcar sobre o balcão da cozinha e contemple essa cota pessoal por ano. É claro que nem todo açúcar sai do açucareiro: ele é um ingrediente que faz parte de uma assombrosa variedade de alimentos industrializados.

É frequente a alegação de que o açúcar mascavo é mais saudável porque tem maior teor de substâncias naturais. É verdade que entre essas substâncias estão diversos minerais – assim como na terra perfeitamente natural das plantações de cana –, mas nada que você não possa obter em dezenas de outros alimentos. Para conseguir satisfazer sua necessidade diária de minerais, você teria de comer quantidades nada saudáveis de açúcar mascavo.

Aqui vai uma rápida visão geral do que ocorre na usina de açúcar (que geralmente fica perto das plantações de cana) e na refinaria de açúcar (que pode não estar tão perto da plantação).

A cana-de-açúcar cresce em regiões tropicais como talos altos, parecidos com bambus, com a espessura de uns 3cm e chegando a uns 3m de altura, perfeitos para serem cortados com um facão. Na usina, a cana cortada é picada e espremida por máquinas. O caldo é clarificado pela adição de barrela, deixando-se que ele assente, e depois é reduzido sob vácuo parcial (o que diminui a temperatura da fervura) até engrossar, ficando com a consistência de um xarope colorido de marrom pelas impurezas concentradas. À medida que a água evapora, o açúcar torna-se tão concentrado que não consegue manter-se no estado líquido; transformando-se em cristais sólidos. Os cristais úmidos são então passados numa centrífuga, um tambor perfurado, parecido com o tambor da sua máquina de lavar roupa, que joga a água para fora da roupa a cada ciclo de centrifugação. O líquido xaroposo – o melado – é jogado para fora, conservando-se o açúcar mascavo, úmido, contendo uma variedade de fermentos, bactérias, terra, fibras e outros detritos diversos de plantas e insetos. Esse é o verdadeiro açúcar bruto. O Departamento de Abastecimento dos Estados Unidos (FDA) declara que ele é impróprio para o consumo humano.

O açúcar bruto é então enviado para uma refinaria, onde é purificado por lavagem, novamente dissolvido, fervido para recristalizar e centrifugado mais duas vezes, o que o torna cada vez mais puro, deixando progressivamente para trás mais melado concentrado, cuja cor escura e sabor intenso devem-se a todos os componentes não açúcares.

As lojas de produtos naturais que afirmam estar vendendo açúcar "bruto" ou "não refinado" estão, em geral, vendendo açúcar turbinado, que é um açúcar marrom-claro feito por lavagem com vapor, recristalização e centrifugação do açúcar bruto pela segunda vez. A meu ver, isso é refinação. Há um açúcar parecido, marrom-claro, de grãos grandes, chamado açúcar demerara, que é usado na Europa como açúcar de mesa. É feito nas Ilhas Maurício a partir de cana-de-açúcar cultivada em rico solo vulcânico.

O açúcar *jaggery,* feito na Índia rural, é marrom-escuro, parecido com o turbinado, feito pela redução, por fervura, da seiva de determinadas palmeiras num recipiente aberto, de modo que ela ferve a uma temperatura mais alta do que no vácuo parcial do método comum de refinação do açúcar de cana. Em consequência da temperatura mais alta, esse açúcar adquire um sabor forte, semelhante ao do fudge, um doce de chocolate parecido com rapadura. A fervura, além disso, degrada uma parte da sacarose em glicose e frutose, tornando-o mais doce do que a sacarose pura. O açúcar *jaggery* é muitas vezes vendido em blocos prensados, como outros açúcares mascavos em diversas partes do mundo.

O sabor singular do melado já foi descrito como terroso, doce e quase fumarento. O melado resultante da primeira cristalização do açúcar tem cor clara e sabor excessivamente doce; muitas vezes é usado como um xarope de mesa. O melado da segunda cristalização é mais escuro e mais robusto, geralmente usado na culinária. O último melado, mais concentrado, chamado de melaço, tem um sabor forte, amargo, mas acostuma-se a ele.

Um pedaço de cana-de-açúcar crua, aliás, pode ser uma verdadeira delícia; apesar de fibroso, o caldo é delicioso.

AÇÚCAR REFINADO FAZ MAL?

Por que dizem que aquele açúcar branco, refinado, faz mal?

Essa afirmação sem sentido é um mistério para mim. Parece que algumas pessoas entendem a palavra *refinado* como uma indicação de que nós, seres humanos, desafiamos de algum modo uma lei da natureza, ao termos a audácia de retirar algumas substâncias indesejáveis dos alimentos, antes de comê-los. O açúcar branco não passa do açúcar bruto do qual foram retiradas algumas substâncias.

Ao ser refinado por três cristalizações sucessivas, tudo o que não seja sacarose pura é deixado para trás, no melado. Os açúcares menos refinados, mais marrons, dos estágios mais iniciais do processo, são mais saborosos por causa dos traços de melados que contêm. O fato de você usar numa receita um açúcar marrom mais claro ou um marrom-escuro, com um sabor ligeiramente mais forte, é puramente uma questão de gosto.

Muitos dos açúcares mascavos vendidos hoje no supermercado são feitos borrifando-se melado no açúcar branco refinado, em vez de se interromper o processo de refinação no meio do caminho.

O que eu quero dizer é: no caldo de cana puro você tem uma mistura de sacarose e mais todos os outros componentes da cana que vão resultar no melado. Será que alguém poderia por favor me explicar por que, quando os componentes do melado são retirados, a sacarose pura restante de repente passa a ser ruim e danosa à saúde? Ao comermos mais açúcares mascavos "saudáveis", estamos apenas comendo a mesma quantidade de sacarose, junto com os resíduos do melado. Por que será que, sob essa forma, a sacarose não faz mal?

Suspirinhos

Esses docinhos crocantes são quase só açúcar branco, refinado, puro. A granulação superfina do açúcar faz com que ele se dissolva rapidamente na clara de ovo. Os suspiros são famosos por atrair a umidade do ar, de modo que deixe para fazê-los num dia seco.

Esta receita é para três claras de ovos. Mas sempre que você for aumentar a receita, use esta fórmula: para cada clara de ovo extra, acrescente uma pitada de cremor tártaro, bata com 3 colheres de sopa de açúcar superfino e ½ colher de chá de baunilha. Depois de bater, misture delicadamente uma colher de sopa de açúcar superfino. Daí, continue com a etapa 3.

- 3 claras de ovos grandes, à temperatura ambiente
- ¼ de colher de chá de cremor tártaro
- 12 colheres de sopa de açúcar superfino
- 1 ½ colher de chá de baunilha

1. Preaqueça o forno a 120°C. Forre dois tabuleiros com papel-manteiga.

2. Bata as claras com o cremor tártaro numa tigela pequena e funda, usando uma batedeira manual ou elétrica, até que elas adquiram uma forma ao se suspender as pás da batedeira. Aos poucos, acrescente, ainda batendo, 9 colheres de sopa de açúcar, e continue batendo até que a mistura esteja lisa e forme picos firmes quando as pás da batedeira forem levantadas. Acrescente a baunilha. Misture delicadamente com uma espátula as 3 colheres de sopa de açúcar restantes.

3. Ponha ½ colher de chá da mistura sob cada um dos quatro cantos do papel, para evitar que ele escorregue. Deixe cair colheradas de chá da mistura nos tabuleiros forrados com papel. Se quiser ser elegante, ponha a mistura num saco de confeiteiro com o bico de estrela e faça os suspiros.

4. Asse durante 60 minutos. Apague o forno e deixe os suspiros ficarem lá dentro, esfriando, por 30 minutos. Retire do forno, deixe esfriar por 5 minutos e guarde em recipientes herméticos; assim os suspiros ficarão crocantes por um bom tempo.

▸ Rende cerca de 40 suspiros

O AÇÚCAR CERTO

Para adoçar rapidamente o meu chá gelado, acrescentei açúcar de confeiteiro. Mas ele ficou todo embolotado e grudento. O que aconteceu?

Valeu a tentativa, mas você usou o açúcar inadequado.

O açúcar de mesa comum é "granulado", querendo com isso dizer que é formado por grãos individuais, sendo que cada um deles é um único cristal de sacarose pura. Só que, ao ser moído como um pó fino, o açúcar tende a captar a umidade do ar e a endurecer. (Papo técnico: o açúcar é higroscópico.) Para evitar isso, os fabricantes de açúcar de confeiteiro acrescentam cerca de 3% de amido de milho. Foi o amido que fez seu chá ficar grudento, porque ele não se dissolveu na água gelada.

O que você deveria ter usado é o açúcar cristal, que é formado de cristais ainda menores que os do açúcar granulado e portanto dissolve mais facilmente. É usado pelos *barmen* – porque dissolve rapidamente em bebidas geladas – e por padeiros, porque combina-se e derrete mais rápido do que o açúcar granulado comum.

AÇÚCAR EMPEDRADO, NÃO!

O meu açúcar mascavo virou pedra.
O que posso fazer para desmanchá-la?

Depende: você precisa usá-lo imediatamente? Há um método que dá resultados temporários – o tempo suficiente para você usar um pouco para uma receita – e há outro que leva mais tempo, mas dura mais, e que vai devolver ao seu açúcar a forma original fácil de manusear.

Mas para começar, o que faz o açúcar mascavo endurecer? A perda de umidade. Você não fechou o pacote bem o bastante e ele secou um pouco. Não é culpa sua; uma vez aberto, é quase impossível fechar de novo completamente um pacote de açúcar. Portanto, depois de usar um pouco, sempre ponha de volta o que restou num recipiente hermético, como um pote com tampa de rosca ou uma lata de mantimentos com uma tampa que feche muito bem.

Os diversos tipos de açúcares mascavos vendidos nas lojas consistem em cristais de açúcar branco recobertos com uma fina camada de melado, o líquido espesso, escuro, que fica para trás quando o caldo de cana-de-açúcar é evaporado para permitir que os cristais de açúcar puro (sacarose) se separem. Como a camada de melado tem uma tendência a absorver vapor d'água, o açúcar mascavo fresco é sempre muito macio. Mas, ao ser exposto ao ar seco, o melado perde parte de sua umidade e endurece, cimentando os cristais em grumos. Então você tem duas escolhas: ou repõe a água perdida ou tenta de algum modo amolecer o melado endurecido.

Repor a água é fácil. Basta fechar bem o açúcar num recipiente hermético de um dia para outro, junto com alguma coisa que libere vapor d'água. Tem gente que recomenda qualquer coisa, desde uma fatia de maçã, batata, ou pão fresco, até um pano de prato úmido, ou, para gente que não gosta de frescuras, uma xícara de água. A forma mais eficiente é, provavelmente, pôr o açúcar num recipiente com tampa hermética, cobri-lo com uma folha de filme plástico, pôr uma toalha de papel úmida por cima do filme plástico e lacrar tudo. Depois de mais ou menos um dia, quando o açúcar ficar macio o suficiente, jogue fora a toalha de papel e o filme plástico e feche de novo o recipiente.

Diversos livros e revistas dão a informação de que o açúcar mascavo fica duro porque perde umidade, o que é verdade; porém, seguem dizendo para aquecê-lo no forno a fim de amaciá-lo, como se o forno, de algum modo, restaurasse a umidade. É claro que isso não acontece. A verdade é que o calor amacia, ou afina, o "cimento" de melado, que depois volta a endurecer ao esfriar.

Algumas embalagens de açúcar mascavo recomendam pôr o açúcar endurecido no micro-ondas, junto com uma xícara de água. No entanto, os poucos minutos gastos para executar essa tarefa não são suficientes para o vapor d'água da xícara difundir-se pela massa de açúcar e hidratá-lo. A água está lá apenas para absorver algumas das micro-ondas, porque fornos de micro-ondas não devem operar vazios ou quase vazios (ver p. 222-3). Se você for usar pelo menos cerca de uma xícara de açúcar, provavelmente não precisará da água.

Um *chef* que conheço retira todos os dias açúcar mascavo da despensa para a cozinha de seu restaurante, e o açúcar seca rapidamente. Quando fica muito duro, ele põe algumas gotas de água quente em cima e massageia com as mãos até que recupere a textura original. Isso funciona bem para profissionais, mas acho que massagear açúcar não é algo divertido para um cozinheiro amador.

A propósito de melado, um antigo voluntário da ONG Peace Corps uma vez me contou, há muitos anos, em Mhlume, na Suazilândia (sul da África), que eles costumavam pavimentar estradas de terra borrifando-as com melado da refinaria de açúcar local. O melado secava e endurecia muito rapidamente, demorando alguns meses para se desgastar, até a estrada ficar na terra de novo. (Nota para a Secretaria de Obras Públicas: se usassem melado em vez de asfalto de má qualidade, talvez nossas estradas durassem mais tempo!)

Em último caso, se tudo o mais falhar, existe o açúcar Brownulated fabricado pela Domino, ou açúcar que flui livremente, como um sonho, e nunca se transforma num tijolo e que não se encontra no Brasil. O truque de fabricação usado pela Domino é quebrar uma parte da sacarose (papo técnico: hidrolizá-lo) nos dois açúcares que a compõem: a glicose – também conhecida como dextrose, e a frutose – também conhecida como levulose. Essa mistura, chamada de açúcar invertido, segura firmemente a água, de modo que os grânulos do açúcar mascavo hidrolizado não secam e não endurecem. O açúcar Brownulated, no entanto, foi idealizado para ser salpicado em aveia e coisas assim, e não para ser usado em confeitos, porque com ele não se conseguem fazer medidas iguais às dos açúcares mascavos comuns, especificadas pelos livros de receitas.

MODO RÁPIDO DE DESEMPEDRAR O AÇÚCAR MASCAVO

Se você tiver pressa para desempedrar açúcar mascavo, seu fiel micro-ondas poderá socorrê-lo rápido, mas apenas temporariamente. É só aquecer o açúcar por um ou dois minutos na potência máxima, experimentando com o dedo a cada meio minuto, mais ou menos, para ver se já está macio. Como os fornos diferem muito, não se pode especificar um tempo exato. Depois, meça-o rapidamente, pois ele endurecerá de novo em dois minutos. Você pode também amaciar o açúcar num forno convencional, aquecido a 120°C, por 10 a 20 minutos.

AÇÚCAR DE CANA X AÇÚCAR DE BETERRABA

Qual a diferença entre o açúcar de cana e o de beterraba?

Mais da metade do açúcar produzido nos Estados Unidos é proveniente da beterraba-branca, cujas raízes informes, de um marrom esbranquiçado, parecem cenouras curtas e gordas. As beterrabas-brancas são cultivadas em climas temperados, enquanto a cana-de-açúcar é uma planta tropical.

As refinarias de açúcar de beterraba têm uma tarefa muito mais difícil que as de cana, uma vez que as beterrabas contêm muitas impurezas de gosto ruim e um mau cheiro que devem ser retirados. As impurezas sobrevivem no melado, tornando-o impossível de se comer e adequado apenas para ração animal. Por esse motivo é que não existe um açúcar de beterraba mascavo, comestível.

Uma vez refinado, o açúcar de cana e o açúcar de beterraba são quimicamente idênticos: são ambos sacarose pura, sendo portanto impossível distingui-los. As refinarias não são obrigadas a rotular seus açúcares como sendo de cana ou de beterraba, de modo que você pode estar usando açúcar de beterraba sem saber. Se não estiver escrito "Puro açúcar de cana" na embalagem, provavelmente é de beterraba.

Uma beterraba-branca

No entanto, algumas pessoas com longa experiência na elaboração de geleias insistem que os açúcares de cana e de beterraba não se comportam da mesma maneira. Alan Davidson, em seu enciclopédico *Oxford*

Companion to Food, diz que esse aspecto "deveria fazer os químicos refletirem, humildemente, no fato de não saberem tudo sobre essas questões".

Touché.

TIPOS DE MELADO

Minha avó costumava falar sobre melado sulfurado. O que é isso?

O "enxofre" no melado sulfurado é um bom ponto de partida para se compreender diversos aspectos interessantes da química de alimentos.

"Sulfur" é o prefixo latino usado para designar o enxofre, um elemento químico amarelo cujos compostos comuns incluem o dióxido de enxofre e sulfitos. O gás dióxido de enxofre tem odor asfixiante, acre, de enxofre queimando, além da reputação de poluir a atmosfera no Inferno, provavelmente porque os vulcões expelem fumaças sulfurosas das regiões subterrâneas do nosso planeta.

Os sulfitos liberam o gás dióxido de enxofre na presença de ácidos, de modo que sua ação é igual à do próprio dióxido de enxofre. Ou seja, eles são agentes alvejantes e são microbicidas. Essas duas propriedades têm sido usadas na refinação de açúcar.

O dióxido de enxofre era usado para clarear a cor do melado – o subproduto escuro, doce, da refinação do açúcar – e para matar seus fungos e bactérias. O melado é então chamado de sulfurado. No entanto, virtualmente todo o melado produzido hoje em dia é não sulfurado. Nos Estados Unidos, existia um tônico revigorante de melado com enxofre (não confundi-lo com melado sulfurado), que supostamente "purificava o sangue" depois de um frio e tenebroso inverno. Era uma mistura de algumas colheres de um arenoso enxofre em pó com um pouco de melado. O enxofre é inócuo, por não ser metabolizado.

O dióxido de enxofre em estado gasoso é usado para alvejar cerejas até ficarem brancas; depois são pintadas de vermelho ou verde "Disney" e então perfumadas com óleo de amêndoas amargas, banhadas em calda de açúcar e batizadas de *maraschino*, nome do licor que essas vistosas criações estão tentando imitar.

Os sulfitos neutralizam a oxidação. (Papo técnico: os sulfitos são agentes redutores.) Em geral o termo "oxidação" se refere à reação de uma substância ao oxigênio do ar e pode ser um processo bastante destrutivo. É só observar um metal enferrujado – um exemplo do que a oxidação é capaz. Na cozinha, a oxidação é uma das reações que faz as gorduras ficarem rançosas. Ajudada pelas enzimas, é também a oxidação que faz batatas, maçãs e pêssegos cortados em fatias ficarem marrons. As frutas secas, portanto, são frequentemente tratadas com dióxido de enxofre para evitar que isso aconteça.

Mas a oxidação é um processo químico muito mais geral do que uma simples reação de uma substância ao oxigênio. Para um químico, a oxidação é qualquer reação na qual um elétron seja arrancado de um átomo ou de uma molécula. A molécula que perdeu o elétron é dita "oxidada". Nos nossos corpos, moléculas vitais como as gorduras, as proteínas e até o DNA podem ser oxidadas, tornando-as incapazes de desempenhar seus papéis críticos de manter nossos processos vitais normais funcionando. São os elétrons que mantêm as moléculas juntas, e quando um elétron é arrancado, essas moléculas "boas" podem ser quebradas em moléculas menores, "ruins".

Dentre os arrancadores de elétrons mais vorazes estão os chamados radicais livres, átomos ou moléculas que precisam desesperadamente de mais um elétron e então arrancam um de praticamente qualquer coisa que encontrem. (Os elétrons gostam de existir aos pares, e um radical livre é um átomo ou uma molécula que tem um elétron não pareado, que busca desesperadamente um parceiro.) Desse modo, os radicais livres conseguem oxidar moléculas vivas vitais, prejudicando o corpo, provocando o envelhecimento prematuro e até possivelmente doenças cardíacas e câncer. O problema é que um certo número de radicais livres ocorre naturalmente no corpo por diversas causas.

Antioxidantes, socorro! Um antioxidante é um átomo ou uma molécula que consegue neutralizar um radical livre dando-lhe o elétron que ele quer antes que roube um de alguma coisa vital. Dentre os antioxidantes que obtemos de nossos alimentos estão as vitaminas C e E, o betacaroteno (que se transforma em vitamina A no corpo) e aquelas palavras impronunciáveis de dez sílabas que você vê nos rótulos de diversos produtos que contêm gorduras, e que evitam que fiquem rançosos por oxidação: hidroxianisol butilado (BHA) e hidroxitolueno butilado (BHT).

Voltemos aos sulfitos por um momento. Devemos notar que algumas pessoas, especialmente os asmáticos, são muito sensíveis a sulfitos, que podem provocar dores de cabeça, urticária, tonteiras e dificuldade respiratória poucos minutos após a ingestão. O FDA exige rotulagem específica dos produtos que contêm sulfitos – e há muitos, de cerveja e vinho a produtos de confeitaria, frutas secas, frutos do mar processados, xaropes e vinagres. Procure nos rótulos o dióxido de enxofre ou qualquer substância química cujo nome termine em -sulfito.

XAROPES DOCES

O que são esses xaropes doces, chamados melado e xarope de sorgo, e qual a diferença entre eles e o xarope de cana?

O *xarope de cana* não passa de caldo de cana clarificado e reduzido por fervura até virar um xarope; é feito da mesma maneira que o xarope de *maple*, fervendo-se até reduzir de volume a seiva rala, rica em sacarose, das árvores norte-americanas *sugar maple* e *black maple*. As árvores de bétula negra também têm uma seiva doce que pode ser reduzida a xarope.

A palavra inglesa *treacle* é um termo usado principalmente na Grã-Bretanha. O *treacle* escuro é parecido com o melaço, inclusive no gosto um tanto amargo. O *treacle* claro, também conhecido como xarope dourado, é essencialmente o xarope de cana.

O xarope de sorgo não é feito nem de cana-de-açúcar nem de beterraba-branca, mas de uma gramínea, do tipo do trigo, do milho ou do arroz, dotada de talos altos e fortes. É cultivada pelo mundo todo nos climas quentes e secos, principalmente para serem usados como feno e forragem. Mas algumas variedades têm um suco doce por dentro dos talos, que pode ser reduzido a um xarope que é chamado de melado de sorgo ou de xarope de sorgo, ou ainda simplesmente de sorgo.

Bolo de gengibre e melado

Desde os tempos coloniais, os norte-americanos vêm casando o sabor doce/amargo do melado com gengibre e outras especiarias. Este bolo escuro, denso e úmido fica bom puro ou incrementado com creme batido.

Os cozinheiros que evitam laticínios podem substituir a manteiga por ¼ de xícara mais 2 colheres de sopa de azeite de oliva de gosto suave. Os sabores intensos do gengibre e do melado tornarão a mudança imperceptível.

- 2 ½ xícaras de farinha de trigo
- 1 ½ colher de chá de bicarbonato de sódio
- 1 colher de chá de canela em pó
- 1 colher de chá de gengibre em pó
- ½ colher de chá de cravos moídos
- ½ colher de chá de sal
- ½ xícara (100g) de manteiga derretida e ligeiramente esfriada
- ½ xícara de açúcar
- 1 ovo grande
- 1 xícara de melado escuro
- 1 xícara de água quente (sem estar fervendo)

1. Ajuste a grade do forno na posição do meio. Unte uma forma de 20 x 20cm. Preaqueça o forno a 180°C, se a forma for de metal, ou a 160°C, se estiver usando um pirex.

2. Misture com uma colher de pau, numa tigela de tamanho médio, a farinha com o bicarbonato, a canela, o gengibre, os cravos e o sal. Numa tigela grande, bata a manteiga derretida com o açúcar e o ovo. Numa tigela pequena, ou medidor de vidro, misture o melado com a água quente até que fiquem perfeitamente combinados.

3. Acrescente cerca de um terço da mistura da farinha à mistura de manteiga-açúcar-ovos e misture apenas o suficiente para umedecer os ingredientes. Depois acrescente metade da mistura do melado. Continue, acrescentando mais um terço da mistura de farinha, a outra metade da mistura do melado e finalmente o terço final da mistura de farinha. Bata só até as partes brancas desaparecerem. Não misture demais.

4. Despeje a massa na forma preparada e asse por 50 a 55 minutos, ou até que um palito enfiado no bolo saia limpo e o bolo tenha soltado um pouco dos lados da forma. Deixe esfriar na forma por 5 minutos.

5. Sirva quente, direto na forma, ou vire o bolo numa grade, para esfriar. O bolo dura bastante e ficará fresco por vários dias, coberto, à temperatura ambiente.

- Rende 9 a 12 porções

FONDANT

A minha receita de fondant manda dissolver duas xícaras de açúcar numa xícara de água. Não vai dar, vai?

Por que você não tentou?

Acrescente duas xícaras de açúcar a uma xícara de água numa panela e mexa, aquecendo-a ligeiramente ao mesmo tempo. Você verá que todo o açúcar vai dissolver.

Uma das razões é muito simples: as moléculas do açúcar podem se espremer nos espaços vazios entre as moléculas de água, de modo que elas não estão, na realidade, ocupando tanto espaço novo. Se você chegar no nível submicroscópico, a água não é uma pilha densamente compactada de moléculas. É mais como uma treliça, com as moléculas interligadas umas às outras por fios emaranhados. Os buracos dessa treliça conseguem acomodar um número surpreendente de partículas dissolvidas. Isso é especialmente verdadeiro para o açúcar, porque as moléculas de açúcar são construídas de maneira tal, que adoram se associar com as moléculas de água (papo técnico: pontes de hidrogênio), e isso torna o açúcar muito fácil de se misturar com a água.

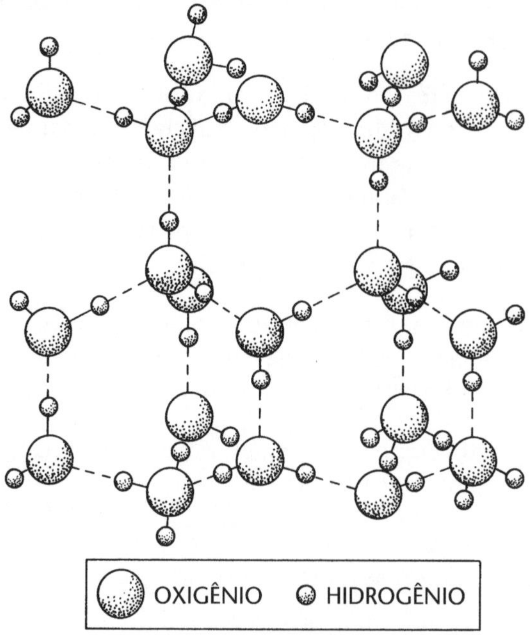

A organização das moléculas de H_2O na água. As linhas pontilhadas mostram as ligações do hidrogênio que estão sempre se quebrando e se refazendo entre as moléculas.

Na verdade, por aquecimento, você pode induzir mais de 1kg (4 xícaras!) de açúcar a se dissolver em uma única xícara de água. É claro que, ao atingir esse objetivo, você não vai perceber se está lidando com uma solução em ebulição de açúcar em água ou um borbulhante açúcar derretido contendo um pouco de água. Foi assim que nasceu a bala.

Outra razão é que duas xícaras de açúcar contêm muito menos açúcar do que parece. As moléculas do açúcar são mais pesadas e mais volumosas do que as moléculas de água, de modo que não há tantas delas em meio quilo ou numa xícara. Além disso, o açúcar está na forma granulada, e não na forma líquida, e os grãos não ficam tão apertados assim na xícara. O resultado surpreendente é que uma xícara de açúcar contém apenas um quinto do número de moléculas existentes numa xícara de água. Isso quer dizer que em duas-xícaras-de-açúcar-numa-xícara-de-água há apenas uma molécula de açúcar para cada doze moléculas de água. Afinal de contas, nada de mais!

DOURAR E CARAMELIZAR

As receitas às vezes mandam caramelizar cebolas picadas, o que significa refogá-las até que fiquem macias e ligeiramente douradas. "Caramelizar" significa apenas dourar alguma coisa? E qual a ligação, se é que há alguma, com a bala de caramelo?

A palavra "caramelizar" é usada para o douramento de diversos tipos de alimentos, mas, no sentido restrito da palavra, caramelizar significa o douramento induzido pelo calor de um alimento que contenha açúcares, mas não proteínas.

Quando o açúcar de mesa puro (sacarose) é aquecido a cerca de 185°C, ele derrete num líquido incolor. Se for aquecido ainda mais, fica amarelo, depois marrom-claro e, numa rápida sucessão, adquire tons de marrom cada vez mais escuros. Durante esse processo, ele ganha um sabor especial, suavemente amargo, cada vez mais. É isso a caramelização. Ela é usada para se fazer uma grande gama de doces, desde o xarope de caramelo às balas de caramelo e ao pé-de-moleque.

A caramelização envolve uma série de reações químicas complexas que ainda não estão completamente entendidas pelos químicos. Mas ela começa quando o açúcar é desidratado e termina com a formação de polímeros (moléculas grandes formadas de muitas moléculas menores, ligadas em longas cadeias). Algumas dessas moléculas grandes têm sabor amargo e são responsáveis pela cor marrom. Se o aquecimento é intensificado demais o açúcar se decompõe em vapor d'água e carbono negro.

Por outro lado, quando pequenas quantidades de açúcar ou amidos (que, lembre-se, são feitos de unidades de açúcar) são aquecidas na presença de proteínas ou de aminoácidos (os blocos que constroem as proteínas), elas dão lugar a um conjunto diferente de reações químicas a altas temperaturas: as reações de Maillard, em homenagem ao bioquímico francês Louis Camille Maillard (1878-1936), que descreveu a primeira etapa do processo. Uma parte da molécula de açúcar (papo técnico: o grupo aldeído) reage com a parte nitrogenada da molécula de proteína (papo técnico: o grupo amina), ao que se segue uma série de reações complexas que criam polímeros marrons e muitas substâncias químicas – ainda não identificadas – de gosto acentuado. Os cientistas de alimentos ainda estão pesquisando para descobrir detalhes das reações de Maillard.

As reações de Maillard são responsáveis pelo sabor agradável do dourado de carboidratos – e de alimentos que contêm proteínas, como carnes grelhadas e assadas (sim, as carnes têm açúcar), crosta de pão e cebolas. As cebolas "caramelizadas" realmente têm gosto doce, porque, além das reações de Maillard, o aquecimento faz com que alguns dos amidos presentes sejam quebrados em açúcares livres, que caramelizam de verdade. Além do mais, muitas receitas de cebola caramelizada recebem uma ajudazinha quando se inclui nelas uma colher de chá de açúcar.

A moral da história é que a palavra *caramelização* deveria ser reservada para o douramento de açúcar – qualquer tipo de açúcar – na ausência de proteína. Quando açúcares ou amidos ocorrem junto com proteínas, como acontece nas cebolas, pães e carnes, o douramento deve-se principalmente a Monsieur Maillard, e não à caramelização.

O "corante caramelo", que se vê nos rótulos de refrigerantes à base de cola, molhos de soja de baixa qualidade e muitos outros alimentos, é feito aquecendo-se soluções de açúcar com um composto de amônia. O composto de amônia funciona exatamente como o grupo amina nas proteínas. Assim, de um certo modo, o "corante caramelo" é, na verdade, uma espécie de corante de Maillard.

A DOÇURA DO MILHO

Muitos alimentos industrializados trazem "adoçantes de milho" ou "xarope de milho" no rótulo. Como é que eles tiram tanta doçura do milho?

Eu sei o que você está pensando. O milho que você comprou no mercado no outro dia não era realmente tão "doce como açúcar" quanto o vendedor prometeu, não foi?

O "milho doce" contém mesmo mais açúcar do que o "milho de vaca", mas, mesmo nas variedades em que o açúcar é geneticamente acentuado, é muito pouco, se comparado com a cana-de-açúcar ou com as beterrabas-brancas. Por que o açúcar derivado do milho é tão amplamente usado nos EUA em vez do açúcar de cana ou o de beterraba?

Duas razões: uma econômica e a outra química.

Os EUA não produzem açúcar de cana ou de beterraba suficiente para saciar os seus 275 milhões de "formiguinhas". Na verdade, importam cerca de sessenta vezes mais açúcar do que exportam. Por outro lado, produzem quantidades enormes de milho – tonelada por tonelada, cerca de seis mil vezes mais milho do que cana-de-açúcar. Portanto, economicamente é mais saudável extrair açúcar do milho.

Mas, por intermédio da mágica da química, se consegue até fazer açúcar do amido do milho. Há muito mais amido do que açúcar no milho.

O que encontramos dentro do caroço do milho? Se retirarmos a água de um caroço de milho, o restante será 84% de carboidratos, uma família de substâncias bioquímicas que inclui os açúcares, os amidos e a celulose. A celulose fica na casca do grão. Mas o amido é o principal componente de todas as outras coisas, fora o sabugo.

Os amidos e os açúcares são duas famílias de substâncias químicas com relações muito próximas. Na verdade, uma molécula de amido é feita de centenas de moléculas menores do açúcar simples (a glicose), todas amarradas juntas (ver p. 13-4). Em princípio, então, se pudéssemos picar as moléculas de amido de milho em pedaços pequenos, poderíamos fazer centenas de moléculas de glicose. Mas se não "picarmos"o suficiente, haverá também um pouco de maltose, outro açúcar que consiste de duas moléculas de glicose, ainda unidas (um dissacarídeo). Haverá também alguns fragmentos ainda maiores, consistindo de dúzias de moléculas de glicose ainda unidas (um polissacarídeo). Como essas moléculas maiores não conseguem escorregar umas pelas outras com tanta facilidade quanto as moléculas pequenas, a mistura final será grossa e xaroposa: xarope de milho. E isso inclui o xarope de milho engarrafado no seu supermercado. O xarope mais escuro tem um sabor mais intenso, mais parecido com melado do que o xarope claro, porque contém um pouco de xarope de refinaria (que é o melado).

Praticamente qualquer ácido, além de uma grande variedade de enzimas de plantas e de animais, consegue fazer o truque de quebrar as moléculas de amido até chegar a um xarope de açúcares misturados. (Enzima é uma substância bioquímica que ajuda uma reação específica a acontecer rápida e eficientemente. Ou seja, é um catalisador natural. Sem as enzimas, muitos dos processos vitais essenciais seriam inutilmente vagarosos ou simplesmente não funcionariam.)

O açúcar comum contido na cana-de-açúcar, na beterraba–branca e no xarope de *maple* é a sacarose. Mas um açúcar com qualquer outro nome pode não ter um gosto tão doce. Ou seja, a glicose e a maltose no xarope de milho têm apenas cerca de 56% e 40% da doçura da sacarose, respectivamente.

Os fabricantes de alimentos contornam esse problema usando ainda outra enzima para converter um pouco da glicose em sua forma molecular alternativa, a frutose, um açúcar 30% mais doce do que a sacarose. É por isso que muitas vezes aparece "xarope de milho com alto teor de frutose" nos rótulos de alimentos que precisam ser realmente muito doces, como refrigerantes, geleias e gelatinas.

Os adoçantes de milho não têm exatamente o mesmo gosto que a boa e velha sacarose, porque os diversos açúcares têm tipos de doçura ligeiramente diferentes. Os sabores de conservas de frutas e de refrigerantes, por exemplo, não são mais o que eram antes de os fabricantes praticamente abandonarem o açúcar de cana pelos adoçantes de milho. Enquanto consumidor que lê rótulos, tudo o que você pode fazer é escolher produtos adoçados com a maior proporção de sacarose, que vem descrita no rótulo como "açúcar". (Se houver outros ingredientes de açúcar num produto, eles estarão descritos no rótulo como "açúcares".)

A *Coca-Cola* no Brasil é fabricada com açúcar de cana, e não com os adoçantes de milho que os engarrafadores nos Estados Unidos vêm usando há mais de uma década. Vale comparar o sabor dela com o da Coca-Cola produzida hoje em dia nos Estados Unidos.

CHOCOLATE

Além da quantidade de açúcar, há alguma diferença entre chocolate amargo, meio amargo e doce?

Sim. Vamos ver como o chocolate é feito.

Os grãos de cacau, na verdade sementes, são encontrados dentro de vagens com formato de melões, ligadas diretamente ao tronco ou aos galhos grossos do cacaueiro. Os grãos são primeiro separados da polpa massuda que fica dentro da vagem, depois fermentados, geralmente empilhados em montes e cobertos com folhas. Micróbios e enzimas atacam a polpa, matam os micróbios das sementes (as partes que iriam germinar e crescer), retiram um pouco do sabor amargo e escurecem a cor dos grãos de marfim para um tom marrom-claro.

Os grãos secos são então enviados para a fábrica de chocolate, para serem torrados para melhorar ainda mais o sabor e a cor, separados das cascas e moídos ou triturados. O calor da fricção da moagem derrete o conteúdo substancial dos grãos – cerca de 55% – de gordura vegetal, eufemisticamente conhecido como manteiga de cacau. O resultado é um líquido espesso, marrom, amargo, chamado licor de chocolate: os sólidos moídos suspensos na gordura derretida. Esse é o material inicial para a fabricação de produtos de chocolate.

Depois de frio, o licor de chocolate solidifica no conhecido chocolate amargo, vendido em barras para uso culinário. O FDA exige que esse chocolate amargo contenha entre 50% e 58% de gordura.

A gordura e os sólidos podem, no entanto, ser separados e misturados em diversas proporções com açúcar e outros ingredientes, para fazer centenas de chocolates diferentes, numa ampla gama de sabores e propriedades.

Uma das coisas maravilhosas a respeito do chocolate é que sua gordura derrete entre 30°C e 36°C, um pouco abaixo da temperatura do corpo, de modo que, à temperatura ambiente, ele é relativamente sólido e deliciosamente quebradiço, mas literalmente derrete na boca, liberando o máximo de sabor e produzindo uma sensação macia, aveludada.

O chocolate meio amargo é uma mistura preparada com licor de chocolate, manteiga de cacau, açúcar, um emulsificador e, algumas vezes, aroma de baunilha. Quando derrete, é mais fluido do que o chocolate amargo e tem um brilho acetinado, sendo que essas duas qualidades o tornam ideal para servir de cobertura. É vendido em barras, para a culinária, mas como pode conter apenas 35% de gordura (a presença de açúcar diminui a porcentagem de gordura), terá na culinária características diferentes das do chocolate amargo, mais gorduroso.

Eis por que não se pode substituir o chocolate meio amargo de uma receita por chocolate amargo mais açúcar. Para complicar ainda mais as coisas, há uma variedade significativa entre as diversas marcas, e chocolates rotulados como sendo meio amargos provavelmente terão uma proporção de licor de chocolate para açúcar maior do que os rotulados como sendo meio doces.

Subindo na escala de doçura, encontramos centenas de tipos de confeitos de chocolates meio amargos e doces contendo pelo menos 15% de licor de chocolate, e com frequência, muito mais. O chocolate ao leite em geral contém menos licor de chocolate (10% a 35%) do que o chocolate escuro (30% a 80%), porque os sólidos do leite que são acrescentados reduzem a porcentagem de licor. É por isso que o chocolate ao leite tem um sabor mais suave, menos amargo que o chocolate escuro.

Antes que qualquer produto de chocolate de alta qualidade esteja pronto para ser moldado em barras ou para recobrir guloseimas diversas, ele passa por dois processos importantes: sovamento e têmpera. No primeiro processo, a mistura de chocolate é sovada em tanques aquecidos a temperaturas controladas, entre 54°C e 88°C por até cinco dias. Esse processo aera o chocolate e retira a umidade e os ácidos voláteis, melhorando tanto o sabor quanto a maciez. Depois, ele é temperado, mantido a temperaturas cuidadosamente controladas enquanto esfria, para que a gordura adquira a forma de cristais minúsculos (com cerca de 40 milionésimos de polegada). Se os cristais fossem maiores (com até 2 milésimos de polegada), o chocolate teria uma textura granulosa.

Hoje em dia há chocolates excelentes para a culinária. A qualidade depende de diversos fatores, inclusive a mistura de grãos usados (há cerca de 20 gradações comerciais); do tipo e grau de torrefação; do grau de sovamento, de têmpera e de outros processos; e, é claro, das quantidades de manteiga de cacau e de outros ingredientes.

Mousse de chocolate aveludada

Por causa da manteiga de cacau, o chocolate se mistura bem com outras gorduras, como a manteiga e a gordura do creme de leite. Esse fato levou à invenção de dezenas de sobremesas de chocolate ricas e cremosas. Mas aqui está uma *mousse* de chocolate sem produtos de leite, usando azeite de oliva.

Nossa boa amiga basca, a *chef* Teresa Barrenechea, oferece essa *mousse* sedosa no seu restaurante em Manhattan, o *Marichu*. "Cada vez um número maior de pessoas não deseja comer tanto creme", diz ela. "Não digo aos clientes que essa sobremesa contém azeite de oliva, ao servi-la. Espero até ouvi-los murmurar, 'Mmmmh-mmmmmh'."

O sabor do chocolate é intenso, mas apesar da quantidade generosa de azeite, seu sabor é sutil. Não há necessidade de acompanhamentos, mas servimos a sobremesa com framboesas frescas.

- 180g de um bom chocolate escuro, meio amargo picado (pode ser Lindt)
- 3 ovos grandes (separar clara das gemas)
- ⅔ de xícara de açúcar de confeiteiro, peneirado depois de medido
- ¼ de xícara de café bem forte à temperatura ambiente, ou 1 colher de sopa de café expresso instantâneo em pó

→

- 2 colheres de sopa de Cointreau ou Chambord
- ¾ de xícara de azeite extra virgem
- Framboesas

1. Derreta o chocolate numa tigela pequena, no forno de micro-ondas ou numa panela em fogo muito baixo. Deixe esfriar.

2. Bata as gemas com o açúcar de confeiteiro numa tigela média, com uma batedeira elétrica, em velocidade média, até elas ficarem bem lisas. Acrescente o café e o licor, bata até unirem-se. Aí, misture o chocolate derretido. Junte o azeite de oliva e misture bem.

3. Lave bem as pás da batedeira de modo que fiquem completamente livres de azeite. Noutra tigela média, bata as claras até ficarem quase firmes. Misture delicadamente, com um batedor de ovos, um terço das claras na mistura de chocolate, até desaparecerem quaisquer traços brancos. Misture o restante das claras, ⅓ de cada vez, até as manchas brancas desaparecerem. Não misture demais.

4. Transfira a *mousse* para uma tigela bonita ou para pratos de sobremesa individuais, cubra e ponha na geladeira até ficar bem gelada. Sirva gelada, com as framboesas.

Não, não vai desabar. E não, não tem gosto de azeite.

- Rende 6 porções

CHOCOLATE EM PÓ

O que é chocolate em pó pelo processo holandês? Há diferença no uso dele ou do chocolate comum nas receitas?

Para fazer o chocolate em pó, o chocolate amargo (licor de chocolate solidificado) é prensado para extrair a maior parte da gordura, e a massa resultante é então moída até virar um pó. Há diversos tipos de chocolate em pó, dependendo da quantidade de gordura remanescente.

No processo holandês, inventado em 1828 por Conrad J. van Houten, os grãos de cacau ou a massa de licor de chocolate são tratados com uma substância alcalina (geralmente o carbonato de potássio), que escurece a cor para um profundo marrom-avermelhado e suaviza o sabor. A Hershey chama o chocolate em pó que fabrica por processo holandês de chocolate em pó de "estilo europeu".

O cacau é naturalmente ácido, e o álcali usado no processo holandês serve para neutralizá-lo. Isso pode fazer diferença numa receita de bolo, porque o cacau ácido irá reagir com qualquer bicarbonato de sódio presente, para liberar dióxido de carbono e aumentar a fermentação, mas o cacau neutralizado do processo holandês, não.

O bolo chamado Comida do Diabo (*Devil's food*) é um caso interessante, porque a maior parte das receitas pede chocolate em pó comum; no entanto, o bolo sai com uma diabólica coloração vermelha, como se contivesse cacau do processo holandês. Isso se dá por causa do bicarbonato de sódio usado como fermento, e a alcalinidade do bicarbonato de sódio "holandeíza" o cacau.

Nos Estados Unidos, a palavra *cocoa* nos faz pensar numa bebida quente, achocolatada. Mas uma xícara de *cocoa* ou chocolate quente está para uma xícara de chocolate quente mexicano como o leite desnatado está para o creme de leite, porque extraímos toda a gordura do pó de cacau. Uma xícara de chocolate mexicano, por outro lado, é espessa e incrivelmente rica, porque ele é feito do licor de chocolate integral, com gordura e tudo.

Há alguns anos, em Oaxaca no sul do México, observei grãos de cacau sendo fermentados e torrados com açúcar, amêndoas e canela, emergindo do moedor como uma pasta reluzente, grossa, marrom – um licor de chocolate adoçado e perfumado. Depois, era posto em moldes redondos ou no feitio de charutos, esfriados até virarem barras sólidas e vendidos naquela forma.

Na cozinha, uma ou duas barras desse chocolate mexicano são batidas em água ou leite fervente, para formar um néctar rico, espumante. Em Oaxaca, o chocolate é servido em xícaras de boca larga, feitas especialmente para se mergulhar o pão mexicano, rico em ovos, *pan de yema* (pão de gemas). Na Espanha, já mergulhei *churros*, pedaços de massa frita, dentro da mesma bebida rica de chocolate.

Dentre os tesouros que os *conquistadores* espanhóis levaram do Novo Mundo, muitos concordariam que, a longo prazo, o chocolate foi mais valioso que o ouro. O chocolate mexicano é encontrado nos Estados Unidos sob os nomes comerciais de Ibarra e Abuelita.

Bolo do Diabo em forminhas

A cor escura desse bolo é adquirida quando o cacau normal é "holandeízado" pela alcalinidade do bicarbonato de sódio. Para uma cor ainda mais escura e um sabor mais suave, você pode substituí-lo pelo chocolate em pó do processo holandês. Não haverá diferença na textura.

- ½ xícara de chocolate em pó amargo
- 1 xícara de água fervendo
- 2 xícaras de farinha de trigo
- 1 colher de chá de bicarbonato de sódio
- ½ colher de chá de sal
- ½ xícara de manteiga sem sal, amolecida
- 1 xícara de açúcar
- 2 ovos grandes
- 1 colher de chá de baunilha

1. Preaqueça o forno a 170°C. Unte 18 forminhas grandes de empada, e coloque-as num tabuleiro (você também pode usar forminhas de papel).

2. Ponha o chocolate em pó numa tigela pequena. Junte a água devagar, mexendo com uma colher até ficar tudo bem combinado numa pasta lisa. Reserve até ficar morno.

3. Numa tigela pequena, misture a farinha, o bicarbonato de sódio e o sal. Numa tigela média, bata a manteiga com o açúcar, usando uma batedeira elétrica em velocidade média, até a massa ficar fofa. Acrescente, batendo, os ovos, um de cada vez, até que cada um fique bem incorporado. Acrescente a mistura de chocolate esfriada toda de uma vez e mexa bem, até ficar bem misturado.

4. Acrescente a mistura de farinha, de uma vez só, e misture até que a massa fique lisa e todos os traços brancos desapareçam. Não misture demais.

5. Coloque ⅓ de xícara da massa dentro de cada forminha. Encha somente ¾ das forminhas. Asse por 15 minutos ou até que um palito enfiado no centro das formas saia seco.

- Rende dezoito bolos de 6cm de diâmetro

→

Cobertura de chocolate moca

- 3 xícaras de açúcar de confeiteiro
- ½ de xícara de chocolate em pó amargo
- ⅓ de xícara de manteiga sem sal à temperatura ambiente
- ½ colher de chá de baunilha
- 1 pitada de sal
- cerca de ⅓ de xícara de café forte, frio

1. Retire os grumos do açúcar de confeiteiro e do chocolate em pó, pondo os ingredientes medidos numa peneira sobre uma tigela; empurre e esfregue com as costas de uma colher ou com uma espátula de borracha. Misture o açúcar com o chocolate em pó com uma espátula.

2. Com uma batedeira elétrica, bata a manteiga até ficar um creme liso. Acrescente a baunilha e o sal. Junte a mistura de açúcar com chocolate em pó toda de uma vez e misture até se fundirem. Junte, batendo, a quantidade de café necessária para formar uma cobertura lisa, que possa ser espalhada.

- Rende 1 ¾ de xícara, ou o suficiente para cobrir generosamente 18 bolos

CHOCOLATE BRANCO

É verdade que o chocolate branco não tem cafeína?

Não. Nem chocolate.

O chocolate branco não passa da gordura do cacau (manteiga de cacau) misturada com leite e açúcar. Não contém nenhum daqueles sólidos grãos de cacau maravilhosos que, embora nada recomendáveis, dão ao chocolate seu caráter exclusivo e seu rico sabor. Caso você escolha uma sobremesa com cobertura de chocolate branco para evitar a cafeína do chocolate, lembre-se de que a manteiga de cacau é altamente saturada. Não dá para se ter tudo ao mesmo tempo.

Para juntar insulto à injúria, alguns chocolates brancos nem ao menos são feitos com manteiga de cacau; são feitos com óleos vegetais hidrogenados. Não deixe de ler a lista de ingredientes no rótulo.

Barras de chocolate branco

Essas barras crocantes, do tipo puxa-puxa, vão fazer a alegria de qualquer chocólatra, apesar da coloração pálida.

- 2 xícaras de farinha de trigo
- ½ colher de chá de bicarbonato de sódio
- ¼ de colher de chá de sal
- ¾ de xícara (150g) de manteiga sem sal, à temperatura ambiente, cortada em porções de colheres de sopa
- 1 xícara de açúcar mascavo escuro, sem ser socado na xícara
- 2 ovos grandes
- ½ xícara de coco em flocos, adoçado
- 2 colheres de chá de baunilha
- 280g de chocolate branco, grosseiramente picado
- 1 xícara de nozes grosseiramente picadas
- açúcar de confeiteiro

1. Preaqueça o forno a 150°C. Unte uma assadeira de 23 x 33cm.

2. Misture, com um batedor de ovos, a farinha, o bicarbonato de sódio e o sal numa tigela média. Noutra tigela média, com uma batedeira elétrica, bata a manteiga com o açúcar. Acrescente, batendo, os ovos, um de cada vez, até que a massa fique bem incorporada; depois acrescente o coco e a baunilha e misture. Junte a mistura de farinha e mexa com uma colher de pau, até que todas as manchas brancas desapareçam. Junte o chocolate picado e as nozes até que fiquem dispersos uniformemente. A textura deverá ser a de uma massa espessa de biscoito.

3. Despeje a massa numa assadeira já preparada. Empurre bem a massa para os cantos e nivele a superfície com uma espátula. Asse por 40 a 45 minu-

→

tos, ou até que o centro esteja firme e o topo dourado. Enfie um palito no centro da massa e veja se ele sai seco. Retire do forno e ponha a assadeira numa grade de arame para esfriar à temperatura ambiente. Polvilhe com açúcar de confeiteiro e corte em pedaços de 5 x 7,5cm. Os pedaços duram vários dias à temperatura ambiente; você também pode congelá-los.

▸ Rende cerca de 18 pedaços

ADOÇANTES ARTIFICIAIS

Qual é a diferença entre as diversas marcas de adoçantes artificiais?

Eu mesmo nunca os uso, porque não vejo as 15 calorias contidas numa colher de chá de açúcar como uma ameaça à minha existência. Mas os adoçantes artificiais são uma bênção para os diabéticos e outras pessoas que querem evitar a ingestão do verdadeiro açúcar.

Os quatro adoçantes artificiais, também chamados de substitutos do açúcar, até agora aprovados pela FDA para diversos usos alimentares são: o aspartame, a sacarina, o acesulfame potássio e a sucralose. Mas há outros sendo avaliados. O aspartame é um adoçante nutritivo, ou seja, fornece energia ao corpo sob a forma de calorias, enquanto os outros não são nutritivos, ou seja, são desprovidos de calorias.

O *aspartame*, que é de 100 a 200 vezes mais doce que a sacarose, é o principal ingrediente do Finn, do NutraSweet e do Equal. É uma combinação de duas proteínas, o ácido aspártico e a fenilalanina, contendo portanto as mesmas quatro calorias por grama que qualquer proteína e, assim, as mesmas quatro calorias por grama que o açúcar. Mas como é bem mais doce que a sacarose, basta uma quantidade mínima para produzir efeito.

Como se calcula que uma em cada 16 mil pessoas sofre de uma doença genética chamada fenilcetonúria, na qual o corpo não consegue produzir as enzimas necessárias para digerir a fenilalanina, os adoçantes que contêm aspartame são obrigados a trazer a seguinte advertência no rótulo: "fenilcetonúricos: contêm fenilalanina". Exceto no caso de pessoas que sofrem de fenilcetonúria – apesar das campanhas na internet que vinculam o aspartame a toda uma série de doenças sérias, indo de esclerose múltipla até dano cerebral – a FDA aprova sem restrições o aspartame, salvo em doses maciças.

A *sacarina*, já conhecida há mais de 120 anos e cerca de 300 vezes mais doce que a sacarose, é o agente adoçante no Sweet'n Low.

Ao longo dos anos, a sacarina tem tido uma história de aprovações e proibições pelo governo norte-americano. No início de 2001, após extensos estudos encomendados pelo Departamento de Saúde e Serviços Humanos dos Estados Unidos, que considerou insuficientes as provas de que a sacarina era carcinogênica para seres humanos, o presidente Bush baniu a exigência de um aviso no rótulo desses produtos.

O *acesulfame potássio*, algumas vezes escrito como *acesulfame K*, 130 a 200 vezes mais doce que a sacarose, é o ingrediente das marcas norte-americanas no Sunett e Sweet One. É usado em combinação com outros adoçantes em milhares de produtos pelo mundo afora. Embora aprovado pela FDA desde 1988, tem sido alvo do ataque de fiscais dos consumidores, uma vez que é quimicamente semelhante à sacarina.

A *sucralose*, também conhecida pela marca comercial Splenda, é 600 vezes mais doce que a sacarose e foi aprovada pela FDA em 1999 como um adoçante de uso geral para todos os alimentos. É um derivado clorado da própria sacarose (papo técnico: três grupos hidroxila na molécula de sacarose foram substituídos por três átomos de cloro), mas como não é quebrada significativamente pelo corpo, não fornece calorias. Como quantidades mínimas são tão poderosamente adoçantes, em geral o volume é aumentado com maltodextrina, um amido em pó.

Todos esses adoçantes artificiais podem ser deletérios para a saúde, no caso de ingeridos em doses muito grandes. Mas embora a mesma afirmação possa ser feita a respeito de qualquer substância sobre a Terra, inclusive todos os nossos alimentos, cada uma dessas substâncias químicas doces tem um grupo vociferante de opositores.

Antes de abandonarmos substitutos do açúcar, você poderá ter observado (se ler os rótulos, como eu) a presença do ingrediente *sorbitol* nas balas sem açúcar e em outros alimentos. Ela não é nem um açúcar nem um substituto sintético, mas um álcool de sabor doce encontrado naturalmente em determinadas frutas. Tem mais ou menos a metade da doçura da sacarose.

O sorbitol tem a propriedade de prender-se à água e é usado para manter diversos alimentos industrializados, cosméticos e cremes dentais úmidos, estáveis e com a textura macia. Mas por causa dessa mesma propriedade, sorbitol em excesso pode funcionar como um laxante, retendo água nos intestinos. Pessoas que abusaram de balas sem açúcar tiveram motivos para arrepender-se da intemperança.

capítulo 2

O sal da terra

Você conhece um mineral chamado halita? Essa é a única rocha mineral consumida por seres humanos. O outro nome para esse mineral cristalino é salgema ou sal de rocha. E, ao contrário dos cristais que algumas pessoas carregam por aí em função de seus supostos poderes curativos, esse é um cristal que realmente nos mantém vivos e saudáveis.

O sal comum – cloreto de sódio – é provavelmente nosso alimento mais precioso. Não apenas seus componentes, sódio e cloro (papo técnico: íons), são nutrientes sem os quais não podemos viver, como o sabor salgado é uma das nossas sensações gustativas fundamentais. Além de seu próprio sabor, o sal tem a propriedade aparentemente mágica de acentuar outros sabores.

A palavra *sal* não descreve apenas uma substância. Na química, é um termo genérico para toda uma família de substâncias. (Papo técnico: um sal é o produto da reação entre um ácido e uma base. O cloreto de sódio, por exemplo, é o resultado da reação do ácido clorídrico com a base hidróxido de sódio.) Alguns outros sais de importância gastronômica são o cloreto de potássio, usado como substituto do sal em dietas de redução do sódio; o iodeto de potássio, acrescentado ao sal comum para fornecer iodo à dieta; e o nitrato de sódio e o nitrito de sódio, usados na cura de carnes. Neste livro, a não ser quando indicado, vou fazer o que todo mundo faz fora dos laboratórios de química: usar a palavra *sal* para designar o cloreto de sódio.

Diante de tantos sais diferentes, será que o que chamamos de "salgado" tem realmente o sabor exclusivo do cloreto de sódio? Sem dúvida, não. Prove um dos "substitutos de sal" de cloreto de potássio e você o descreverá como salgado, mas um salgado diferente do sabor conhecido do cloreto de sódio, exatamente como a sensação de dulçor é ligeiramente diferente entre os diversos açúcares e adoçantes artificiais.

Além de seu papel como nutriente e condimento, o sal tem sido usado há milhares de anos para conservar carne, peixe e legumes a serem consumidos muito depois de terminada a caça ou a colheita.

Neste capítulo, embora não resolva os mistérios das qualidades nutritivas e gustativas do sal, aponto as funções físicas e químicas desempenhadas por ele nos nossos alimentos, inclusive a conservação.

TIPOS DE SAL

O que há de especial com alguns tipos de sal para serem tão mais caros que o sal comum?

Do ponto de vista químico, absolutamente nada. Eles não passam do velho sal comum: cloreto de sódio. Mas, do ponto de vista físico, eles têm uma granulação mais fina ou mais grossa do que o sal de mesa comum. Só isso.

O número de sais especiais no mercado atacadista dos Estados Unidos é assombroso. A Cargill Salt, um dos maiores produtores mundiais de sal, fabrica cerca de sessenta tipos de sal classificados como de cozinha para o uso de fabricantes de alimentos e para os consumidores, inclusive flocos, finos, grossos, extrafinos, superfinos, em pó e pelo menos duas gradações para *pretzel*. Do ponto de vista químico, todos são mais de 99% puro cloreto de sódio, mas apresentam características físicas especiais, projetadas para usos diversos, desde batatas fritas, pipoca e amendoim torrado até bolos, pães, queijos, bolachas, margarina, manteiga de amendoim e picles.

Para margueritas, você vai preferir cristais grossos que grudem no caldo de limão na beirada do copo. (Você umedece a beira do copo no suco de limão, não umedece? Pelo amor de Deus, não o faça com água!) Os grãos de sal mais finos iriam dissolver-se no suco. Por outro lado, para as pipocas, você quer exatamente o contrário: partículas finas, quase um pó, que se aninhem nas reentrâncias dos grãos e fiquem lá. Os grãos do sal dos saleiros normais não grudam em alimentos secos; eles quicam como as rochas falsas de uma avalanche de Indiana Jones.

Mas por que pagar um preço alto por cloreto de sódio comum com um rótulo atraente? O sal *kosher* é bastante grosso para recobrir a beirada de um copo de marguerita e funciona muito bem, apesar do mau casamento étnico. E para pipocas, eu moo o sal *kosher* num almofariz até que vire um pó.

Adoro o rótulo de uma marca de "sal para pipoca", que custa quase 10 dólares o quilo. (O sal de cozinha custa cerca de R$0,60 por quilo.) O rótulo declara, direto: "Ingrediente: sal." Bom, é bastante justo. Mas depois continua vangloriando-se de que "também acentua o sabor de batatas fritas e de milho na espiga". Grande surpresa.

SAL KOSHER

Muitos chefs e receitas especificam o uso de sal "kosher". O que há de diferente nele?

Sal *kosher* é um nome errado. Deveria se chamar sal para tornar *kosher*, porque é usado no processo de tornar um alimento *kosher*, que envolve cobrir carne ou aves cruas com sal para purificá-los.

O sal *kosher* pode ser de mina ou retirado do mar; ninguém parece dar atenção a isso. Seus cristais, no entanto, devem sempre ser grossos e irregulares, para que grudem na superfície da carne durante o processo de tornar *kosher*. Em geral, o sal comum, de mesa, não gruda. Além da supervisão do rabino em sua produção, o tamanho dos cristais é a única diferença entre o sal *kosher* e outros sais.

Como é grosso, o sal *kosher* é usado melhor às pitadas do que sendo sacudido em cima da comida. A pitada permite que você veja e sinta exatamente o quanto está usando. É por isso que a maior parte dos *chefs* usa o sal *kosher*. Eu o conservo à mão, num potinho, não apenas na cozinha, mas à mesa. Uso o meu saleiro principalmente para salpicar sal na cauda de aves.

Algumas pessoas acreditam que o sal *kosher* contém menos sódio do que o sal de mesa. Isso é bobagem. Os dois são praticamente cloreto de sódio puro, e o cloreto de sódio sempre contém 39,3% de sódio. Grama por grama, todo sal comestível é exatamente tão salgado quanto qualquer outro.

No entanto, há realmente uma diferença na quantidade de sal *kosher* a ser usado na cozinha. Quando uma receita especifica simplesmente "sal", quase sempre se refere ao sal de mesa: sal que é formado por cristais pequenos o suficiente para passarem pelos orifícios do saleiro. Mas os sais *kosher*, como têm grãos maiores, com feitio irregular, não se assentam numa colher de chá de modo tão compacto quanto o sal de mesa. Desse modo, uma colher de chá de sal *kosher* vai conter, na verdade, menos cloreto de sódio, e você tem portanto de usar um volume maior para obter o mesmo grau de salinidade. É isso o que está por trás do mito de "menos sódio"; se você usar o mesmo número de colheres de chá, é claro que estará utilizando menos sal e, portanto, menos sódio do que num sal granulado.

Muitas vezes se diz que o sal *kosher* não contém aditivos. E realmente, como seus cristais não são cubos minúsculos como o sal do saleiro, eles não tendem a grudar e em geral não precisam dos aditivos dos sais de saleiro. Mas leia os rótulos. Algumas marcas não contêm aditivos, mas outras contêm uma quantidade ínfima – limitada pela FDA a menos de 0,131 % – do agente antiaglutinante ferrocianeto de sódio.

Ferro – o quê? Relaxe. Embora o ferrocianeto seja uma substância química inteiramente diferente do venenoso cianeto, os rótulos citam-no pelo nome menos alarmante, prussiato amarelo de sódio.

Qualquer sal, seja de mina ou do mar, seja *kosher* ou secular, pode ser iodado. A ele é acrescentado um máximo de 0,01% de iodeto de potássio como proteção contra o bócio, uma doença causada pela deficiência de iodo. No entanto os sais iodados precisam de um aditivo especial, porque o iodeto de potássio é um tanto instável, e, num ambiente quente, úmido ou ácido, ele se decompõe e o componente iodo perde-se pelo ar. (Papo técnico: o iodeto é oxidado a iodo livre.) Para evitar isso, muitas vezes é acrescentada uma quantidade ínfima 0,04% de dextrose.

Açúcar no sal? Pois é. A dextrose é o que se conhece como açúcar de redução, que evita a oxidação do iodeto em iodo livre. Mas às altas temperaturas usadas para se assar, um pouco do iodeto pode ser oxidado a iodo, que tem um sabor acre. Muitos confeiteiros, portanto, não usam sal iodado em suas massas.

Amêndoas para aperitivo

Na Espanha, pratinhos de amêndoas fritas em azeite e salgadas são oferecidos nos bares. Elas viciam. Você pode fazê-las em casa, ou fritando, ou, se quiser menos gordura, tostando-as no forno. Os dois métodos são fornecidos adiante. Em ambos os casos, a melhor maneira de fazer com que o sal fique aderido às amêndoas é usar sal *kosher* moído num almofariz até fazer um pó. Ou você pode moer o sal num moedor de especiarias, desde que o limpe bem antes de usá-lo de novo para os outros temperos.

- 1 colher de chá de sal *kosher*
- 2 xícaras de amêndoas sem peles, inteiras (350g)
- ½ xícara de azeite de oliva extra virgem

Método do fogão

1. Reduza o sal a pó num almofariz ou passe-o num moedor de especiarias, até que fique fino. (O sal não fica bem moído num processador de alimentos ou num liquidificador.)

2. Despeje ½ xícara de azeite de oliva numa frigideira média, de beiradas altas, e acrescente as amêndoas. Ponha a frigideira fria sobre o fogão e acenda o fogo em médio-alto. Cozinhe, mexendo sem parar, até que o azeite comece a chiar e as amêndoas comecem a tomar cor.

3. À medida que as amêndoas fiquem douradas, retire-as com a escumadeira e ponha-as sobre toalhas de papel, para escorrerem. Não as deixe ficar marrom-escuras. Enquanto as amêndoas ainda estiverem quentes, transfira-as para uma tigela, salpique-as com o sal em pó e misture delicadamente.

4. Não jogue o azeite fora; ele não terá aquecido o suficiente para degradar-se significativamente. Deixe-o esfriar, despeje-o num pote e guarde-o num local fresco, escurecido. Use-o para refogados.

- Rende cerca de 2 xícaras ou 8 porções

Método do forno

1. Preaqueça o forno a 180°C. Ponha as amêndoas num tabuleiro. Respingue-as com cerca de 1 colher de sopa de azeite de oliva e misture para recobri-las de modo uniforme.

2. Asse até que as amêndoas fiquem douradas, entre 12 a 14 minutos, mexendo uma vez nesse meio tempo.

3. Retire as amêndoas do forno, transfira-as para uma tigela, salpique-as com o sal em pó e misture delicadamente para distribuí-lo de modo uniforme.

AMACIANTES DE CARNE

Li no rótulo de um pote de amaciantes de carne que ele era feito basicamente de sal. O sal amacia a carne?

Só ligeiramente. Mas se você continuar a ler a lista de ingredientes no rótulo, irá achar a papaína, uma enzima encontrada no mamão verde. É ela que realmente funciona. Aquele sal todo está ali principalmente para diluir e dispersar as quantidades relativamente pequenas da papaína no produto.

A carne pode ser amaciada de diversas maneiras. Um pedaço de carne fresca fica mais macio nas semanas que se seguem ao momento em que ela é transformada em carne fresca – para dizer da maneira mais delicada possível. Por isso é que a carne é maturada – pendurada em umidade controlada por duas a quatro semanas, a temperaturas de cerca de 2°C. Algumas carnes são maturadas rapidamente a 20°C por apenas 48 horas. Mas é claro que toda maturação requer tempo, e tempo é dinheiro, de modo que nem todas as carnes são sequer maturadas rapidamente antes de saírem do frigorífico. É uma pena, pois a maturação não apenas amacia a carne, mas melhora o seu sabor.

As frutas, no entanto, possuem diversas enzimas que têm a propriedade de degradar proteínas e podem ser usadas para amaciar a carne. Dentre elas estão a bromelina do abacaxi, a ficina das figueiras e a papaína do mamão. Só que elas não penetram muito e amaciam sobretudo a superfície, o que não ajuda muito no caso de um bife. Além disso, são destruídas por temperaturas acima de 82°C, de modo que só são eficientes antes do cozimento.

A solução? Encontrar um açougueiro que venda carne bem maturada (muito difícil de se encontrar hoje em dia) ou comprar os cortes que são naturalmente mais macios e, é claro, estes mais caros.

Dê uma olhada na seção de temperos e especiarias do supermercado, preste atenção nos rótulos de todas aquelas "misturas de temperos", como, por exemplo, os temperos para carnes. Você verá que o ingrediente mais importante, o que aparece em primeiro lugar nos rótulos, é o sal. Leia a lista toda, compre uma ou duas das especiarias citadas e tempere você mesmo a sua comida, enquanto estiver cozinhando. Não há necessidade de pagar preços de especiarias pelo que é principalmente sal.

QUANDO O SAL NÃO É SAL?

O que são todos aqueles substitutos para sal que vejo no mercado? Fazem menos mal do que o sal verdadeiro?

Sal "verdadeiro" é o cloreto de sódio. A questão de fazer mal gira em torno do seu conteúdo de sódio; até agora ninguém acusou o cloro de nada. O objetivo de todos os substitutos é diminuir ou eliminar o sódio.

Faz tempo que se suspeita que o sódio na dieta seja uma causa de pressão arterial alta, mas parece haver pouco consenso entre os pesquisadores. Alguns acreditam que o sódio contribua para a pressão alta, outros, não. Como ainda não foi descoberta uma prova irrefutável, a opinião parece pender para o lado do sódio-faz-mal.

Como em toda pesquisa médica, o pior que se pode dizer de uma prática dietética é que ela aumenta o risco de uma coisa ou de outra. Isso não quer dizer "se comer, morre". O risco é apenas uma probabilidade, não uma certeza. No entanto, a redução do sódio pode ser uma atitude prudente.

As incertezas médicas não impediram as fábricas de alimentos de moerem produtos de medo-de-sódio. Os substitutos do sal são, geralmente, cloreto de potássio, um irmão gêmeo químico do cloreto de sódio. Tem gosto salgado, mas é um tipo diferente de salgado. Ambos são membros de uma grande família química chamada de sais; chamamos o cloreto de sódio de "sal", como se fosse o único, porque é o mais comum. Químicos divertem-se quando passam pelas prateleiras dos supermercados e veem rótulos com a expressão "não contém sal". Mas o que compõe esses produtos é cloreto de potássio, um sal honestíssimo quimicamente. Isso só acontece porque a FDA permite que os rótulos usem a palavra *sal* apenas para referir-se ao cloreto de sódio.

Já existe um sal "light", que é uma mistura meio a meio de cloreto de sódio e cloreto de potássio, para aqueles que querem cortar o sódio sem abrir mão de um pouco do gosto exclusivo do cloreto de sódio.

E, finalmente, nos Estados Unidos, há o *Salt Sense* (sentido do sal), que se declara 100% "sal verdadeiro", querendo dizer verdadeiro cloreto de sódio, e que, no entanto, também alega conter "33% menos sódio por colher de chá". Essa afirmação é desconcertante para um químico, já que o cloreto de sódio é formado por um átomo de sódio e mais um átomo de cloro, o que significa que o cloreto de sódio tem sempre que conter em peso a mesma porcentagem de sódio: 39,3%. (É menos de 50% porque o átomo de cloro é mais pesado do que o átomo de sódio.) Portanto, não adianta ficar fuçando para saber quanto sódio o "verdadeiro sal" realmente contém. Seria como declarar que um determinado metro tem menos de 100 centímetros.

Então, onde está o logro? Está na expressão *colher de chá*. Uma colher de chá de *Salt Sense* realmente contém 33% menos sódio, porque uma colher de chá de *Salt Sense* contém 33% menos sal. O *Salt Sense* consiste de cristais de sal em flocos fofos, de modo que não assentam tanto na colher quanto o sal de mesa granulado. Assim, se você usar o mesmo volume de *Salt Sense* que usa para sal comum, o peso vai ser menor; portanto, vai haver menos sódio. É exatamente como se uma marca de sorvete declarasse ter 33% menos calorias por porção porque é mais fofo, por conter mais ar (é, eles fazem isso). Há, portanto, menos sorvete numa porção.

Nas letrinhas miúdas na parte de baixo do rótulo do *Salt Sense* há uma nota de rodapé: "*100g de qualquer produto (*Salt Sense* ou sal comum) contém 39.100 mg de sódio". Certo. Quando você compara pesos iguais, em vez do mesmo número de colheres de chá, o *Salt Sense* não passa de sal com um aditivo: *marketing* criativo. (Está bem, vocês notaram que 39,1 não é exatamente 39,3. Isso é porque o *Salt Sense* é só 99,5% puro.)

SAL NA ÁGUA DA MASSA

Por que temos de pôr sal na água antes de cozinhar a massa? Isso faz com que ela cozinhe mais rápido?

Praticamente todos os livros de receitas mandam salgar a água em que vamos cozinhar massa ou batatas, e nós conscienciosamente obedecemos, sem fazer perguntas.

Há uma razão muito simples para se juntar sal à água: ele acentua o sabor do alimento, igual a quando é usado em qualquer outro tipo de cozimento. É o único motivo.

Qualquer leitor que tenha prestado um mínimo atenção às aulas de química irá protestar. "Mas a adição de sal eleva o ponto de ebulição, de modo que a água ferverá a uma temperatura mais alta e cozinhará o alimento mais depressa".

É verdade que a dissolução de sal – ou de qualquer outra coisa – na água realmente faz com que ela entre em ebulição a uma temperatura mais alta do que 100°C no nível do mar. Mas na cozinha, esse aumento não faz diferença alguma, a não ser que você ponha tanto sal que possa usar essa água para derreter o gelo de um iceberg.

Como qualquer químico terá o maior prazer em calcular, o acréscimo de uma colher de sopa (20g) de sal de cozinha a cinco litros de água fervendo para cozinhar meio quilo de macarrão vai elevar o ponto de ebulição em menos de um centésimo de grau centígrado. Isso talvez encurte o tempo de cozimento em meio segundo, mais ou menos.

É claro que sendo um professor incorrigível, agora sinto-me obrigado a contar *por que* o sal eleva o ponto de ebulição da água, embora o efeito seja pequeno. Basta um parágrafo.

Para que entrem em ebulição, ou seja, para que se tornem vapor, as moléculas de água têm de escapar dos liames que as unem às suas companheiras líquidas. A luta para soltar-se com a ajuda do calor é bastante difícil, porque as moléculas de água se unem com muita força. Mas se por acaso houver partículas estranhas entulhando o líquido, fica ainda mais difícil, porque as partículas de sal (papo técnico: os íons de sódio e de cloro) ou de outras substâncias dissolvidas simplesmente atrapalham esse processo. As moléculas de água, portanto, precisam de um impulso extra, sob a forma de uma temperatura mais alta, para conseguir fugir para a liberdade do ar. (Se quiser saber mais, consulte o seu químico preferido a respeito de "coeficientes de atividade".)

Agora, de volta à cozinha.

Infelizmente, há ainda mais bobagem em torno do acréscimo de sal à água de cozimento do que na falácia da temperatura de ebulição. A fábula mais frequentemente citada, mesmo nos mais respeitados livros de culinária, nos diz exatamente *quando* devemos acrescentar o sal à água.

Um livro recente, sobre massa, observa que "é costume acrescentar o sal à água fervendo antes de acrescentar a massa". Prossegue avisando que "pôr sal antes que a água ferva pode provocar um gosto final desagradável". Desse modo, a rotina recomendada é (1) ferver, (2) juntar o sal, (3) juntar a massa.

Ao mesmo tempo, outro livro sobre massa aconselha "levar a água à fervura antes de acrescentar sal ou massa", mas deixa em aberto a importantíssima questão de se colocar primeiro o sal ou primeiro a massa.

O fato é que, contanto que a massa cozinhe em água salgada, tanto faz se a água já estava fervendo ou não quando o sal foi acrescentado. O sal dissolve bastante bem na água, seja quente ou apenas morna. E mesmo que não dissolvesse, o sal não tem memória para tempo ou temperatura – ou exatamente quando entrou na água ou se o mergulho foi a 100°C ou 38°C. Portanto, não é possível que afete a massa de modos diferentes.

Uma teoria que ouvi de um *chef* é que, quando o sal dissolve na água, libera calor, e que, se você acrescenta o sal quando a água já está fervendo, o calor adicional fará a panela transbordar. Perdão, *chef*, mas o sal não libera calor ao ser dissolvido; na verdade, absorve um pouco de calor. O que você sem dúvida observou é que quando pôs o sal a água repentinamente rompeu num borbulhamento mais intenso. Isso aconteceu porque o sal – ou quase qualquer outra partícula sólida acrescentada – fornece muito mais locais para surgirem as bolhas que estão se formando (papo técnico: locais de nucleação), sobre os quais elas crescerão até o tamanho normal.

Outra teoria – parece que todo mundo tem uma; será que cozinhar massa é um desafio tão catastrófico? – é que o sal além de dar maior sabor, endurece a massa e evita que fique muito molenga. Já ouvi algumas razões plausíveis e bastante técnicas a esse respeito, mas não vou incomodá-los com isso. Vamos apenas acrescentar o sal quando, e seja lá por que motivo, quisermos. Apenas, não se esqueça dele, ou a massa vai ficar sem gosto.

SAL MARINHO X SAL COMUM

Por favor, conte-me a respeito do sal marinho. Por que é tão usado, atualmente, por tantos chefs? Qual é a diferença entre ele e o sal comum?

Os termos *sal marinho* e *sal normal* (sal de cozinha) são muitas vezes usados como se designassem duas substâncias diferentes com propriedades diferentes. Só que não é tão simples. O sal realmente é obtido de duas fontes distintas: minas subterrâneas e água do mar. Mas esse fato, sozinho, não os difere inerentemente, do mesmo modo que a água obtida de poços e fontes não são inerentemente diferentes por causa de suas origens.

Os depósitos subterrâneos de sal foram sedimentados por mares antigos que acabaram secando em diversas épocas da história da Terra, de alguns milhões a algumas centenas de milhões de anos atrás. Alguns dos depósitos foram mais tarde empurrados para cima por forças geológicas e estão bastante perto da superfície, sob a formas de "domos". Outros depósitos de sal ficam a centenas de metros abaixo da superfície, criando um desafio maior para a mineração.

O sal de rocha (salgema) é picado por imensas máquinas, dentro de cavernas cavadas no sal. Mas o sal de rocha não está pronto para a alimentação, porque os antigos mares capturaram lama e detritos ao secarem. O sal classificado para a alimentação é extraído bombeando-se água para baixo, através de um duto, no intuito de dissolver o sal, e bombeando-se de volta a água já salgada (salmoura) de volta para a superfície. Em seguida, as impurezas são sedimentadas e evapora-se a vácuo a salmoura clarificada. Esse processo cria os conhecidos e minúsculos cristais do sal de cozinha do seu saleiro.

Em regiões litorâneas ensolaradas, o sal pode ser obtido deixando-se a luz do sol e o vento evaporar a água salgada de lagoas rasas e do mar. Há diversos tipos de sal marinho, colhidos de águas existentes pelo mundo todo e refinado a diversos graus.

Há sais marinhos cinzentos e cinza-rosados da Coreia e da França, e sal marinho preto da Índia, todos eles com cores de argilas e algas locais das lagoas de evaporação, e não do sal (cloreto de sódio) que contêm. Os sais marinhos pretos e vermelhos do Havaí devem sua cor à lava preta e à argila vermelha, cozidas, moídas e acrescentadas deliberadamente ao sal. Esses raros e exóticos sais de butique são usados por *chefs* aventureiros. Sem dúvida eles têm sabores exclusivos, e, é claro, têm gosto de sal misturado com diversas argilas e algas. Cada um tem seus adeptos fervorosos.

No que você vai ler a seguir, não estarei escrevendo a respeito desses multicoloridos sais de butique, raros e caros, que não estão facilmente disponíveis para o cozinheiro amador. Estou escrevendo sobre a grande variedade de sais relativamente brancos obtidos, por um método ou outro, da água do mar e que, *apenas por esse motivo*, são venerados, porque se acredita que sejam ricos em minerais e universalmente melhores no sabor.

Minerais

Se você evaporar toda a água de um balde de água do mar, vai ficar com uma lama pegajosa, cinzenta e de gosto amargo, que é composta de cerca de 78% de cloreto de sódio: o sal comum. Noventa e nove por cento dos outros 22% consistem de compostos de magnésio e cálcio, que são os responsáveis pelo sabor amargo. Além disso, há pelo menos mais uns 75 outros elementos em quantidades muito pequenas. Este último fato é a base para a alegação onipresente de que o sal marinho está "cheio de minerais nutritivos".

Só que a análise química pura e simples conta tudo: os minerais, mesmo nessa lama crua, não processada, estão presentes em quantidades nutricionalmente desprezíveis. Você teria de comer duas colheres de sopa dessa lama para obter a quantidade de ferro, por exemplo, contida numa única uva. Embora nas regiões costeiras de alguns países as pessoas usem esse material bruto como condimento, o FDA exige que o sal classificado como próprio para a alimentação, nos Estados Unidos, seja pelo menos 97,5% cloreto de sódio puro. Na prática, ele é invariavelmente muito mais puro.

Este é apenas o começo do Grande Embuste Mineral. O sal marinho que acaba nas lojas contém apenas um décimo dos minerais presentes na lama marinha bruta. Os motivos para isso são que, na produção de sal marinho de gradação alimentar, permite-se que o sol evapore a maior parte da água das lagoas, mas de forma alguma ela toda – e isso faz uma diferença fundamental. À medida que a água evapora, a água restante vai ficando cada vez mais concentrada com cloreto de sódio. Quando a concentração de sal na lagoa chega a mais ou menos nove vezes a concentração no mar, ele começa a separar-se em cristais, porque não há mais água suficiente para manter o sal na forma dissolvida. Os cristais são então retirados com um ancinho ou pá, para lavagem, secagem e embalagem subsequentes. Essa lavagem é feita com uma solução que já tenha o máximo de sal possível e não possa mais dissolvê-lo. (Papo técnico, uma solução saturada.)

O ponto vital, aqui, é que esse processo de cristalização "natural" já é, por si só, uma etapa de refinação extremamente eficiente. A evaporação e a cristalização induzidas pelo sol tornam o cloreto de sódio cerca de 10 vezes mais puro – livre de outros minerais – do que quando ele estava no mar.

Eis por quê.

Sempre que você tem uma solução aquosa em que predomina determinada substância química (neste caso, o cloreto de sódio), junto com um montão de outras substâncias químicas em quantidades muito menores (neste caso, os outros minerais), quando a água se evapora, a substância química preponderante cristaliza-se numa forma relativamente pura, deixando todos as outras para trás. Esse é um processo de purificação usado o tempo todo pelos químicos. Madame Curie usou-o repetidamente para isolar o rádio puro do minério de urânio.

O sal colhido pela evaporação da água do mar pelo sol, conhecido como sal solar, é, portanto, 99% cloreto de sódio puro, ali na lata, sem processamento adicional. O outro 1% consiste quase que exclusivamente de compostos de magnésio e cálcio. Esses outros cerca de 75 "preciosos minerais nutritivos" praticamente desapareceram. Para se obter o valor de ferro existente numa única uva você teria de comer cerca de 125g de sal solar. (Atenção: um quilo de sal pode ser fatal.)

Aliás, a ideia de que o sal marinho já vem naturalmente iodado é um mito. Só porque certas algas são ricas em iodo, algumas pessoas acham que o oceano é um imenso caldeirão de sopa de iodo. Em termos de elementos químicos, na água do mar há 100 vezes mais boro, por exemplo, do que iodo, e nunca ouvi ninguém alardeando a água do mar como fonte de boro. Os sais marinhos comerciais não iodados contêm menos de 2% da quantidade de iodo do que os sais iodados.

O "sal marinho" é sal marinho?

Na verdade, o "sal marinho" vendido nas lojas pode não ser retirado do mar, porque, desde que satisfaça as exigências de pureza do FDA, os fabricantes não são obrigados a especificar a origem do produto, e, de acordo com algumas pessoas da indústria com quem conversei, existem embromações. Dois lotes de sal podem ter sido retirados da mesma caixa de uma mina, e só um deles ser rotulado para a venda como "sal marinho". Bem, é claro que é. Só que se cristalizou alguns milhões de anos antes. Por outro lado, nas regiões litorâneas e quentes provavelmente veio do mar, e não de uma mina.

O ponto é que *as características de um sal dependem de como o material bruto foi processado, e não de sua origem.* Não se pode generalizar. Desse modo, quando uma receita especifica simplesmente "sal marinho", essa é uma especificação sem sentido. Poderia estar especificando "carne".

Aditivos

Muitas vezes especifica-se sal marinho para se evitar os "aditivos de gosto grosseiro" no sal do saleiro. Venha ele de uma mina ou do mar, o sal do saleiro realmente contém aditivos para não empedrar e manter seus grãos correndo suavemente, porque eles são cubos minúsculos, e suas superfícies planas tendem a grudar-se umas às outras. Mas a FDA limita a quantidade total de todos os aditivos a um máximo de 2%, e invariavelmente é muito menos que isso. O sal de cozinha de uma marca, por exemplo é mais de 99,1% cloreto de sódio puro e contém apenas 0,2% a 0,7% de silicato de cálcio, como agente para evitar o agrumelamento. Como o silicato de sódio (e todos os demais agentes antiagrumelamentos) é insolúvel em água, o sal do saleiro provoca uma solução ligeiramente turva.

Outros aditivos antiagrumelamentos são o carbonato de magnésio, o carbonato de cálcio, o fosfato de cálcio e os silicatos de sódio e alumínio. *Estas são substâncias químicas inteiramente sem sabor e inodoras.*

Mas mesmo que não fossem, mesmo que os especialistas em paladar conseguissem detectar diferenças sutis de gosto entre sais sólidos graças a um aditivo numa quantidade de menos de 1%, o fator de diluição de 50 mil vezes que ocorre quando o sal é usado numa receita certamente eliminaria as diferenças. É só fazer o cálculo. Um por cento de uma colher de sal de 6g é 0,06% do aditivo em 3 litros de água, ou mais de 3.000g de ensopado: 3.000 ÷ 0,06 = 50.000.

Sabor

Não há como negar que alguns dos melhores (leia-se, mais caros) sais marinhos têm características interessantes de sabor. Mas isso depende de como é usado e de qual a sua definição de "sabor".

O sabor de um alimento consiste de três elementos: gosto, cheiro e textura. Com o sal, podemos muito bem eliminar o cheiro, porque nem o cloreto de sódio nem os sulfatos de cálcio e magnésio que podem estar presentes em alguns dos sais marinhos menos purificados têm qualquer cheiro. (Papo técnico: eles têm pressões de vapor extremamente baixas.) Entretanto, nosso olfato é muito sensível, e é possível detectar um cheiro de algas nesses sais menos purificados. Além disso, quando qualquer tipo de sal é inalado como uma poeira fina, algumas pessoas registram uma sensação levemente metálica no alto do nariz.

Restam o gosto e a textura: o que as papilas gustativas conseguem de fato perceber e como sentimos o sal na boca.

Dependendo de como foram colhidos e processados, os cristais das diferentes marcas de sal marinho podem variar muito em feitio, desde flocos a pirâmides, a aglomerações de fragmentos irregulares, denteados. Examine-os com uma lupa. O tamanho dos cristais pode variar do fino ao grosso, embora praticamente todos sejam mais grossos que o sal de mesa.

Ao serem salpicados em alimentos relativamente secos, como uma fatia de tomate, imediatamente antes de servir, os cristais maiores, floculentos, podem dar pequenas explosões vivas de sensação salgada ao tocarem a língua e dissolverem-se, ou quando forem esmagados entre os dentes. É por isso que os *chefs* mais entendidos dão valor a esses sais: por causa dessas sensuais explosões de salinidade. O sal de mesa não faz isso porque seus pequenos cubos compactos dissolvem-se muito mais lentamente na língua. Desse modo, são as formas complexas dos cristais, e não sua origem, que dão a muitos sais marinhos suas propriedades sensoriais.

O motivo pelo qual a maior parte dos sais marinhos têm cristais grandes, de formato irregular, é porque a evaporação produz isso, enquanto o processo rápido de evaporação a vácuo, usado na produção do sal de mesa, produz grãos minúsculos, de formato regular, projetados para passar pelos orifícios do saleiro. Esse é um fenômeno bem conhecido dos químicos; quanto mais rapidamente um cristal cresce, menor ele vai ser.

Na cozinha

O tamanho e o formato dos cristais são irrelevantes quando usados para cozinhar, porque os cristais dissolvem-se e desaparecem completamente nos sucos dos alimentos. E uma vez dissolvidos, desaparecem todas as diferenças de textura. O alimento não sabe que formato os cristais tinham antes de se dissolverem. Esse é outro motivo pelo qual é bobagem especificar sal marinho em qualquer receita que contenha umidade, e que receita não tem? O uso desse sal marinho na água que vai cozinhar legumes ou massa faz ainda menos sentido.

Mas será que os sais marinhos podem ser distinguidos uns dos outros no sabor, mesmo que dissolvidos em água? Numa série de testes gustativos controlados, descritos como sendo feitos em 2001 sob os auspícios da Leathergead Food Research Association, na Inglaterra, o painel de degustadores tentou notar a diferença entre diversos sais diferentes dissolvidos em água. Os resultados, tais como relatados na revista *Vogue*, são inteiramente inconclusivos.

Uma afirmação comum é de que o sal marinho é mais salgado que o sal de cozinha. Mas como os dois são 99% puro cloreto de sódio, isso não pode ser verdade. A ideia sem dúvida surgiu do fato de que, nos testes comuns de gosto na língua, os cristais floculentos, de formato irregular, de muitos sais marinhos dissolvem-se instantaneamente, dando uma onda mais rápida de sensação salgada do que os pequenos cubos compactos de dissolução lenta do sal de mesa. Porém, mais uma vez, não foi o mar que fez a diferença; foi o formato dos cristais.

A ideia de que o sal marinho é mais salgado levou à alegação de que se pode usar uma quantidade menor no tempero. "Bom para quem tem de controlar a ingestão de sódio", ressoam as trombetas de um fabricante de sal. É claro, como o sal marinho em geral tem cristais grandes, de feitio complexo, que não se compactam tanto, uma colher de chá vai conter menos cloreto de sódio do que uma colher de chá de grãos minúsculos, compactos, do sal de mesa. Colher de chá por colher de chá, portanto, o sal marinho é, na verdade, *menos* salgado que o sal do saleiro. É claro que, peso a peso, eles são idênticos, porque qualquer grama de cloreto de sódio é exatamente igual a outro grama. Você não pode reduzir a sua ingestão de sal comendo a mesma quantidade de sal em formato diferente.

Aproveitando ao máximo

Em casa, na sua cozinha, que sal marinho grosso você deve salpicar em seu *foie gras* ou no seu *carpaccio* de veado logo antes de servir? Os que ganham os maiores louvores dos *chefs* são (surpresa!) os sais franceses colhidos das águas costeiras do sul da Bretanha, em Guérande, ou na Île de Noirmoutier ou na Île de Ré. Você pode encontrá-los sob diversas formas. *Gros sel* (sal grande) e *sel gris* (sal cinzento) são os cristais pesados que caem no fundo de lagoas de sal e que podem, portanto, ficar cinzentos pelo contato com argila ou algas.

Na batalha dos sais marinhos, a maior parte dos conhecedores concorda que o campeão é o *fleur de sel* (flor do sal), a delicada crosta de cristais que se forma na superfície das lagoas francesas quando o sol e o vento estão nas condições perfeitas. Como é formado em quantidades muito limitadas e tem de ser colhido a mão, muito cuidadosamente, na superfície, o *fleur de sel* tem o preço mais alto e é (como consequência, talvez?) o de maior prestígio junto aos principais *chefs*. Por causa de seu feitio de cristal frágil, piramidal, ele realmente produz uma deliciosa explosão crocante de sal ao ser salpicado em alimentos relativamente secos logo antes de servir, ou mesmo já à mesa.

Mas cozinhar com ele não faz sentido.

SAL RECÉM-MOÍDO

Por que se diz que o sal recém-moído é melhor que o sal granulado?

É melhor para quem vende aqueles moedores de sal sofisticados e combinações de sal e pimenta-do-reino em lojas de acessórios para cozinha e em algumas *delicatessens*. A ideia parece ser: se a pimenta-do-reino moída na hora é tão melhor que a já comprada moída, então por que não usar também o sal recém-moído?

Isso é um engano. Ao contrário da pimenta-do-reino, o sal não contém óleos aromáticos voláteis a serem liberados durante a moagem. O sal é inteiramente cloreto de sódio, de modo que um pedacinho será absolutamente idêntico a um pedação em tudo, a não ser no tamanho e no feitio. O bom do moedor de sal é que ele deposita na sua comida pequenos torrões grossos, em vez de grãos minúsculos, e, portanto, dá uma explosão de salgado quando você os mastiga. Mas não importa se foram moídos recentemente.

A COMIDA ESTÁ MUITO SALGADA

Ao fazer a sopa, acidentalmente pus sal demais. Haveria alguma coisa que eu pudesse fazer a esse respeito? Ouvi dizer que batata crua absorveria o excesso.

Quase todo mundo ouviu esse conselho: jogue alguns pedaços de batata crua, deixe cozinhando um pouco em fogo baixo e elas absorverão parte do sal em excesso. Mas, como tantas crenças populares, essa, que eu saiba, nunca foi testada cientificamente. Encarei-a como um desafio e montei uma experiência controlada. Cozinhei batata crua em água salgada e, com a ajuda do professor assistente de química do laboratório de um colega, medi a quantidade de sal na água, tanto antes como depois do tratamento com a batata.

O que fiz foi o seguinte.

Fiz um par de pseudossopas, na verdade salgadas demais, só pura água salgada, de modo que não houvesse outros ingredientes para bagunçar as coisas com suas próprias preferências salinas. Mas a que ponto de excesso de sal eu deveria fazer as minhas amostras? Muitas receitas começam com cerca de uma colher de chá de sal em quatro litros de sopa ou ensopado, adicionando-se mais sal "a gosto" no final. De modo que fiz minha amostra de sopa n°1 com uma colher de chá de sal de cozinha dissolvido em cada litro de água, enquanto a sopa n°2 continha uma colher de sopa de sal por litro de água. Isso é cerca de quatro e doze vezes o sal do início das receitas comuns, respectivamente, e talvez duas e seis vezes o sal de uma sopa que já tenha sido salgada "a gosto".

Aqueci cada uma das pseudossopas até a fervura, acrescentei seis fatias de uns 6mm de espessura de batata crua, cozinhei em fogo lento por 20 minutos numa panela bem tampada, retirei a batata e deixei o líquido esfriar.

Por que usei fatias de batata, em vez de pedaços? Porque quis expor o máximo de superfície possível à "sopa", dando às batatas todas as oportunidades de fazer jus à sua fama de sugar sal. E usei a mesma área de batata (300cm^2, se quiser) para as duas amostras. É claro que também cozinhei a mesma quantidade dos dois líquidos, na mesma panela tampada, no mesmo queimador. Os cientistas, como a essa altura você já deve estar pensando, são absolutamente maníacos em controlar todas as variáveis concebíveis (e às vezes inconcebíveis), com exceção daquela que estão comparando. De outro modo, jamais saberiam o que teria causado as diferenças que eles porventura observem. Sempre fico chateado quando alguém experimenta alguma coisa apenas uma vez em circunstâncias completamente sem controle e depois sai dizendo: "eu experimentei e funciona".

A concentração do sal nas quatro amostras – as duas águas salgadas antes e depois do cozimento com a batata – foi determinada pela condutividade elétrica em cada uma. A ideia é que a água salgada conduz a eletricidade e que a condutividade pode estar diretamente relacionada ao conteúdo de sal.

E quais foram os resultados? Será que as batatas realmente reduziram a concentração do sal? Bem...

Primeiro deixe-me falar a respeito de testes com gosto. Reservei as fatias de batatas, depois que foram cozidas nas águas salgadas. Cozinhei também fatias de batatas em água pura (mesmas quantidades de batatas e de água). Minha mulher, Marlene, e eu então provamos o sal de todas. Ela não sabia que amostra era qual. Não deu outra, a batata cozida na água sem sal não tinha gosto, a batata cozida na água com uma colher de chá por litro estava salgada e a batata cozida na água com uma colher de sopa por litro estava muito mais salgada. Quererá isso dizer que a batata realmente absorveu o sal das "sopas"?

Não. Significa apenas que as batatas absorveram um pouco da água salgada; elas não extraíram seletivamente o sal da água. Você ficaria surpreso se uma esponja embebida em água salgada saísse com gosto salgado? É claro que não. A *concentração* do sal na água, no entanto – a quantidade de sal por litro –, não seria afetada. Desse modo, o gosto salgado das batatas não prova nada, a não ser que, por causa do sabor, sempre devemos cozinhar nossas batatas – e massa, também – em água salgada, e não em água pura.

Está bem, quais foram então os resultados das medidas de condutividade? Está pronto? *Não houve diferenças perceptíveis nas concentrações de sal antes e depois de terem sidas fervidas com as batatas*. Ou seja, a batata não reduziu em nada a concentração de sal, seja na "sopa" de uma colher de chá por litro ou na de uma colher de sopa por litro. O truque da batata simplesmente não funciona.

Há outros truques para a redução de sal, como o acréscimo de um pouco de açúcar, de suco de limão ou de vinagre, para diminuir a *percepção* do sal. Haveria, então, reações entre o salgado e o doce ou o ácido que pudesse diminuir a sensação do salgado? Afinal de contas, é o *gosto* salgado que queremos diminuir, mesmo que o sal ainda esteja lá.

Já era tempo de ir aos especialistas em gosto – os cientistas no Monell Chemical Senses Center, na Filadélfia, uma instituição dedicada à pesquisa no complexo campo do paladar e do olfato humanos.

Em primeiro lugar, no que se refere aos efeitos da batata, ninguém com quem eu tenha falado conseguiu pensar em nenhum motivo por que a batata ou seu conteúdo de amido pudesse reduzir a sensação de salgado. Mas Leslie Stein prestimosamente me deu um artigo de 1966, publicado no periódico *Trends in Food Science & Technology*, escrito por Paul A.S. Breslin, do Monell Center, sobre a interação entre os gostos.

Será que algum gosto consegue suprimir outro gosto? Sim e não. Depende tanto da quantidade absoluta quanto da quantidade relativa dos sabores em interação. "Em geral", diz o doutor Breslin, "os sais e os ácidos (sabores azedos) enfatizam-se em concentrações moderadas, mas suprimem-se em concentrações mais altas." Isso poderia indicar que, acrescentando-se uma boa quantidade de suco de limão ou de vinagre a uma sopa bastante salgada, isso poderia verdadeiramente tornar seu gosto menos salgado. Mas Breslin chama a atenção: "há exceções a... essas generalidades". No caso particular do sal e do ácido cítrico (o ácido existente no suco de limão), ele cita os resultados de um estudo em que o ácido cítrico reduziu a percepção do salgado, um estudo no qual o salgado permaneceu inalterado e dois estudos em que a percepção do salgado na verdade aumentou.

Então, fazer o quê? Juntar caldo de limão? Vinagre? Açúcar? Não há mesmo qualquer maneira de se predizer como eles irão funcionar em sua sopa em particular, com a quantidade de sal e outros ingredientes em particular. Mas, de toda maneira, tente algumas dessas medidas antes de dar a sopa para o cachorro.

Parece que só há um modo de recuperar uma sopa ou ensopado salgado demais: dilua-a com mais caldo – é claro que sem sal. Isso desviaria o equilíbrio de sabor na direção do caldo puro, mas essa é uma coisa que pode ser corrigida.

Epílogo

Há alguns aspectos colaterais interessantes nessa experiência que registrarei para os aficcionados pela ciência. (Os demais podem seguir para a próxima questão.)

Em primeiro lugar, a condutividade da água salgada, depois de ferver com as batatas, era ligeiramente mais alta – não mais baixa – que a da água não tratada. Desse modo, as batatas sozinhas devem contribuir com algum teor de condutividade elétrica para a água em que foram cozidas. Isso me tomou de surpresa, porque a princípio era de se esperar que só saísse amido das batatas na água, e o amido não conduz eletricidade. Mas as batatas contêm muito potássio, cerca de 0,2% na verdade, e os compostos de potássio conduzem eletricidade, exatamente do mesmo modo que os compostos de sódio. De qualquer modo, eu fiz a correção para esse efeito subtraindo a contribuição de condutividade da batata da condutividade total das águas salgadas que cozinharam as batatas.

Em segundo lugar, se, apesar da panela bem tampada e da fervura baixa, alguma quantidade substancial de água tiver sido perdida das panelas, por evaporação, enquanto as batatas cozinhavam, a condutividade da água teria aumentado, e não diminuído, e não foi observado qualquer efeito desse tipo depois de corrigir-se a condutividade dada pela própria batata.

MANTEIGA COM OU SEM SAL

Por que uma receita recomenda manteiga sem sal e depois manda acrescentar sal?

Parece bobagem, mas há uma razão.

Um tablete de 100g de típica manteiga salgada pode conter de 1,5g a 3g ou até meia colher de chá de sal. Marcas diferentes e produtos regionais podem conter quantidades muito diferentes. Quando você está seguindo uma receita cuidadosamente formulada, especialmente se ela usa muita manteiga, não pode arriscar jogando roleta russa com uma coisa tão importante como o sal. É por isso que receitas sérias, de alta qualidade, irão especificar manteiga sem sal e deixar o sal para uma outra etapa da receita.

Muitos *chefs* preferem a manteiga sem sal também porque, em geral, sua qualidade é melhor. O sal é acrescentado, em parte, por seu efeito de conservante, e a manteiga usada imediatamente, como numa cozinha de restaurante, não precisa dele. Além disso, na manteiga sem sal qualquer sabor "estranho", como algum ranço incipiente, é detectado com maior rapidez.

Estrelas de biscoito amanteigado

Você não vai querer arriscar na quantidade de sal desses biscoitos amanteigados, de modo que usamos manteiga sem sal e acrescentamos apenas a quantidade exata de sal à massa. Esse é o tipo de biscoito doce e crocante bom para beliscar. Faça-os simples, polvilhados com açúcar ou com gotinhas de glacê. Eles são mais fáceis de serem manuseados quando você abre a massa entre folhas de papel-manteiga.

- 2 ¼ xícaras de farinha de trigo, e mais um pouco de farinha para polvilhar
- 1 colher de chá de cremor tártaro
- ½ colher de chá de bicarbonato de sódio
- ¼ de colher de chá de sal
- ½ xícara (100g) de manteiga sem sal
- 1 xícara de açúcar
- 2 ovos grandes, ligeiramente batidos
- ½ colher de chá de baunilha
- 1 gema misturada com 1 colher de chá de água
- açúcar para polvilhar

1. Misture a farinha, o cremor tártaro, o bicarbonato de sódio e o sal numa tigela média. Bata a manteiga com o açúcar numa tigela grande usando uma batedeira elétrica. Acrescente, batendo, os ovos e a baunilha, até se

unirem. Acrescente os ingredientes secos e, com uma colher de pau, misture até formar uma massa.

2. Divida a massa em 3 partes. Ponha um terço da massa entre duas folhas de papel-manteiga, numa superfície plana. Abra, com o rolo, até ela ficar com uma espessura uniforme de cerca de 3mm. Transfira o "sanduíche" de massa para uma prateleira da geladeira e guarde-o sobre uma superfície plana. Repita o procedimento com as outras duas porções de massa, abrindo cada uma entre folhas de papel-manteiga, e empilhe-as, uma em cima da outra, na geladeira. A massa poderá ser refrigerada por até 2 dias antes de ser assada.

3. Preaqueça o forno a 180°C. Retire uma camada de massa da geladeira. Retire a folha superior de papel-manteiga, mas não a jogue fora. Polvilhe ligeiramente a superfície da massa com farinha, espalhando-a por toda a superfície com a palma da mão. Reponha a folha de papel-manteiga em cima, meio frouxa, e vire o sanduíche do outro lado. Retire a segunda folha de papel-manteiga e jogue-a fora. Polvilhe o segundo lado com farinha e espalhe-a com a palma da mão.

4. Corte, com cortadores de biscoitos, os feitios desejados e ponha-os em tabuleiros previamente untados. Pincele com a mistura de gema e água e salpique com uma ligeira camada de açúcar. Os biscoitos também podem ser decorados depois de assados ou você ainda pode servi-los puros.

5. Asse durante 10 a 12 minutos, ou até ficarem ligeiramente dourados. Deixe os biscoitos descansarem no tabuleiro por 2 minutos antes de usar uma espátula larga, de metal, para transferi-los para a grade a fim de esfriar. Os biscoitos mantêm-se frescos durante muitas semanas se forem guardados em recipientes herméticos. Mantenha-os no freezer, se for guardá-los por mais tempo.

▸ Rende cerca de 4 dúzias, dependendo da espessura da massa e do tamanho do cortador

capítulo 3

A loucura da gordura

Os três principais componentes de nossos alimentos são as proteínas, os carboidratos e as gorduras. Mas, a julgar pela quantidade de tinta gasta a respeito de gorduras nos jornais, revistas e diretrizes oficiais para dietas nos dias de hoje, pode-se pensar que a gordura é o único que merece preocupação – não quanto a se comer o suficiente desse nutriente essencial, mas quanto a se comer demais e/ou os tipos errados de gordura.

Há duas considerações principais: o conteúdo calórico de todas as gorduras, que é cerca de 9 calorias por grama, comparado com apenas 4 calorias por grama de proteínas ou de carboidratos; os efeitos pouco saudáveis de se comer determinados tipos de gorduras.

Não sou nutricionista e não estou, portanto, qualificado para falar sobre os aspectos saudáveis, ou não, da gordura – isso não significa que os próprios especialistas estejam de acordo sobre diversas questões. Em lugar disso, vou focalizar o que são as gorduras e como as usamos. O conhecimento dessas bases deverá permitir que você interprete e avalie tudo o que lê sobre o assunto de um modo mais inteligente.

GORDURAS E ÁCIDOS GRAXOS

Sempre que leio a respeito de gorduras saturadas e insaturadas, o artigo começa falando de "gorduras" e depois muda, sem aviso, para o termo "ácidos graxos". Em seguida, transita para

lá e para cá, quase aleatoriamente, entre esses dois termos, como se fossem a mesma coisa. São? Se não, qual a diferença?

Tenho lido esse tipo de texto pouco preciso há provavelmente muito mais tempo que você. Na verdade, como químico, não posso deixar de levantar a suspeita de que muitos autores simplesmente não sabem a diferença. E há mesmo uma diferença.

Cada molécula de gordura é formada por três moléculas de ácidos graxos. Os ácidos graxos podem ser saturados ou insaturados e, desse modo, imprimem essas qualidades à gordura como um todo.

Primeiro vamos ver o que é um ácido graxo.

Os ácidos graxos são os ácidos encontrados como componentes das gorduras. São membros de uma família maior, que os químicos chamam de ácidos carboxílicos. Do ponto de vista dos ácidos, eles são muito fracos – ao contrário do ácido sulfúrico, por exemplo, que é o ácido altamente corrosivo da bateria do seu carro.

Uma molécula de ácido graxo consiste de uma longa cadeia, chegando a 16 ou 18 (ou mais) átomos de carbono, cada um levando um par de átomos de hidrogênio. (Papo técnico: a cadeia é feita de grupos CH_2.) Se a cadeia contiver seu complemento inteiro de átomos de hidrogênio, o ácido graxo é chamado de saturado (com hidrogênio). Mas se em algum lugar, ao longo da cadeia, estiver faltando um par de átomos de hidrogênio, chama-se o ácido graxo de monoinsaturado. Se dois ou mais pares de átomos de hidrogênio estiverem faltando, ele é chamado de poli-insaturado. (Na verdade, falta um átomo de hidrogênio de cada dois átomos de carbono adjacentes, mas vamos deixar para lá.)

Alguns ácidos graxos comuns são o ácido esteárico (saturado), o ácido oleico (monoinsaturado) e os ácidos linoleico e linolênico (poli-insaturados).

Para os químicos, e aparentemente também para os nossos organismos, as posições exatas das partes insaturadas das moléculas de ácidos graxos (papo técnico: as duplas ligações) têm importância. Você já ouviu dizer que os ácidos graxos "ômega-3", encontrados nos peixes gordurosos, podem desempenhar um papel na prevenção de doenças coronarianas e em derrames? Bem, "ômega-3" é a maneira de os químicos dizerem exatamente onde o primeiro par de átomos de hidrogênio está faltando (a primeira dupla ligação) a partir da extremidade da molécula poli-insaturada: está a três lugares da extremidade. (Ômega é a última letra do alfabeto grego.)

Os ácidos graxos costumam ser substâncias químicas de gosto ruim e mau cheiro. Por sorte, em geral não existem na forma livre, horrível, nos alimentos.

Como estão ligados quimicamente a uma substância química chamada de glicerol, na proporção de três moléculas de ácidos graxos para cada molécula de glicerol, eles ficam mais domesticáveis. *Três moléculas de ácido graxo ligados a uma molécula de glicerol constitui uma molécula de gordura.* Os químicos representam esquematicamente a estrutura de uma molécula de gordura, no papel, como um mastro curto (a molécula de glicerol) com três pendões compridos (os ácidos graxos) esvoaçando nela. Eles chamam a molécula resultante de triglicerídio (*tri-* indica que ela contém *três* ácidos graxos), mas o nome comum é simplesmente "gordura", porque a grande maioria das moléculas naturais de gorduras são triglicerídios.

Os ácidos graxos em qualquer molécula de gordura podem ser todos do mesmo tipo, ou qualquer combinação de tipos diferentes. Por exemplo, podem ser dois ácidos graxos saturados e mais um poli-insaturado, ou podem ser um monoinsaturado mais um poli-insaturado mais um saturado, ou todos os três podem ser poli-insaturados.

Qualquer gordura animal ou vegetal é uma mistura de muitas moléculas de gordura diferentes, contendo diversas combinações de ácidos graxos. Em geral, ácidos graxos de cadeias mais curtas e menos saturadas formam gorduras mais moles, enquanto ácidos graxos de cadeias mais longas e mais saturadas dão gorduras mais duras. Isso é porque, num ácido graxo não saturado, sempre que um par de átomos de hidrogênio está faltando (papo técnico: sempre que há uma dupla ligação), a molécula de ácido graxo apresenta uma dobra. Como resultado disso, as moléculas de gordura não conseguem se aglomerar tanto para formar

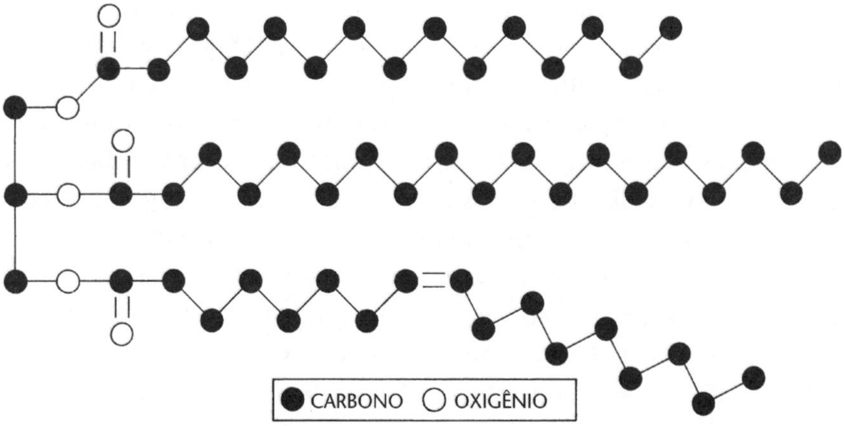

Representação de uma molécula de gordura (triglicerídio), mostrando três cadeias de ácidos graxos ligadas a uma molécula de glicerol, à esquerda. Os átomos de hidrogênio não estão representados. As cadeias dos dois ácidos graxos de cima são saturadas; a de baixo é monoinsaturada – ou seja, contém uma dupla ligação.

uma estrutura dura, sólida, e a gordura provavelmente será mais líquida do que sólida. Portanto, as gorduras animais, predominantemente saturadas, tendem a ser sólidas, enquanto as gorduras vegetais, predominantemente insaturadas, tendem a ser líquidas. Quando você lê que determinado azeite de oliva, por exemplo, é 70% monoinsaturado, 15% saturado e 15% poli-insaturado, quer dizer que aquelas são as proporções dos três tipos de ácidos graxos somados de todas as diversas moléculas de gorduras do azeite. Não nos importa como os ácidos graxos estão distribuídos entre as moléculas de gordura, porque *apenas as quantidades relativas dos três tipos de ácidos graxos, computadas no total de moléculas de gordura, é que determinam as qualidades saudáveis ou não.* As porções de glicerol das moléculas de gordura não são nutricionalmente importantes, elas só pegam uma carona. Os chamados ácidos graxos essenciais são aqueles de que o organismo precisa para a fabricação de hormônios importantes chamados prostaglandinas.

Já que estamos falando de ácidos graxos e de triglicerídios, vamos esclarecer alguns termos relacionados a gorduras que você já possa ter ouvido falar.

Os monoglicerídios e os diglicerídios são como os triglicerídios, mas como você pode adivinhar, têm apenas uma (mono-) ou duas (di-) moléculas de ácidos graxos ligados à molécula de glicerol. Eles existem em quantidades muito menores, junto com os triglicerídios, nas gorduras naturais, e seus ácidos graxos são incorporados aos perfis de saturação/insaturação das gorduras. São também usados como emulsificantes (substâncias que ajudam na mistura de óleo e água) em muitos alimentos industrializados. Mas são considerados gorduras em si? Mais ou menos. Os triglicerídios são degradados em mono- e diglicerídios durante a digestão, de modo que seus efeitos nutricionais são essencialmente os mesmos.

Por fim, há a palavra *lipídio*, do grego, *lipos*, que significa gordura. Mas damos à palavra um uso muito mais amplo que isso. Lipídio é um termo geral para tudo, nas coisas vivas, que seja oleoso, gorduroso ou que goste de óleo, incluindo não apenas mono-, di- e triglicerídios, mas outras substâncias químicas, como os fosfatídeos, os esteróis e as vitaminas solúveis em gorduras (lipossolúveis). Quando o relatório químico do nosso organismo volta do laboratório médico, pode conter um *lipidograma*, enumerando não apenas a quantidade de triglicerídios (a gordura no sangue não é boa), mas também as quantidades das diversas formas de colesterol, que é um álcool graxo.

O que se poderia fazer para minimizar a confusão entre "gorduras" e "ácidos graxos" na literatura culinária?

Em primeiro lugar, temos de reconhecer que, embora a palavra *gordura* signifique rigorosamente um tipo específico de substância química – um triglicerídio, diferente de uma proteína ou de um carboidrato –, no uso comum a palavra *gordura* é usada para designar uma mistura de gorduras, como manteiga, banha, óleo de amendoim e daí por diante. (Cada um desses produtos é chamado, na dieta, de "uma gordura".) Um leitor não pode fazer grande coisa a respeito dessa ambiguidade, a não ser tentar determinar se a palavra está sendo usada no contexto de uma substância química específica ou de uma categoria de alimento.

Em segundo lugar, podemos implorar aos autores de culinária que sejam mais cuidadosos quanto a alternar indiscriminadamente entre "gordura" e "ácido graxo". Aqui vão algumas sugestões:

- A saturação ou insaturação relativas de um alimento gorduroso podem ser expressas sem usar nenhum dos dois termos. Por exemplo, podemos dizer apenas que é *x*% saturada, *y*% monoinsaturada e *z*% poli-insaturada, sem se acrescentar o objeto (ácido graxo), na verdade modificado por esses adjetivos.
- Em vez de dizer, como já ouvi diversas vezes, "uma gordura saturada (ou insaturada)", o que não tem sentido, deveríamos dizer "uma gordura rica em gorduras saturadas (ou rica em insaturadas)" ou "uma gordura altamente saturada (ou altamente insaturada)". Essas são maneiras de se abreviar "rica em ácidos graxos saturados (ou insaturados)".
- Em geral, quanto menos se usar o termo ácido graxo, melhor, porque as pessoas já sabem o que é o termo *gordura* (ou pensam que sabem), e essa palavra é menos intimidante. Mas se é para discutir os ácidos graxos individuais, o termo deve ser definido na primeira vez em que for usado, mais ou menos algo como "os tijolos das gorduras".

RANÇO: A DETERIORAÇÃO DAS GORDURAS

O que faz as gorduras ficarem rançosas?

Ácidos graxos livres. Ou seja, as moléculas de ácidos graxos que se quebraram de suas moléculas de gordura. A maior parte dos ácidos graxos é formada por substâncias químicas que cheiram mal e têm gosto ruim, e não é preciso muito para que deem um sabor esquisito a alimentos gordurosos.

Há duas maneiras pelas quais os ácidos graxos podem se desligar: a reação da gordura com água (hidrólise – "quebra por água") e a reação com o oxigênio (oxidação).

Você poderia achar que as gorduras e os óleos não reagem com a água porque é muito difícil misturá-los. Mas, com o tempo, as enzimas que estão naturalmente presentes em diversos alimentos gordurosos podem fazer com que isso aconteça. (Papo técnico: elas catalisam a hidrólise.) Desse modo, alimentos como manteiga e amêndoas podem tornar-se rançosos por hidrólise simplesmente por estarem guardados durante muito tempo. A manteiga é especialmente vulnerável porque contém ácidos graxos de cadeia curta, e essas moléculas menores voam para o ar mais facilmente (papo técnico: são mais voláteis) e produzem um cheiro ruim. Na manteiga rançosa, o principal culpado é o ácido butírico.

Altas temperaturas também aceleram o ranço de um óleo por hidrólise, como quando se fritam alimentos úmidos nela. Essa é uma das razões por que o óleo de fritura por imersão começa a cheirar mal depois de ser muito usado.

A segunda principal causa do ranço, a oxidação, acontece mais rapidamente em gorduras contendo ácidos graxos insaturados, e os poli-insaturados são oxidados mais rapidamente do que os monoinsaturados. A oxidação é acelerada (catalisada) por calor, luz e quantidades traços de metais, que podem estar presentes na maquinaria usada para processar o alimento. Conservantes, como o ácido etilenodiaminotetraacético, misericordiosamente apelidado de EDTA, evita a oxidação catalisada por metais, prendendo (sequestrando) átomos do metal.

Moral: como as reações de ranço são catalisadas pelo calor e pela luz, os óleos de cozinha e outros alimentos gordurosos devem ser guardados em local fresco e escuro. Agora você sabe por que todos os rótulos dizem isso.

ÓLEOS HIDROGENADOS

Muitas vezes vejo nos rótulos de alimentos: óleo vegetal "parcialmente hidrogenado". O que é a hidrogenação, e se é tão boa, por que não hidrogenam logo tudo?

Os óleos são hidrogenados, ou seja, átomos de hidrogênio são forçados a entrar em suas moléculas, para torná-los mais saturados, porque as gorduras saturadas são mais espessas – mais sólidas e menos líquidas – do que as gorduras insaturadas. Os átomos de hidrogênio preenchem os intervalos pobres em hidrogênio (papo técnico: as duplas ligações, que são mais rígidas do que as ligação simples) nas moléculas do óleo, e isso as torna mais flexíveis. Elas podem, então, aglomerar-se mais e unir-se melhor umas com as outras, de modo a não voarem com tanta facilidade. Resultado: a gordura fica mais espessa, menos líquida e mais sólida.

Se os óleos na sua margarina não tivessem sido parcialmente hidrogenados, você a estaria despejando, em vez de espalhá-la. Mas a hidrogenação parcial pode preencher apenas 20% dos átomos de hidrogênio que faltam nas moléculas. Se sua margarina fosse 100% hidrogenada, seria como tentar espalhar cera de vela na torrada.

As gorduras saturadas, infelizmente, são menos saudáveis do que as gorduras insaturadas. Os fabricantes de alimentos, portanto, andam na corda bamba entre o mínimo de hidrogenação, por causa da saúde, e hidrogenação suficiente para produzir as texturas desejáveis.

MATEMÁTICA DA GORDURA

Por que as quantidades de gorduras nos rótulos de alimentos não batem? Quando somo a quantidade de gramas de gorduras saturadas, poli-insaturadas e monoinsaturadas o resultado é menor do que o número de gramas de "gordura total". Há outros tipos de gorduras que não são citados?

Não, todas as gorduras caem dentro dessas três categorias.

Nunca notei a aritmética estranha que você menciona, mas logo que recebi sua pergunta corri à minha despensa e agarrei uma caixa de "Nabisco Wheat Thins", e eis o que vi na tabela de Informações Nutricionais para os teores de gordura por porção: "Gordura total, 6g. Gordura saturada 1g. Gordura poli-insaturada 0g. Gordura monoinsaturada 2g".

Peguei minha calculadora. Agora vamos ver:

1g de gordura saturada + 0g de gordura poli-insaturada + 2g de gordura monoinsaturada = 3g de gordura total.

O que aconteceu com os outros 3g?

Em seguida, peguei uma caixa de "Premium Original Saltine Crackers". Pior ainda! Os 2g de gordura total são formados, supostamente, de 0g de gordura saturada, 0g de gordura poli-insaturada e 0g de gordura monoinsaturada. Desde quando zero mais zero mais zero somam dois? Eu nem precisei da calculadora para ver que alguma coisa está errada. Alguma coisa muito estranha estava acontecendo. Corri para o computador e chamei o website da FDA, a agência que faz os regulamentos para a rotulação de alimentos industrializados. O site da FDA tem uma página que responde às perguntas mais frequentes a respeito de rótulos de alimentos. Eis o que encontrei.

"Pergunta: a soma dos ácidos graxos saturados, monoinsaturados e poli-insaturados tem de ser igual ao conteúdo total de gorduras?"

"Resposta: não. A soma dos ácidos graxos será, em geral, menor do que o peso da gordura total, porque os pesos dos componentes de gorduras como os ácidos graxos trans e o glicerol não estão incluídos."

Ah! Então é isso!

Ainda não está claro? Deixa eu explicar.

Uma molécula de gordura consiste de duas partes: uma parte glicerol e uma parte ácido graxo. Embora o número de gramas da "Gordura Total" no rótulo seja verdadeiramente o peso do total de moléculas de gordura, as partes glicerol e tudo o mais, as quantidades de "Gordura Saturada", "Gordura Poli-insaturada" e "Gordura Monoinsaturada" são o peso apenas dos ácidos graxos. Parte do peso que falta são os pesos das partes glicerol de todas as moléculas de gordura combinadas. (Vou chegar aos ácidos graxos trans mais tarde.)

Por que, então, essas quantidades são chamadas de "gorduras" nos rótulos, em lugar de receber o nome que têm: ácidos graxos? De acordo com Virginia Wilkening, diretora representante da Secretaria de Produtos Nutricionais, Rotulagem e Suplementos Dietéticos da FDA, há dois motivos:

1. o público geral quer saber apenas as quantidades relativas de coisas saturadas e insaturadas nas gorduras, e é apenas a parte ácido graxo que determina isso;

2. espaço é valioso num rótulo de alimento, e as palavras "ácido graxo" ocupam mais espaço do que "gorduras".

Está certo, mas o palavreado pouco exato ainda incomoda os chatos como eu.

Como a página de Perguntas & Respostas da FDA admite, há ainda mais embromação na tabela de Informações Nutricionais, porque os pesos dos ácidos graxos trans não estão incluídos na lista. De fato, eles em geral correspondem a uma quantidade maior que a dos gliceróis.

Os ácidos graxos trans são os mais novos vilões do "pânico generalizado sobre a gordura"; parece que eles aumentam a taxa de colesterol LDL (o "mau") no sangue mais ou menos tanto quanto os ácidos graxos naturalmente saturados. Os ácidos graxos trans não ocorrem naturalmente nos óleos vegetais, mas são formados durante a hidrogenação. Os dois átomos de hidrogênio acrescentados podem ligar-se a lados opostos da cadeia de carbono (papo técnico: na configuração trans), e não do mesmo lado (papo técnico: na posição cis). Isso muda o feitio da molécula de ácido graxo, de dobrada para reta, fazendo com que ela se pareça e se comporte como ácidos graxos saturados.

Óleos vegetais hidrogenados podem conter quantidades consideráveis de ácidos graxos trans, mas, em grande parte pela dificuldade em se determinar seus teores, eles não são atualmente citados em separado nos rótulos dos alimentos.

Na sua busca individual pela longevidade, você ainda vai querer prestar atenção à quantidade de "Gordura Total" citada no rótulo. Mas para saber se ela é primariamente uma "gordura boa" ou uma "gordura má", despreze os números exatos de gramas e preste atenção às quantidades *relativas* de gorduras (ácidos graxos) saturadas, poli-insaturadas e monoinsaturadas. É isso o que conta. E lembre-se de que, nesses escritos, os ácidos graxos trans vilões ainda estão à espreita, em algum lugar fora dos rótulos. A FDA está pensando em citá-los junto com os ácidos graxos saturados.

Ah, e a respeito daquele "0g de gordura (ácidos graxos)" nos meus Premium Crackers que misteriosamente somam 2g de gordura total? Será que há alguns tipos de gorduras que não contêm ácidos graxos ligados a eles? Não. Senão não seriam gorduras. É que a FDA permite que os fabricantes citem "zero grama" de uma gordura ou de algum ácido graxo quando a quantidade total for menor que 0,5g por porção.

As regras da aritmética que aprendemos na primeira série não correm perigo.

MANTEIGA CLARIFICADA

Tenho uma receita que pede manteiga clarificada. Como faço? E o que, na clarificação da manteiga, faz bem, além de torná-la transparente?

Isso depende do seu ponto de vista. Em geral, clarificar a manteiga elimina tudo, menos aquela deliciosa gordura da manteiga altamente saturada, entupidora de artérias. Mas ao usá-la em refogados, em vez da manteiga comum, evitamos comer as proteínas douradas que também podem ser pouco saudáveis por causa de possíveis carcinógenos. Diga que veneno prefere.

Algumas pessoas pensam em manteiga como um tablete rodeado de culpa. Mas culpa ou não culpa, ela não é só gordura. É uma mistura de três partes de gordura, água e sólidos de proteínas. Quando clarificamos a manteiga, estamos separando a gordura e jogando fora tudo o mais. Ao usar a gordura pura, podemos fritar numa temperatura mais alta sem que ela queime ou fumegue, porque a água na manteiga mantém a temperatura baixa, e os sólidos realmente tendem a queimar e fumegar.

Ao ser aquecida numa frigideira, as proteínas sólidas na manteiga comum começam a mudar de cor e a fumegar por volta dos 120°C. Um jeito de minimizar isso é "protegendo" a manteiga na frigideira com um pouco de óleo, que poderá ter um ponto de fumo por volta de 220°C. Mas mesmo assim ainda haverá um escurecimento da proteína na manteiga.

Ou você pode usar a manteiga clarificada. É o óleo puro, sem as proteínas, e não vai fazer disparar o alarme de fumaça antes de 180°C.

A manteiga clarificada conserva-se por muito mais tempo do que a manteiga comum, porque as bactérias podem atacar as proteínas, mas não o óleo puro. Na Índia, onde a refrigeração é escassa, fazem manteiga clarificada (*usli ghee*) derretendo-a lentamente e depois continuando a evaporar a água pelo calor, fazendo com que as proteínas e açúcares queimem ligeiramente, provocando um agradável sabor de castanhas.

A manteiga clarificada acaba ficando rançosa. Mas o ranço é apenas um sabor azedo, e não contaminação por bactérias. Os tibetanos, na verdade, preferem sua manteiga de iaque clarificada mais para o rançoso.

CLARIFICANDO A MANTEIGA

Para se clarificar manteiga, seja salgada ou sem sal, tudo o que se deve fazer é derretê-la lentamente, na temperatura mais baixa possível, lembrando-se de que ela queima com facilidade. O óleo, a água e os sólidos vão se separar em três camadas: uma espuma de caseína em cima; um óleo amarelo, transparente, no meio; e uma suspensão aquosa de sólidos de leite no fundo. Se você estiver usando manteiga salgada, o sal ficará distribuído entre as camadas de cima e do fundo.

Retire a espuma de cima e retire o óleo – a manteiga clarificada –, despejando-o, ou usando uma concha, em outro recipiente, deixando para trás a água e o sedimento. Ou use um separador de molhos para retirar a camada aquosa. Melhor ainda, ponha a bagunça toda na geladeira, depois do que a camada de espuma de cima poderá ser raspada da gordura solidificada, que, por sua vez, poderá ser suspensa da camada aquosa.

Não jogue fora a espuma de caseína; ela contém a maior parte do sabor amanteigado. Use-a para dar sabor a legumes cozidos no vapor. Fica excelente em pipocas, especialmente se você estiver usado manteiga salgada.

Eu clarifico cerca de um quilo por vez e despejo a manteiga clarificada em bandejas de gelo, de plástico, rendendo porções de aproximadamente duas colheres de sopa. Depois de congelada, retiro os "cubos de manteiga", ponho-os num saco plástico no *freezer*, e pego o suficiente, quando precisar.

Uma xícara (200g) de manteiga comum renderá cerca de ¾ de xícara, depois de clarificada. Você pode usar manteiga clarificada na mesma quantidade que a especificada para a manteiga comum nas receitas.

Aliás, a camada aquosa contém todo o açúcar do leite, ou lactose. As pessoas que não podem comer manteiga porque têm intolerância à lactose podem cozinhar com manteiga clarificada. Esse pode ser um dos principais motivos para clarificá-la.

Batatas Anna com crosta

O uso da manteiga clarificada neste prato clássico permite que as batatas cozinhem douradas e crocantes. Mesmo que a temperatura do forno seja alta, a gordura não queimará ou fumegará, porque os sólidos do leite estarão ausentes. Uma frigideira de ferro fundido funciona melhor.

- 4 batatas médias
- 2 a 4 colheres de sopa de manteiga clarificada
- sal grosso
- pimenta-do-reino moída na hora

1. Preaqueça o forno a 230°C. Use uma frigideira de ferro fundido com cerca de 21,5cm de diâmetro, com uma tampa que se ajuste bem a ela, e unte-a generosamente com manteiga. Lave as batatas, seque com papel-toalha e corte-as em fatias de uns 3mm; você pode escolher entre descascá-las ou não.

2. Arrume uma única camada de fatias de batatas no fundo da frigideira fazendo uma espiral, começando do centro da frigideira para fora, as fatias se sobrepondo. Pincele essa camada com manteiga e salpique com sal e pimenta-do-reino. Continue formando camadas e amanteigando-as dessa maneira até terminarem todas as fatias de batatas.

3. Despeje a manteiga restante por cima. Leve as batatas ao fogo, no fogão, até começarem a chiar, em fogo médio-alto. Ponha a tampa, transfira para o forno e asse por 30 a 35 minutos, ou até as batatas ficarem douradas no topo e macias ao serem testadas com um garfo ou com um palito. Uma li-

→

geira crosta deverá ficar visível no fundo, ao se suspender uma beirada com uma faca ou com um garfo. Se não estiver, deixe assar um pouco mais.

4. Dê uma boa sacudidela na frigideira para soltar qualquer porção que possa ter grudado. Deslize uma espátula de metal, larga, por baixo, se for necessário. Vire a frigideira de cabeça para baixo numa travessa ou num prato grande, para servir as batatas com o lado da crosta para cima.

▸ Rende 4 porções

MANTEIGA MELHOR

Na França, comi manteiga mais saborosa. O que a torna tão diferente?

Mais gordura.

A manteiga comercial tem 80% a 82% de gordura de leite, 16% a 17% de água e 1% a 2% de sólidos do leite (mais cerca de 2% de sal, se for salgada). O Departamento de Agricultura dos Estados Unidos (USDA) estabelece o limite mínimo de teor de gordura da manteiga norte-americana em 80%, enquanto a maior parte das manteigas europeias contêm um mínimo de 82%, ou até 84%.

Parece não ser muita diferença, porém mais gordura significa menos água e, portanto, um produto mais rico, mais cremoso. Os confeiteiros muitas vezes referem-se às manteigas europeias como "manteiga seca". Além disso, a manteiga com alto teor de gordura produz molhos mais suaves e massas mais floculentas e mais saborosas. (Compare os *croissants* que você comeu na França com as imitações ao redor do mundo.)

A manteiga, como você sabe, é feita batendo-se creme ou leite integral, não homogeneizado. A agitação da ação de bater quebra a emulsão (glóbulos minúsculos de gordura suspensos em água) no creme, de modo que os glóbulos de gordura ficam livres para juntar-se em grânulos do tamanho de grãos de arroz. Esses, então, unem-se entre si e separam-se da parte aquosa do leite, chamada de soro (*butermilk*). Os produtos atuais de soro fermentado por levedos já foram processados ainda mais. A gordura é então lavada com água e "trabalhada", para retirar mais soro. A manteiga europeia, em geral, é feita em pequenas quantidades, permitindo uma retirada mais completa do soro.

ÓLEO DE MILHO

Penso no milho como um alimento com pouca gordura. Então, como é possível retirar todo aquele óleo dele?

Eles usam uma enorme quantidade de milho.

O milho é, realmente, um alimento com baixo teor de gordura – contém cerca de 1g por espiga, antes de você afogá-lo com toda aquela manteiga.

O óleo fica no germe do grão, onde a Mãe Natureza armazena-o como uma forma concentrada de energia – 9 calorias por grama –, para fornecer energia para o milagre diário de criar novas plantas inteiras a partir das sementes. No milho, o germe constitui apenas cerca de 8% do grão e só metade disso é óleo, de modo que uma espiga de milho não chega a ser uma torrente.

Como você pode imaginar, dá um certo trabalho retirar o óleo do milho. Na refinaria, os grãos ficam de molho em água quente um ou dois dias, depois são moídos de modo grosseiro para soltar o germe. O germe é então separado por processos de flutuação ou centrifugação, depois do que são secos e esmagados para retirar o óleo por pressão.

PONTO DE EBULIÇÃO DOS ÓLEOS

Qual a diferença nos pontos de ebulição dos diversos óleos de cozinha e quais as consequências para o cozinheiro?

Não acho que você queira dizer ponto de ebulição, porque, apesar da atração poética e sádica da expressão "fervido em óleo", óleo não ferve.

Muito antes de ficar quente o suficiente para se pensar em ebulição, um óleo de cozinha irá se decompor, degradando-se em substâncias químicas desagradáveis e partículas carbonizadas que assaltarão suas papilas gustativas com um sabor de queimado, suas narinas com um cheiro acre e seus ouvidos com os gritos de um alarme de fumaça. Se você quis dizer a mais alta temperatura de cozimento para um óleo, ela é limitada, não por um ponto de ebulição, mas pela temperatura na qual o óleo começa a fumegar.

Os pontos de fumaça dos óleos vegetais comuns, que provêm em sua maioria de sementes de plantas, podem ir de 120°C a mais de 230°C. Mas apesar dos valores ostensivamente precisos listados em alguns livros, as temperaturas exatas do ponto de fumaça não podem ser dadas, porque um tipo particular de óleo pode variar bastante, dependendo de seu grau de refinamento, da variedade da semente e até do clima e do tempo durante a estação de crescimento da planta.

No entanto, de acordo com o Instituto de Gorduras e Óleos Comestíveis norte-americano (há um instituto para cada coisa, não é?), as faixas aproximadas do ponto de fumaça em alguns dos óleos de cozinha comuns, em graus centígrados, são: óleo de sassafrás, 163° a 177°; óleo de milho, 204° a 213°; óleo de amendoim, 216° a 221°; óleo de algodão, 218° a 227°; óleo de canola, 224° a 230°; e óleo de girassol e de soja, 227° a 232°. Os azeites de oliva podem variar de 210° a 238°, dependendo do tipo; os azeites extra virgens em geral têm ponto de fumaça mais baixos, enquanto o azeite de oliva claro o tem mais alto, porque foi filtrado. As gorduras animais em geral fumegam a temperaturas mais baixas do que os óleos vegetais, porque os ácidos graxos saturados degradam-se com mais facilidade.

Ao serem aquecidos a mais ou menos 315°C, a maior parte dos óleos de cozinha atinge o seu ponto de conflagração, ou seja, as temperaturas em que o vapor deles pode ser incendiado por uma chama. A temperaturas ainda mais altas, perto de 371°C, a maior parte dos óleos atingirá seu ponto de incêndio e irá explodir em chamas espontaneamente.

Com a exceção de alguns óleos especiais, a maior parte dos óleos é valorizada pelos cozinheiros pela suavidade, pela falta de sabores invasivos. O azeite de oliva, por outro lado, é apreciado pelos sabores complexos, que podem ir do gosto de amêndoas ao de pimenta, e do vegetal ao frutado, dependendo do país e da região de origem, da variedade da azeitona e de suas condições de cultivo. As culinárias do Mediterrâneo devem suas qualidades singulares em grande parte ao uso quase exclusivo do azeite de oliva, que é um componente do sabor das receitas, não apenas um meio de cozimento. É usado em tudo, desde confeitaria a fritura por imersão. E ainda me falta ouvir algum espanhol ou italiano queixar-se de algum fiapo de fumaça na cozinha.

Por sorte, o ponto de fumaça de diversos dos óleos de cozinha comuns é mais alto que a mais desejável faixa de temperaturas para fritura por imersão, que é de 180°C a 190°C. Se você não a controlar cuidadosamente, no entanto, a gordura para fritura por imersão poderá chegar perto dos 200°C, de modo que não há muito espaço para manobras aqui. A não ser pela gordura culinária com o mais baixo ponto de fumaça de todos, a manteiga não clarificada, que começa a fumegar a

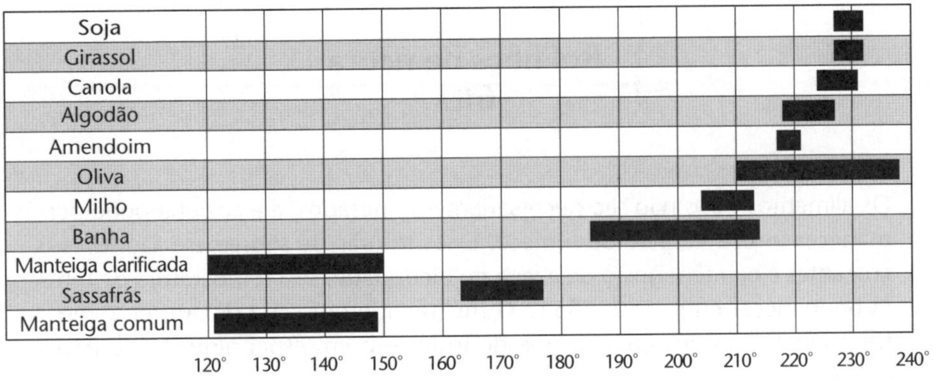

As faixas aproximadas dos pontos de fumaça de alguns óleos de cozinha frescos e da banha. Os pontos de fumaça exatos dependem de como o óleo foi refinado e podem ser substancialmente mais baixos em óleo já usado. Fonte (exceto para banha): Instituto de Gorduras e Óleos Comestíveis, EUA.

apenas 120°-150°C, a fumaça não deveria ser um problema nos refogados, a não ser que você tenha uma mão muito pesada no controle do queimador.

É importante notar que todos os pontos de fumaça citados acima são para óleos frescos. Quando os óleos são aquecidos ou oxidados, eles se degradam em ácidos graxos livres, o que abaixa o ponto de fumaça e produz um gosto amargo. O óleo de fritura reutilizado, ou qualquer óleo que tenha sido exposto significativamente ao calor ou ao ar, irá, portanto, fumegar mais rapidamente e adquirir um sabor desagradável. Além do mais, os óleos quentes tendem a polimerizar-se – suas moléculas unem-se em moléculas muito maiores, que dão ao óleo uma consistência espessa, gosmenta, e uma cor mais escura. E, finalmente, os óleos quentes podem degradar-se em substâncias químicas insalubres, como os altamente reativos fragmentos moleculares chamados de radicais livres.

Levando tudo isso em consideração, a ideia mais segura e melhor, tanto para a saúde quanto para o paladar, é jogar fora o óleo de fritura depois de um ou no máximo dois usos – ou imediatamente, se ele tiver sido deixado a fumegar por algum tempo.

Bolinhos de ricota frita

Os alimentos fritos não são necessariamente pesados, e a cozinha pode permanecer uma área livre de fumaça. Essas frituras de sobremesa são leves e crocantes e não têm gosto de azeite ou oleosidade, se a temperatura de fritura permanecer entre 180°-185°C. O mel regado por cima dá um toque final tradicional, mas qualquer xarope de frutas é bom, especialmente de framboesa.

- 1 xícara e mais 2 colheres de sopa de ricota
- 2 ovos grandes, ligeiramente batidos
- 1 $\frac{1}{2}$ colher de sopa de manteiga sem sal, derretida
- 1 colher de sopa de açúcar
- casca ralada de um limão
- $\frac{1}{8}$ de colher de chá de noz moscada ralada na hora
- $\frac{1}{8}$ de colher de chá de sal
- $\frac{1}{3}$ de xícara de farinha de trigo
- xarope de fruta ou mel

1. Ponha a ricota numa tigela média. Acrescente os ovos batidos com um batedor de ovos até ficar tudo muito bem misturado. Junte a manteiga, o açúcar, a casca de limão ralada, a noz moscada e o sal; misture bem. Junte a farinha e misture até ficar tudo bem combinado. Deixe a mistura descansar por 2 horas.

2. Despeje o azeite numa panela pequena, funda, até uma profundidade de 2,5cm e acenda o fogo a médio-alto. (Use uma panela pesada, com 18cm de diâmetro.) Aqueça o azeite a 185°C, medindo-o com um termômetro de frituras. Para testar o azeite sem termômetro, jogue um pouco da massa na gordura; se ela voltar imediatamente para a superfície, a temperatura estará mais ou menos certa.

3. Deixe a massa cair com cuidado na gordura, uma colher de sopa de cada vez, usando uma segunda colher para empurrá-la. Não encha demais a panela: as frituras irão inchar e dourar. Use um pauzinho japonês ou o cabo de uma colher de pau para virá-los e dourá-los do outro lado. À medida que as frituras ficarem prontas, retire-as do óleo com uma colher perfurada e po-

→

nha-as em toalhas de papel para escorrer. Repita o processo até usar toda a massa.

4. Sirva as frituras quentes e passe o xarope de fruta ou o mel.

▸ Rende cerca de 30 bolinhos, a não ser que o ajudante de cozinha goste de provar a receita

COMO JOGAR A GORDURA FORA

Depois de fritar alimentos, como devo jogar a gordura usada fora? Ela é prejudicial ao meio ambiente, não é?

É. Embora gorduras e óleos comestíveis acabem sendo biodegradáveis, podem atrapalhar as coisas num aterro sanitário durante anos. No entanto, não são tão ruins quanto os óleos de petróleo, que só são digeridos por uma ou duas espécies de bactérias e ficam por aí praticamente para sempre.

Pequenas quantidades de gordura podem ser absorvidas em algumas toalhas de papel e jogadas na lata de lixo. Eu despejo quantidades um pouco maiores numa lata vazia, que guardo no *freezer*, onde o óleo congela e fica sólido. Quando a lata está cheia, fecho-a bem num saco plástico e ponho-a no lixo, esperando que não derreta e vaze até que esteja muito longe e que não possa mais ser trazido de volta para mim. Sei que isso não é muito bonito, mas é bem melhor do que despejar no ralo. Além do mais, provoca uma linda chama, quando o lixo é incinerado.

Grandes quantidades, usadas para frituras por imersão, são um problema bem maior. Os restaurantes muitas vezes contratam um serviço de lixo que coleta seus galões de "graxa" usada e os vendem para empresas fabricantes de sabão e de produtos químicos. Mas o que se pode fazer em casa, a não ser embrulhá-lo para presente e deixá-lo no carro destrancado numa vizinhança barra pesada, torcendo para que seja roubado?

Um hidrogeólogo (ele estuda como os líquidos fluem pelos solos) que consultei no Departamento de Proteção Ambiental sugeriu o seguinte procedimento: a não ser que sua casa tenha um sistema de fossa séptica, misture o óleo com uma quantidade generosa de sabão de lavar louça, que tem um apetite prodigioso por gordura; mexa ou sacuda completamente até a mistura ficar homogênea;

despeje-a com cuidado pelo ralo da pia, junto com bastante água corrente, para que escorra e, no final, seja tratada pelo sistema de esgoto local.

O melhor seria transformar um problema ambiental em uma vantagem conservacionista: use o óleo como combustível alternativo para seu Volkswagen, Mercedes ou caminhonete a diesel. Afinal de contas, quando Rudolf Diesel demonstrou sua nova máquina na Exposição Mundial, em Paris, em 1900, ele a fez funcionar com óleo de amendoim. Mas não tente isso antes de ler o livro de Joshua Tickell, *From de Fryer to the Fuel Tank*, que ensina como proceder.

SPRAYS DE ÓLEO

Como funcionam aqueles "sprays" antiaderentes? O rótulo diz que o conteúdo não contém gordura e tem poucas calorias, mas quando o borrifo na minha frigideira, ele parece mesmo é com óleo. Existe óleo sem gordura? Ou será que o "spray" contém algum tipo de substância química que substitui o óleo?

Não, não existe tal coisa, um óleo comestível que não seja gordura. As gorduras são uma família de compostos químicos específicos, e o óleo não passa de uma gordura líquida. Nem os *sprays* contêm um substituto do óleo porque – está preparado? – eles *são* óleo.

Essas latinhas práticas, ótimas para revestir assadeiras e formas de bolinhos, em vez de untá-las, contêm principalmente um óleo vegetal, em geral adicionado de lecitina e álcool. A lecitina é uma substância parecida com uma gordura (papo técnico: um fosfolipídio) encontrada na gema do ovo e na soja, entre outras fontes, e ajuda a evitar que a comida grude. Mas os *sprays* são quase integralmente óleo.

A sua principal virtude é que ele permite que você tenha um controle maior sobre suas calorias e o uso de gordura. Em vez de despejar um montão de óleo na frigideira, você só dá uma apertada rápida no *spray* da lata. O álcool evapora, e o óleo e a lecitina ficam para trás, revestindo a frigideira. Você estará cozinhando numa camada de óleo, mas muito fina, e portanto com poucas calorias.

No esforço dos fabricantes para conseguir essa propaganda, amplamente lucrativa, de "sem gorduras", os rótulos dos *sprays* culinários podem envolver-se numa aritmética bastante bizarra. O rótulo da lata de um deles, chamado Pam, por exemplo, alardeia que contém "apenas duas calorias por porção". Mas o que significa uma "porção"? O rótulo define-a como uma borrifada de um terço de segundo, que, aconselha o rótulo, é o tempo exato para se cobrir um terço de uma frigideira de 25cm de diâmetro. (A frigideira exata, devemos presumir, para preparar um terço de uma omelete.) Na corrida para justificar menos calorias ainda, o rótulo de um outro óleo em *spray* aconselha que uma "porção" seja uma borrifada que dure apenas um quarto de segundo.

Se você não tiver o dedo bem calibrado de Billy the Kid, ou borrifar desafiadoramente a frigideira durante um segundo inteiro, ainda assim estará ficando com menos de seis calorias. Mas, mesmo assim, um pouco de gordura não é *nenhuma* gordura. Então, quão pequena deve ser uma quantidade de gordura antes que o rótulo possa dizer legalmente que ela é "nenhuma"?

De acordo com a FDA, qualquer produto que contenha menos de 0,5g de gordura por porção pode ser rotulado como contendo "*0*g de gordura". Uma porção de um terço de segundo de um *spray* culinário contém por volta de 0,2g por porção; portanto, legalmente "sem gorduras". Se tivessem definido uma porção como um segundo inteiro de borrifada, estariam acima do limite de 0,5g e não poderiam considerá-lo sem gorduras. Boa saída, não?

AZEITE DE GARRAFA

Pode ser difícil verter azeite de uma garrafa num fluxo contínuo. Cada marca parece ter um tipo diferente de bico. E aquelas "almotolias" são um problema para se encher de novo. Eu deixo o meu azeite na garrafa original, mas substituo a tampa por um desses bicos de servir, vendidos para garrafas de bebidas. Eles cabem em praticamente todas as garrafas de azeite e deixam-no cair num fluxo fino, constante, sem pingos.

Bico para garrafa de azeite

MIOJO: MACARRÃO COM GORDURA

Gosto do macarrão lamen, mas notei que ele contém um bocado de sódio e de gordura por porção. É o macarrão ou a mistura do sabor que contém a gordura?

Os ingredientes do macarrão e do envelope de tempero são citados separadamente, de modo que você pode descobrir qual contém o quê. O sal (em geral muito) está no tempero. Você pode achar que o macarrão não contém gordura, mas, surpreendentemente, é onde a maior parte dela se esconde.

Sei que você sempre ficou imaginando como é que eles fazem aquele bloco retangular, compacto, de cachinhos perfeitamente entremeados, e eu também, de modo que aqui vai o que a sua pergunta me estimulou a descobrir.

A massa é, primeiro, expelida por uma série de bicos para formar uma fita de longos fios sinuosos, lado a lado. A fita é então cortada em pedaços e dobrada sobre si mesma, depois do que é posta num molde, enquanto é frita por imersão, o que seca o macarrão de modo que o bloco mantenha seu formato convoluto para sempre. A fritura por imersão, é claro, acrescenta gordura ao macarrão, e, embora possa haver uma pequena quantidade de óleo em algumas misturas do tempero, praticamente toda gordura estará no macarrão.

Algumas marcas de macarrão lamen são secadas por ar, em vez de serem fritas, mas, a não ser que isso esteja especificado na embalagem, a única maneira de saber é a ausência de gordura na lista de ingredientes do macarrão. Um pouco de aritmética aplicada à tabela de Informações Nutricionais no rótulo de quatro das principais marcas mostrou que, a não ser pela água quente, os ingredientes de uma tigela de sopa lamen estava na faixa de 17% a 24% de gordura. Assim, se você acha que o macarrão lamen é "só massa", pode rever essa ideia.

CREME DE LEITE FRESCO X CREME DE LEITE LIGHT

Um amigo quis apostar comigo que o creme de leite fresco pesa menos que o creme de leite light. Deveria ter apostado?

Não. Você teria perdido.

O creme de leite fresco contém uma porcentagem maior de gordura de leite que o creme light: 36% a 40% de gordura no creme pesado, para ser batido, contra apenas 18% a 30% no creme light. (E, se você estiver interessado, o creme fresco contém até duas vezes mais colesterol.) Mas, se compararmos volumes iguais, as gorduras pesam menos que a água; elas são menos densas. Desse modo, quanto mais alta a porcentagem de gordura num líquido aquoso, mais leve será o líquido todo.

Essa não é uma diferença enorme. No meu laboratório culinário, meio litro de creme de leite fresco pesou 475g, enquanto meio litro de creme de leite light pesou 476,4g; 0,3% mais pesado.

TIRANDO A GORDURA DO LEITE

Como homogeneízam o leite?

Alguns dos meus leitores mais velhos devem se recordar do leite entregue em garrafas, na porta de casa. O leite tinha uma camada de creme (a nata) separada, no topo. Por quê? Porque a nata é apenas o leite com uma proporção maior de gordura, e como a gordura é mais leve (menos densa) que a água, ela boia no topo. Tínhamos então de sacudir vigorosamente a garrafa para distribuir uniformemente a cremosidade.

Se os glóbulos de gordura pudessem ser picados em "globuletes" bem menores – cerca de 200 milionésimos de centímetro em diâmetro –, eles não subiriam, mas se manteriam suspensos no lugar, porque estariam sendo bombardeados de todas as direções pelas moléculas de água.

Para conseguir isso, o leite é lançado de um cano à pressão de 2.500 libras por polegada quadrada para uma peneira de metal, saindo do outro lado como um *spray* fino, com partículas de gordura minúsculas o suficiente para permanecerem suspensas.

O iogurte e o sorvetes são, em geral, feitos de leite homogeneizado, mas a manteiga e o queijo, não, porque queremos que os glóbulos de gordura consigam unir-se.

PASTEURIZAÇÃO

Hoje em dia todos os leites e cremes nos supermercados dizem-se "ultrapasteurizados". Que fim levou o velho "pasteurizado"? Não matava micróbios em quantidade suficiente?

Boa pergunta, porque resolve um velho problema para mim.

Em 1986, durante uma temporada de seis meses no sul da França, vi uma coisa que nunca vira antes nos Estados Unidos. Os supermercados deixavam o leite nas prateleiras, sem refrigeração. Em vez de garrafas, era embalado em caixas parecendo papelão, no feitio de tijolos.

Como será que eles fazem isso? pensei. De fato, o leite não é a bebida preferida na França, mas como será que eles conseguem safar-se, tratando-o de uma maneira tão arrogante? Ele não estraga? Prometi a mim mesmo descobrir isso assim que voltasse aos Estados Unidos, mas parece que andei adiando um pouco.

A garrafa de leite de vidro, inventada em 1884, começou a ser substituída depois da Segunda Guerra Mundial por embalagens de papelão recoberto com cera. A cera foi, desde então, substituída por uma camada de plástico, e hoje a embalagem de papel recoberta de plástico compete com as garrafas inteiramente de plástico, translúcidas, especialmente nos tamanhos maiores. Esses recipientes no formato de tijolos, não refrigerados, são chamados de embalagem asséptica, que quer dizer, é claro, embalagem sem micróbios.

Mas todo o leite que compramos não é isento de micróbios? Surpreendentemente, não, embora tenha sido pasteurizado, de um jeito ou de outro. Há uma diferença entre matar todos os germes e manter os poucos que sobrevivem, porque se multiplicam.

O objetivo da pasteurização é matar ou desativar todos os microorganismos que causam doenças, "cozinhando-os". Do mesmo modo como você pode assar um frango a uma temperatura relativamente baixa por muito tempo ou a uma temperatura alta por um tempo mais curto, a pasteurização eficaz pode ser alcançada com diversas combinações de tempo e temperatura. A pasteurização tradicional, originalmente com o intuito principal de matar os bacilos da tuberculose, envolvia aquecer o leite de 63° a 65°C e mantê-lo nessa temperatura durante 30 minutos. A pasteurização tradicional já não é mais usada, porque não mata nem desativa bactérias resistentes ao calor, como *Lactobacillus* e *Streptococus*. É por isso que leite pasteurizado comum ainda tem de ser refrigerado.

Depois apareceu a pasteurização instantânea, que mantém o leite a 72°C por apenas 15 segundos. Mas hoje, as maquinarias modernas de beneficiamento do leite atingem pasteurização aquecendo-o a 138°C por apenas 2 segundos. Faz-se isso passando o leite por espaços apertados entre placas quentes, paralelas, e depois gelando-o rapidamente a 3°C. Essa é a ultrapasteurização. O leite e o creme ultrapasteurizados ainda têm de ser refrigerados, mas sua vida na prateleira aumentou de 14 a 18 dias para 50 a 60 dias, dependendo da temperatura de refrigeração. (Nunca deve ser mais alta que 4°C.)

Eu disse que a ultrapasteurização aquece o leite a 138°C? Disse. Mas o leite não ferve antes? É, ferveria se estivesse num recipiente aberto para a atmosfera.

Mas do mesmo modo que a panela de pressão aumenta a temperatura de ebulição da água, o equipamento de pasteurização aquece o leite sob alta pressão de gás, que evita que ele ferva normalmente.

A Europa esteve à frente dos Estados Unidos ao adotar a ultrapasteurização e está na frente ao adotar as embalagens assépticas – aqueles tijolos de leite que vi na França. No leite longa-vida, das embalagens assépticas, o leite é esterilizado a altas temperaturas por um tempo curto, como na ultrapasteurização, e depois enviado aos recipientes e às maquinarias de embalagem, as quais foram separadamente esterilizadas com vapor ou peróxido de hidrogênio (água oxigenada). O enchimento e a selagem são feitos em condições estéreis. O produto resultante tem uma vida em prateleira, sem refrigeração, de muitos meses, podendo chegar a um ano. Além do mais, como a embalagem é hermeticamente fechada, sem ar algum dentro, a gordura não fica rançosa por oxidação.

Nos mercados norte-americanos, raramente se vê leite ou creme em embalagem longa-vida. Esse tipo de embalagem é usado principalmente em produtos de leite de soja e tofu, nas seções de "produtos naturais" e orgânicos e naquelas "caixinhas de sucos". Na Europa, a embalagem longa-vida é mais usada, talvez porque seja mais eficiente em energia. Os alimentos não têm de ser refrigerados durante o transporte, e as embalagens são mais leves do que se usassem latas de aço ou garrafas de vidro. Outro motivo, contaram-me fontes industriais, é que o consumidor norte-americano simplesmente não confia em leite que não seja refrigerado. Mas muitos consumidores disseram-me que esse leite pasteurizado a altas temperaturas tem um sabor desagradável, de cozido.

Não importa por que método seu leite ou creme tenha sido pasteurizado ou embalado, ele tem uma data de validade, como você e eu. Examine sempre essa data impressa na embalagem.

capítulo 4

Química na cozinha

Um clichê já corrente diz que a culinária é química. É verdade, a aplicação de calor aos alimentos provoca reações químicas, resultando em mudanças químicas que esperamos sinceramente enfatizar o sabor, a textura e a digestibilidade que eles têm. Mas a arte da culinária, diferente do ofício, reside em saber que ingredientes "reagentes" combinar e como combiná-los e manipulá-los para produzir as mudanças químicas mais gratificantes.

Será que essa é uma caracterização pouco romântica de um dos maiores prazeres da vida? É claro. Mas permanece o fato de que todos os alimentos são substâncias químicas. Carboidratos, gorduras, proteínas, vitaminas e sais minerais são todos feitos daquelas minúsculas unidades químicas chamadas de moléculas, átomos, íons... Uma grande variedade de moléculas diferentes desempenha uma grande variedade de papéis na mistura de reações químicas quase infinitamente complexas que chamamos de culinária, metabolismo e, na verdade, a própria vida.

Além dos nutrientes primários, há muitas outras substâncias – químicas – com que nos deparamos na cozinha. Neste capítulo, examinaremos algumas das "substâncias químicas na nossa comida", não as assustadoras implicações que são muitas vezes relacionadas a essa expressão pelos adversários de aditivos alimentares, mas reconhecendo o fato de que, ao final, nossos alimentos nada mais são do que substâncias químicas. Por exemplo, a água pura é H_2O, a mais importante substância química.

OS FILTROS DE ÁGUA

O que exatamente fazem os filtros de água? Comprei um que alega eliminar substâncias como chumbo e cobre com "resinas trocadoras de íons", seja lá o que isso for. Elas também retiram coisas úteis, como o flúor?

O nome "filtro de água" engana. Literalmente a palavra *filtrada* significa apenas que a água passou por um meio contendo orifícios minúsculos ou pequenas passagens que separam partículas em suspensão. Ao viajar por algum país onde a água seja suspeita, se você pergunta a um garçom se a água é filtrada, uma resposta afirmativa pode não significar muito.

Filtro tornou-se um nome genérico para um dispositivo que faz mais do que apenas clarificar a água; ele a purifica, retirando sabores, odores, substâncias químicas tóxicas e micro-organismos patogênicos. A ideia é ter a certeza de que a água seja segura e palatável.

Seu nariz e seu palato dirão se você vai querer retirar odores e gostos. No que se refere a substâncias químicas tóxicas e patogênicas, muitas companhias locais de água ou laboratórios independentes poderão fazer uma análise. Dependendo do seu grau de paranoia, você pode querer procurar um filtro que retire tudo da água, menos a umidade. Lembre-se, no entanto, de que será um desperdício de dinheiro comprar um dispositivo para retirar coisas que não estão lá. A substituição contínua do refil de resina pode ficar cara.

Que tipos de "coisa ruim" podem contaminar a água? Substâncias químicas industriais e agrícolas; cloro e seus subprodutos; íons metálicos e cistos, que são cápsulas minúsculas de um parasita protozoário resistente ao cloro, como o *Criptosporidium* e a giárdia, que podem causar cólicas abdominais, diarreia e até mesmo sintomas mais sérios em pessoas que tenham o sistema imunológico enfraquecido.

Os cistos de *Criptosporidium* e de giárdia em geral são microscópicos. Mas nem todos os dispositivos filtrantes contêm filtros de partículas, de modo que, se você teme ser contaminado por elas, consulte a literatura sobre o desempenho do produto para ver se compreende a eliminação de cistos.

Os filtros comerciais de água, sejam eles jarras que filtram uma porção por vez ou dispositivos postos nas torneiras ou canos de abastecimento, retiram outros contaminantes de três maneiras: com carvão, com resinas trocadoras de íons e com filtros de partículas.

O principal ingrediente da maior parte dos filtros de água é o carvão ativado, um material com um apetite prodigioso e indiscriminado por substâncias químicas em geral e por gases (inclusive o cloro) em particular. O carvão é feito aquecendo-se matéria orgânica, como madeira, em presença limitada de ar, de modo que se decomponha em carvão poroso, mas não chegue a queimar. Dependendo de como é fabricado, o carvão poderá conter uma quantidade enorme de microscópicas superfícies internas. Trinta gramas do assim chamado carvão ativado – o melhor tipo é feito de casca de coco – poderá conter uns $600m^2$ de superfície. Essa superfície constitui um campo de aterrissagem extremamente atraente para moléculas de impurezas que vagam pela água ou pelo ar, e que grudam ali.

O carvão ativado é usado para adsorver impurezas escuras presentes em soluções de açúcar e para adsorver gases venenosos em máscaras de gases. (Não está escrito errado. *Adsorção*, com "d", é quando uma molécula individual gruda numa superfície, enquanto *absorção*, com "b", é o encharcamento por atacado de uma substância. O carvão adsorve; esponjas absorvem.) Nos filtros de água, o carvão retira o cloro e outros gases odoríferos, além de diversas substâncias químicas, como herbicidas e pesticidas.

Agora, a respeito daquelas resinas trocadoras de íons. São pequenos grãos, parecendo plástico, que extraem metais, como chumbo, cobre, mercúrio, zinco e cádmio. É claro que estes não estão presentes na água como pedaços de metal, mas como *íons*.

Quando um composto químico de um metal dissolve-se em água, o metal entra na solução sob a forma de íons: átomos com carga elétrica positiva. Não podemos apenas arrancar esses íons da água com o carvão, por exemplo, porque a retirada de cargas positivas deixaria a água com um excesso de carga negativa, e a Natureza torna isso uma operação muito cara, em termos de energia gasta; ela prefere decididamente que o mundo permaneça eletricamente neutro.

O que *podemos* fazer é trocar esses íons positivos por outros íons positivos mais inócuos: íons de sódio ou de hidrogênio, por exemplo. Isso é o que uma resina trocadora de íons faz. Contém íons de sódio ou de hidrogênio fracamente ligados, que conseguem trocar de lugar com íons metálicos na água, deixando os metais eficientemente presos na resina. A resina (do mesmo modo que o carvão) acaba ficando completamente cheia de contaminantes e precisa ser substituída. O tempo de funcionamento vai depender do grau de contaminação da água. Se a água da sua casa for dura, a resina trocadora de íons irá retirar também íons de cálcio e de magnésio, e você vai ter de substituí-la mais cedo.

Nos EUA, a maior parte dos filtros de água domésticos contêm tanto o carvão ativado quanto a resina trocadora de íons, em geral misturados num único refil. Eles retiram portanto metais e outras substâncias químicas, mas não necessariamente cistos patogênicos. Como eu já disse, olhe as especificações sobre os cistos na descrição do produto.

Os filtros de purificação retiram o flúor? Em geral, não. O flúor é um íon com carga negativa, e não um íon carregado positivamente. É então desprezado pela resina trocadora de íons, que só tem íons positivos para trocar. Mas quando um cartucho de reposição é novo, um pouco de flúor pode ser mais ou menos retirado do primeiro galão, presumivelmente pela adsorção no carvão. Depois disso, no entanto, o filtro não retira flúor.

BICARBONATO DE SÓDIO X FERMENTO EM PÓ

Algumas receitas pedem bicarbonato de sódio, algumas pedem fermento em pó e outras pedem os dois. Qual a diferença?

A diferença está nas substâncias químicas.

O bicarbonato de sódio é uma substância química simples: bicarbonato de sódio puro, enquanto o fermento em pó é o bicarbonato de sódio combinado com um ou mais sais ácidos, como o monoidrato de fosfato monocálcio, diidrato de fosfato dicálcio, sulfato de alumínio e sódio ou fosfato de alumínio e sódio.

Agora que aqueci o coração dos fãs da química e confundi o resto dos meus leitores, deixe-me recuperar estes últimos.

Tanto o bicarbonato de sódio quanto o fermento em pó são usados para a levedação (do latim *levere*, significando elevar ou tornar leve): fazer com que os produtos assados cresçam pela produção de milhões de minúsculas bolhas do gás dióxido de carbono. As bolhas do gás são liberadas dentro da massa úmida, depois do que o calor do forno expande-as, até que o calor firme a massa e prenda-as no lugar. O resultado é (espera-se) um bolo leve, esponjoso, e não uma gororoba densa e pegajosa.

Eis como funcionam esses dois agentes de fermentação de nomes confusos.

O *bicarbonato de sódio* libera o gás dióxido de carbono assim que entra em contato com qualquer líquido ácido, como o soro de leite, o creme azedo ou até o ácido sulfúrico (não recomendado). Todos os carbonatos e bicarbonatos agem desse modo.

O *fermento em pó*, por outro lado, é o bicarbonato de sódio já misturado com um ácido seco. É usado quando a receita não contém outros ingredientes ácidos. Assim que o pó fica úmido, os dois compostos químicos começam a reagir entre si para produzir dióxido de carbono. Para evitar que "detonem" prematuramente, eles têm de ser protegidos cuidadosamente da umidade atmosférica, sendo guardados num recipiente hermético.

Na maior parte dos casos, não queremos que nosso fermento libere todo o gás logo que for misturado à massa – antes de ela ter assado o suficiente para prender as bolhas em seus lugares. Então compramos um fermento "de ação dupla" (hoje em dia a maior parte deles é desse tipo, esteja ou não especificado no rótulo), que libera apenas uma parte do gás ao ser umedecido e libera o restante apenas quando alcança uma determinada temperatura no forno. Em geral, duas substâncias químicas diferentes são responsáveis pelas duas reações.

Mas por que uma receita pediria *ambos*, o bicarbonato de sódio e o fermento em pó? Nesse caso, o bolo ou biscoito está, na verdade, sendo levedado pelo fermento, que contém exatamente as proporções certas de bicarbonato e de ácido para que reajam completamente entre si. Mas se por acaso estiver presente algum outro ingrediente ácido, como, por exemplo, o soro de leite, que possa causar desequilíbrio, um pouco mais de bicarbonato de sódio é usado para neutralizar o excesso de ácido.

Os confeiteiros profissionais misturam suas próprias poções mágicas de substâncias químicas para fermentação, projetadas para liberar precisamente as quantidades exatas de gás no tempo e na temperatura exatos durante o processo de assadura. Em casa, o mais seguro é simplesmente não bulir com uma receita já bem testada; use as quantidades especificadas de seja lá qual for o agente de fermentação que ela peça.

DATA DE VALIDADE DOS FERMENTOS

O bicarbonato de sódio dura quase indefinidamente, embora possa atrair odores e sabores ácidos; eis a razão de se pôr uma caixa aberta com bicarbonato de sódio dentro da geladeira. O fermento em pó, por outro lado, pode perder a força num período de poucos meses, porque os compostos químicos reagem lentamente uns com os outros, especialmente se expostos ao ar úmido. Teste o seu fermento, acrescentando um pouco à água. Se não borbulhar vigorosamente, perdeu a força e não fará um bom trabalho como levedo. Jogue-o fora e compre uma lata nova.

O ALUMÍNIO É PERIGOSO?

O rótulo na minha lata de fermento em pó diz que ele contém sulfato de sódio e alumínio. Mas comer alumínio não é perigoso?

O sulfato de sódio e alumínio e diversos outros compostos de alumínio estão listados pela FDA como "considerado em geral como seguro".

Cerca de 20 anos atrás, um estudo encontrou níveis elevados de alumínio no cérebro de vítimas de Alzheimer já falecidas. Desde então, circula uma suspeita de que o alumínio – seja no alimento, na água, ou dissolvido dos utensílios de alumínio por alimentos ácidos, como tomates – provoca doenças de Alzheimer, Parkinson e/ou Lou Gehrig.

Foram feitas muitas pesquisas posteriores, com resultados conflitantes e contraditórios. Enquanto escrevo, a Associação Alzheirmer, a FDA e Health Canada (o departamento canadense de saúde) concordam que ainda não há provas científicas verificáveis de que exista uma relação entre a ingestão de alumínio e a doença de Alzheimer, e que portanto não há motivos para se evitar o alumínio. Nas palavras da Associação Alzheimer, "o papel exato do alumínio (se é que existe) na doença de Alzheimer ainda está sendo pesquisado e debatido. Entretanto, a maior parte dos pesquisadores acredita que não há provas suficientes para considerá-lo um fator de risco para o Alzheimer ou que seja uma causa de demência".

Como uma das milhões de pessoas que sofrem de azia crônica, tomei grandes doses de magnésio e alumínio, hidróxido de (Maalox), e antiácidos semelhantes, contendo alumínio, durante muitos anos, até serem inventados os novos medicamentos antirrefluxos. E no entanto não tenho qualquer sinal de doença de Alzheimer.

Agora, qual foi mesmo a sua pergunta?

PAPEL LAMINADO

O papel de alumínio tem um lado brilhante e um lado fosco. Algumas pessoas acreditam que devam usar um lado ou o outro para determinados objetivos. Não é verdade. Não faz diferença o lado que está para cima. O único motivo pelo qual os dois lados têm aparência diferente é que, nos estágios finais de enrolar-se o metal, duas folhas são enroladas juntas, como um sanduíche, para economizar tempo. Onde houve contato entre elas e os rolos polidos, elas saem brilhantes; do lado em que ficam em contato uma com a outra, ficam um tanto foscas.

AMÔNIA DE CONFEITEIRO

Tenho uma receita que pede amônia de confeiteiro. O que é isso?

A amônia propriamente dita é um gás de cheiro irritante, geralmente dissolvido em água e usado em lavanderia e limpeza. Mas a amônia de confeiteiro é bicarbonato de amônia, um agente de fermentação que, ao ser aquecido, degrada-se em três gases: vapor de água, dióxido de carbono e amônia. Já não é muito usada – se é que você vai conseguir encontrá-la –, porque o gás amônia pode dar um gosto amargo, se não for eliminado durante a assadura. Os confeiteiros de biscoitos comerciais usam-na porque os biscoitos planos têm uma superfície grande, e o gás pode escapar deles.

SAL ÁCIDO?

A receita da minha mãe para repolho recheado pede sal ácido. Nenhuma das lojas em que tentei comprá-lo sabe o que é isso. Pensando bem, nem eu. O que é, e onde posso consegui-lo?

O nome sal ácido é errado. Não tem nada a ver com o sal de cozinha ou o cloreto de sódio. Na verdade, não é sal coisa nenhuma; é um ácido. São duas classes diferentes de compostos químicos.

Cada ácido é uma substância química única, com propriedades que o distingue de todos os outros ácidos. Mas ele pode ter dezenas de derivados chamados sais; cada ácido é pai de toda uma prole de sais. O assim chamado sal ácido não é um desses sais filhos, mas é ele mesmo um pai: ácido cítrico. Tem um sabor extremamente ácido e é acrescentado para acidificar centenas de alimentos industrializados, desde refrigerantes até geleias e frutas congeladas.

Além da acidez, o ácido cítrico e outros ácidos retardam o escurecimento de frutas por enzimas e por oxidação. É obtido das frutas cítricas ou melado fermentado e é usado em pratos do Oriente Médio e da Europa Oriental, comumente em *borscht*. Você pode encontrá-lo pelo nome de *ácido cítrico* em lojas de produtos químicos.

O ácido cítrico não está sozinho em azedume. Todos os ácidos são azedos. Na verdade, *só* os ácidos são azedos, devido a sua propriedade exclusiva de produzir os assim chamados íons de hidrogênio, que fazem com que nossas papilas gustativas gritem "ácido" para o nosso cérebro. Os ácidos mais fortes da nossa cozinha são o vinagre e o suco de limão. Mas o sal ácido, sendo 100% ácido cítrico em forma cristalina, é muito mais ácido que o vinagre, que é apenas uma solução a 5% de ácido acético em água, ou o suco de limão, que contém apenas cerca de 7% de ácido cítrico.

O ácido cítrico é único, quando se pensa que ele contribui com a acidez praticamente sem qualquer outro sabor, enquanto os sabores agressivos do suco de limão e do vinagre têm de ser dosados no equilíbrio total de qualquer prato. Os *chefs* deveriam se beneficiar mais de experiências com o sal ácido em pratos que precisam de um toque de acidez sem o acompanhamento de sabores de limão ou de vinagre.

OS TÁRTAROS

O que é cremor tártaro? Tem alguma relação com molho tártaro ou "steak tartare"?

Nenhuma. As palavras *tártaro* e *tartare* chegaram-nos por duas vias diferentes.

"Tártaro" ou "Tatar" era o nome persa da horda de mongóis de Genghis Khan que assolava a Ásia e a Europa Oriental durante a Idade Média. Os tártaros eram vistos pelos europeus como sendo, diríamos, culturalmente censuráveis, ou, no mínimo, politicamente incorretos, uma vez que usavam peles inteiras de animais e muitas vezes comiam suas refeições cruas. Uma de nossas delícias contemporâneas, semibárbaras, recebeu então o nome de *steak tartare:* carne crua moída ou picada, misturada com cebola crua picada, gema de ovo crua e sal e pimenta, com toques *ad libitum* de tabasco, molho inglês, mostarda de Dijon, anchovas e alcaparras. (James Beard ousou civilizar isso com conhaque.)

O molho tártaro é maionese misturada com picles, azeitonas, cebolinha e alcaparras picados. É tradicional servi-lo com peixe frito. O molho tártaro clássico pode conter vinagre, vinho branco, mostarda e ervas, de modo que pode ter sido apelidado de "tártaro" por sua potência e pungência. Na verdade, os franceses designam essa variedade de pratos muito temperados de *à la tartare*. Os tártaros aparentemente levam a culpa por quase tudo o que for cru, acre ou grosseiro.

O "tártaro" no cremor tártaro é outra história. Vem, via latim antigo, da palavra árabe *durd*, significando a borra ou o sedimento que se forma num tonel de vinho em fermentação. Atualmente os enólogos usam a palavra "tártaro" especificamente para os depósitos cristalinos vermelho-acastanhados deixados no fundo dos tonéis depois de retirado o vinho. Quimicamente, é o bitartarato de potássio (também conhecido como tartarato ácido de potássio), um sal do ácido tartárico. "Cremor tártaro" é o nome chique dado ao bitartarato de potássio branco, altamente purificado, vendido em lojas de alimentos.

O tártaro que se forma nos tonéis de vinho vem do ácido tartárico presente no suco da uva. O ácido tartárico é o que dá ao vinho metade de sua acidez total. (Os ácidos málico e cítrico contribuem principalmente para o resto.) O sal chamado tártaro era conhecido muito antes de seu pai ácido ter sido descoberto, e quando o ácido tartárico acabou sendo descoberto pelos químicos, eles batizaram-no em homenagem ao tártaro nos tonéis de vinho. É um caso de um pai químico sendo batizado em honra a seu filho.

O uso mais comum para o cremor tártaro na cozinha é para estabilizar claras batidas. Ele consegue fazer isso por ser um tanto ácido, apesar de ser um sal. (Papo técnico: ele baixa o pH da mistura.) Uma espuma estável de claras batidas depende da coagulação de seus diferentes tipos de proteínas, dentre as quais as que melhor formam espuma são conhecidas como globulinas. As condições ácidas adequadas fazem com que as proteínas da globulina percam suas cargas elétricas, que se repelem mutuamente, fazendo assim com que fique mais fácil coagularem-se nas paredes das bolhas e torná-las mais fortes, como balões feitos de uma borracha mais forte.

Diversos livros declaram, erroneamente, que o cremor tártaro é o ácido tartárico, e não seu sal, o tartarato ácido de potássio. É um erro fácil de se cometer, porque, como disse, o cremor tártaro é ligeiramente ácido, embora seja um sal.

Pudim de claras português

Essa sobremesa de Portugal cozida delicadamente é um pudim com uma textura extraordinariamente leve e aerada que o surpreenderá. Sem o cremor tártaro, as claras se degradariam e voltariam ao estado líquido.

Os portugueses são famosos pelos doces de gema e açúcar, *ovos moles*, dos quais há literalmente milhares de variedades. Esse pudim pode ter sido criado por algum cozinheiro frustrado que quis acabar com o acúmulo de claras que sobraram. Depois de fazer esta receita, você terá o problema oposto:

→

o que fazer com 10 gemas. A solução? Faça "creme talhado de limão" duas vezes (ver página 248).

- cerca de 2 colheres de sopa de açúcar para polvilhar
- 10 claras à temperatura ambiente
- ½ colher de chá de cremor tártaro
- 1 xícara de açúcar
- ½ colher de chá de baunilha
- ¼ de colher de chá de extrato de amêndoas (opcional)
- frutas ou frutinhas frescas e adoçadas, ou polpa de fruta

1. Leve 2 litros de água à fervura e mantenha em fogo baixo para uso futuro. Unte uma forma enfeitada, tipo Bundt, com capacidade para 12 xícaras, e retire qualquer excesso com uma toalha de papel. Salpique a forma com açúcar e incline-a para recobrir toda a superfície interior. Dê umas batidinhas para retirar o excesso de açúcar. Arrume a grade do forno na posição mais baixa e preaqueça o forno a 180°C.

2. Bata as claras com o cremor tártaro numa tigela grande, com uma batedeira elétrica em velocidade média, até que fiquem espumantes. Acrescente, batendo, o açúcar, 1 colher de cada vez. Continue batendo até que as pás da batedeira comecem a deixar uma rachadura e formem picos macios. Incorpore a baunilha e o extrato de amêndoas, se o estiver usando. Não bata excessivamente, ou a mistura irá crescer demais e virar suflê no forno.

3. Transfira a mistura de claras para a forma, cortando com cuidado a mistura com uma faca ou uma espátula de metal para deixar sair as bolhas de ar grandes. Ponha a forma numa assadeira rasa, na prateleira mais baixa do forno. Despeje água fervendo na assadeira até uma profundidade de 2,5cm, para criar um efeito de banho-maria. Asse até que o pudim esteja firme e a parte de cima esteja dourada, por cerca de 45 minutos. Se crescer demais, não se preocupe; ele vai baixar.

4. Retire do forno e imediatamente solte o merengue das bordas da forma com uma espátula, se ele parecer grudado. Em geral, ele sai facilmente. Vire numa travessa grande, bem colorida. Deixe esfriar até a temperatura ambiente antes de cortar. Pode ser servido à temperatura ambiente ou gelado. Guarde na geladeira, mas, para ter um sabor mais fresco, sirva-o dentro de 24 horas. Para servir, corte o pudim em cunhas e ponha frutas frescas, frutinhas ou polpa de frutas por cima.

- Rende cerca de 12 porções

EXTRATO DE BAUNILHA: O MÉDICO E O MONSTRO

Por que o extrato de baunilha tem um cheiro tão bom, e faz com que a comida fique tão gostosa e, no entanto, tem um gosto tão horrível no vidro?

O extrato de baunilha é cerca de 35% álcool, que tem um sabor áspero, cáustico. Os uísques e outras bebidas destiladas contêm ainda mais álcool, é claro (em geral 40%), mas são carinhosamente produzidos por processos tradicionais de aromatização e envelhecimento que atenuam a aspereza.

"Extrato puro de baunilha", para ser rotulado como tal, tem de ser extraído de vagens de baunilha verdadeiras. Mas o composto químico que dá às vagens a maior parte de seu maravilhoso sabor e aroma é a vanilina, e os químicos conseguem produzir vanilina muito mais barata que a planta da baunilha (uma orquídea). A vanilina sintética é usada comercialmente para aromatizar produtos assados, doces, sorvetes e coisas assim. É idêntica ao composto químico natural e é o principal ingrediente na imitação do sabor de baunilha.

A baunilha verdadeira é tão mais complexa que a vanilina pura que não vale a pena comprar a imitação, especialmente porque usa-se tão pouco e dura uma eternidade. Já foram identificadas mais de 130 substâncias químicas distintas no extrato de baunilha verdadeiro.

Melhor ainda, para algumas aplicações, é a vagem da baunilha inteira, que pode ser obtida por alguns dólares num vidro hermético ou num tubo plástico. A vagem deverá ter uma textura flexível, feito couro, e não estar seca e dura. (Aliás, a "vagem" da baunilha não é exatamente uma vagem.) O sabor e o aroma da baunilha estão concentrados principalmente nas sementes da vagem e especialmente no líquido oleoso que as envolve, de modo que, para obter o sabor mais intenso como um ingrediente numa receita, corte a vagem no sentido do comprimento com uma faca afiada e use as sementes, raspando-as com as costas da faca.

Mas as vagens também são aromáticas e saborosas, e não devem ser jogadas fora. Mergulhe-as em açúcar granulado num pote hermeticamente fechado, sacudindo o pote de vez em quando. O açúcar fica impregnado com o sabor da baunilha e é ótimo no café ou para aromatizar produtos assados.

AJI-NO-MOTO FAZ OU NÃO MAL À SAÚDE?

O que é o monossódio glutamato, MSG; ele realmente "acentua os sabores"?

Certamente parece misterioso que esses inocentes cristais finos, brancos, eles próprios sem qualquer sabor exclusivo, sejam capazes de acentuar os sabores inerentes a uma tão grande variedade de alimentos. O mistério reside não em saber se o MSG realmente funciona – ninguém duvida disso –, mas em *como* ele funciona. Como acontece com tantas práticas antigas com que a gente topa, a falta de conhecimento científico não impediu que as pessoas desfrutem dos benefícios do MSG há mais de mil anos.

O que torna tão difícil de engolir a fama de acentuar sabores do MSG é que a terminologia é um tanto ambígua. Os produtos que acentuam sabores não o fazem no sentido de melhorá-los; ou seja, não fazem necessariamente com que as coisas fiquem mais gostosas. O que parecem fazer é intensificar ou ampliar determinados sabores que já estão presentes nesses produtos. A indústria de processamento de alimentos gosta de chamá-los de potenciadores; eu os chamo de impulsionadores de sabores.

A essa altura, sou obrigado a entrar no debate a respeito de seus efeitos em pessoas sensíveis.

Todo mundo já ouviu falar na Síndrome do Restaurante Chinês, um rótulo infeliz e politicamente incorreto, aplicado em 1968 a uma coleção difusa de sintomas, inclusive dores de cabeça e sensações de ardência, relatadas por algumas pessoas depois de terem consumido comida chinesa. O culpado oculto dessa síndrome parece ser o MSG, que é a abreviação do nome químico monossódio glutamato. E daí começou uma batalha de 30 anos sobre se ele é seguro.

Num canto senta-se a Organização Nacional para Impedir o Glutamato (NOMSG), cuja solução simples está expressa no acrônimo deles. De acordo com a NOMSG, os glutamatos, sob seus vários disfarces, (ver adiante) são responsáveis por pelo menos 23 tipos de queixa, desde nariz escorrendo e bolsas sob as pálpebras a ataques de pânico e paralisia parcial.

Nos outros três cantos, como era de se prever, estão os fabricantes de alimentos industrializados, que acham o MSG e compostos semelhantes de grande valor para acentuar o poder de atração de seus produtos para os consumidores.

O juiz oficial é a FDA, que, depois de vários anos de dados de avaliação, permanece convencida de que o "MSG e substâncias relacionadas são ingredientes alimentares seguros para a maior parte das pessoas, nas quantidades costumeiras". O problema é que a maior parte das pessoas não é "todas as pessoas", e o FDA ainda está se debatendo para regulamentar o rótulo dos alimentos que contêm glutamato, de modo a ser mais útil para todos os consumidores.

O monossódio glutamato foi isolado pela primeira vez da alga kombu por um químico japonês em 1908. Os japoneses chamam-na de *aji-no-moto*, que quer dizer "essência do gosto" ou "na origem do sabor". Hoje em dia, são produzidas diariamente 200 mil toneladas de aji-no-moto puro em 15 países. É vendido em grande quantidade para os fabricantes de alimentos industrializados.

O monossódio glutamato é um sal do ácido glutâmico, um dos aminoácidos mais comuns de que são feitas as proteínas. As propriedades de acentuar sabores residem na parte glutamato da molécula, de modo que qualquer composto que libere glutamato livre poderá provocar o mesmo efeito. A versão monossódio não passa da forma mais concentrada e mais conveniente do glutamato.

Queijo parmesão, tomates, cogumelos e algas são fontes ricas em glutamato livre. Por isso, um pouquinho de qualquer um desses ingredientes pode ser um bom ponto de partida para o gosto de um prato. Os japoneses há muito tempo fazem uso do glutamato das algas em sopas sutis, delicadas.

Nosso sentido do paladar envolve algumas reações químicas e físicas muito complexas. Tem sido difícil determinar exatamente como o glutamato funciona. Mas algumas ideias têm circulado por aí.

Sabe-se que as moléculas de sabores diferentes grudam nos receptores, em nossas papilas gustativas, por períodos de tempo diferentes antes de se soltarem. Uma possibilidade, então, é que o glutamato faça com que determinadas moléculas permaneçam ali por mais tempo e, portanto, tenham gosto mais forte. Também é provável que os glutamatos tenham seus próprios conjuntos de receptores gustativos separados dos receptores do tradicionalmente citado quarteto de doce, ácido, salgado e amargo. Para complicar ainda mais as coisas, há muitas outras substâncias, além dos glutamatos, que têm propriedades de "acentuar o sabor".

Os japoneses há muito tempo inventaram uma palavra para descrever os efeitos exclusivos dos glutamatos das algas sobre o gosto: *unami*. Hoje, *unami* é reconhecido como representante de uma família separada de gostos picantes que são estimulados pelos glutamatos, de modo semelhante à família dos gostos doces, que são estimulados pelo açúcar, pelo aspartame e seus parentes de sacarina.

Muitas proteínas contêm ácido glutâmico, que pode ser degradado em glutamato livre de diversas maneiras, inclusive pela fermentação bacteriana e pela nossa própria digestão. Há cerca de dois quilos de glutamato nas proteínas do corpo humano. A reação química de quebra é chamada de hidrólise, de modo que, sempre que você vir "proteína hidrolisada" de qualquer tipo – vegetal, soja ou fermento – num rótulo de alimento, provavelmente ele contém glutamatos livres. As proteínas hidrolisadas são os acentuadores de sabor mais amplamente usados nos alimentos industrializados.

Embora um produto alimentício possa não conter MSG como tal e possa até trazer "Sem MSG" no rótulo, poderá muito bem conter outros glutamatos. Então, se você suspeitar que é uma das poucas pessoas sensíveis a glutamatos, preste atenção também nesses eufemismos dos rótulos de sopas, legumes e petiscos: proteína vegetal hidrolisada, proteína de levedo autolisada, extrato de levedo, nutrientes de levedo e sabor ou aromatizante natural.

O que é "sabor natural"? É uma substância derivada de alguma coisa da Natureza, e não fabricada desde o início num laboratório ou fábrica. Para ser chamada de "natural" não importa o quão quimicamente complexo ou complicado possa ser o processo que acaba isolando a substância do sabor, desde que o processo comece com alguma coisa intocada pela mão humana.

Como disposto no Código de Regulamentação Federal dos Estados Unidos: "O termo sabor natural ou aromatizante natural significa o óleo essencial, resina oleosa, essência ou extrato, hidrolisado de proteína, destilado ou qualquer produto de torrefação, aquecimento ou enzimólise, que contenha os constituintes aromatizantes derivados de uma especiaria, fruta ou suco de fruta, legume ou suco de legume, levedos comestíveis, ervas, cascas, botões, raízes, folha ou material vegetal semelhante, carne, frutos do mar, aves, ovos, produtos de leite ou produtos de sua fermentação, cuja função significativa é a aromatização de alimentos, e não a nutricional.

Entendeu?

CREAM CHEESE: A MATEMÁTICA DO CÁLCIO

Por que o rótulo na embalagem de cream cheese diz que ele não tem cálcio? Afinal de contas, é feito de leite, não é?

Se você perdoar o meu duplo negativo, o cream cheese não é sem cálcio. No mundo confuso da rotulação de alimentos, zero não é a mesma coisa que nenhum.

Quando você chega ao cerne da questão, não existe tal coisa como zero quantidade de qualquer coisa. Tudo o que alguém pode dizer é que a quantidade de alguma coisa é pequena demais para ser detectada por seja lá que método de detecção esteja sendo usado. Se você não consegue encontrar determinada substância, isso não quer dizer que não haja alguns zilhões de moléculas dela à espreita, abaixo do seu patamar de sensibilidade.

Tendo esse princípio fundamental em mente, a FDA deparou-se com o problema de que limites deveria impor a determinados ingredientes antes de permitir que os fabricantes de alimentos alegassem nas Informações Nutricionais dos rótulos que um alimento contém "nenhum" ou "0%" ou "não é fonte significativa" de um dado nutriente. Não foi uma tarefa fácil, especialmente colocar em questão a afirmação de que um alimento é "sem gorduras". (Acho sempre engraçado quando um rótulo diz "97% livre de gorduras" em vez de "3% de gorduras".)

O cream cheese é um caso especialmente interessante, porque seu conteúdo de cálcio cai precisamente no limite do "zero".

Primeiro de tudo, sendo feito, como é, de creme de leite ou de uma mistura de leite e creme de leite, o queijo contém menos cálcio do que se pode pensar. A razão surpreendente para isso é que o creme de leite contém substancialmente menos cálcio do que um peso igual de leite. Nos mesmos 100g, o leite integral contém uma média de 119mg de cálcio, enquanto o creme de leite pesado contém apenas 65mg. Eis por que o leite é menos gorduroso e mais aquoso do que o creme de leite, e a maior parte do cálcio fica nas partes aquosas. Ele pode, portanto, ser em grande parte deixado para trás no soro aquoso, quando os grumos de queijo se coagulam. Isso é especialmente verdade para o cream cheese, cujo soro é relativamente ácido (papo técnico: pH 4,6-4,7) e pode, portanto, reter mais cálcio.

Como resultado disso, o cream cheese acaba com apenas 0,81mg de cálcio por grama, comparado, por exemplo, com os 5,2mg em 1g de muzzarella. Mesmo 0,81mg é ainda "algum" cálcio, é claro, e não "nenhum" cálcio. Então, como está dito no rótulo que o queijo tem "0%"?

Preste atenção, agora, porque é aqui que fica um tanto complicado. A porcentagem de qualquer nutriente que esteja enumerado na tabela de Informações Nutricionais não é a porcentagem daquele nutriente no produto. Mas sim a porcentagem dos Valores Diários de Referência (VDR) para aquele nutriente. Hoje em dia, usa-se nos rótulos o termo Porcentagem do Valor Diário (%VD), que é a porcentagem da ingestão diária recomendada para aquele nutriente, fornecido para cada porção.

Por exemplo, de acordo com o rótulo, uma porção de duas colheres de sopa (32g) de uma marca de manteiga de amendoim fornece 25% de seu valor diário de gordura. Mas aquela porção de 32g contém 16g de gordura, então, o produto é, na verdade, 50% gordura.

Agora, de volta ao cream cheese. O VDR para o cálcio é uma enormidade de 1.000mg (1g), de modo que 0,81mg de cálcio numa grama de cream cheese é apenas cerca de 2% do VDR. E adivinha? O FDA permite que uma quantidade de até 2% para cada porção seja rotulado como "0%".

CORROSÃO DO PAPEL LAMINADO

Da última vez que fiz lasanha, pus as sobras na geladeira, cobertas com papel de alumínio. Quando a retirei da geladeira para aquecer, notei que havia buraquinhos no papel laminado onde o alumínio tocou a lasanha Trata-se de alguma reação química? Se é assim, o que estará a lasanha fazendo com os nossos estômagos?

Como você temia, a lasanha está efetivamente provocando buracos no metal. O alumínio é o que os químicos chamam de um metal ativo, facilmente atacado por ácidos, como o cítrico e outros ácidos orgânicos presentes no tomate. Na verdade, você não deveria cozinhar molho de tomate ou outros alimentos ácidos em panelas de alumínio, porque eles conseguem dissolver uma quantidade suficiente do metal para fazer com que o gosto fique metálico. O forro do estômago, por outro lado, contém um ácido muito mais forte (ácido clorídrico) do que os ácidos encontrados em qualquer alimento e é imune até a café de escritório.

Mas no seu caso havia mais alguma coisa em andamento, além da simples dissolução de um metal por um ácido. Acontece que o molho de tomate consegue corroer a cobertura de papel laminado de um recipiente de sobras apenas se o recipiente for de metal, e não de vidro ou plástico. Então, até mesmo sem perguntar, eu sei que as sobras da sua lasanha deveriam estar numa forma ou tigela de aço inoxidável, certo? Elementar, meu caro Watson.

Quando o metal alumínio está simultaneamente em contato com um metal diferente e um condutor elétrico, como o molho de tomate (é claro que você sabia que o molho de tomate conduz a eletricidade, não sabia?), a combinação dos três materiais vai constituir uma verdadeira bateria elétrica. Um processo elétrico (mais exatamente, eletrolítico), e não um processo químico, é o que corrói o papel laminado.

Eis o que acontece.

Sua tigela de aço inoxidável é feita principalmente de... ferro. Agora, os átomos de ferro agarram-se aos seus elétrons com muito mais força do que os átomos de alumínio aos deles. Então, se aparecer uma oportunidade, os átomos de ferro da tigela irão roubar elétrons dos átomos de alumínio do papel laminado. O molho fornece essa oportunidade, oferecendo uma via condutiva pela qual os elétrons conseguem ir do alumínio para o ferro. Mas um átomo de alumínio que tenha perdido elétrons não será mais um átomo de alumínio metálico; será um átomo de algum composto de alumínio capaz de dissolver-se no molho. (Papo técnico: o alumínio foi oxidado a um composto solúvel em ácido.) Então o que você vê é que o papel de alumínio só foi dissolvido onde o molho torna a transferência alumínio-ferro possível.

Se a lasanha tivesse sido posta numa tigela não metálica, nada disso teria acontecido, porque nem o vidro nem o plástico almejam chupar elétrons de outras substâncias. Você vai ter de acreditar na minha palavra ou inscrever-se no curso de Química 1.

Você mesmo pode fazer essa experiência. Ponha mais ou menos uma colher de sopa de molho de tomate (ketchup serve) em três tigelas – aço inoxidável, plástico e vidro. Ponha uma tira de papel de alumínio em cada porção de molho, certificando-se de que o papel de alumínio esteja bem em contato com a tigela. Depois de alguns dias você verá que o papel laminado na tigela de aço foi corroído onde tocou o molho, enquanto o das outras duas tigelas permanecerão inalterados.

Há algumas morais práticas nessa história.

Em primeiro lugar, as sobras do molho – e não tem de ser molho de tomate; pode ser de qualquer molho ácido, como redução de vinho ou algum que contenha suco de limão ou vinagre – podem ser guardadas em qualquer recipiente e cobertas com o que você quiser. Mas se estiverem numa tigela metálica coberta com papel de alumínio, certifique-se apenas de que não entrem em contato com o molho.

Em segundo lugar, não hesite em usar aquelas formas para lasanha de alumínio vendidas nos supermercados. Elas são baratas, podem ser jogadas fora e funcionam muito bem. Mesmo se você cobri-las com papel laminado, vai ser apenas alumínio contra alumínio; como não são metais diferentes, não haverá corrosão eletrolítica.

VINAGRE: O QUE É E COMO ESCOLHER

Tenho lido muito a respeito dos poderes do vinagre para tudo, desde limpar cafeteiras a aliviar dores de artrite e estimular a perda de peso. O que há de tão especial no vinagre?

O vinagre é conhecido há milhares de anos. Para começar, ninguém sequer teve de fazê-lo, porque ele na verdade se faz sozinho. Em qualquer lugar em que por acaso haja um pouco de açúcar ou álcool esquecido, o vinagre estará a caminho.

Qualquer químico lhe dirá sem pestanejar que o vinagre é uma solução de ácido acético em água. Mas podemos também definir o vinho como uma solução de álcool em água. O vinagre é tão mais que isso... Os vinagres mais populares são feitos de uvas (vinagre de vinho tinto ou branco), maçãs (vinagre de sidra), centeio ou aveia maltados (vinagre de malte) e arroz (bem, vinagre de arroz). Todos eles retêm compostos químicos de sua matéria-prima, o que lhes dá sabores e aromas exclusivos. Além disso, há vinagres que foram deliberadamente aromatizados com framboesas, alho, estragão e praticamente qualquer outra coisa que possa ser posta dentro de uma garrafa e deixada a macerar durante algumas semanas.

Na parte mais alta do espectro de pureza está o conhecido vinagre branco destilado, que de fato nada mais é do que 5% de ácido acético puro em água e pode tanto ser guardado na lavanderia quanto na cozinha. Tendo sido feito de álcool industrial e purificado por destilação, o vinagre branco não contém frutas, grãos ou qualquer outro sabor.

No fim, está o vinagre balsâmico. O verdadeiro vinagre balsâmico vem sendo feito há quase mil anos na região da Emilia-Romagna, na Itália, e particularmente na região da cidade de Módena ou arredores, na região Réggio nell'Emilia. Aí, as uvas *trebbiano* são esmagadas num *mosto* (o suco e as cascas), depois fermentadas e envelhecidas numa sucessão de barris de madeira por pelo menos 12 anos, às vezes até por cem anos. O resultado é uma poção grossa, marrom, com um sabor complexo, agridoce, em tom de carvalho. É usada em pequenas quantidades como um condimento, e não da maneira como usamos vinagre comum.

Infelizmente não há regulamentação para a impressão da palavra *balsâmico* num rótulo, e o termo às vezes é afixado a garrafinhas pequenas, de formato chique, com vinagre adoçado, colorido com caramelo e vendido por quanto o mercado tolere. Mesmo se no rótulo de uma garrafa estiver escrito *Aceto Balsamico di Módena*, não há maneiras reais de se saber o que há lá dentro. Como Lynne Rossetto Kasper diz em seu livro, *The Splendid Table*, "a compra de vinagre balsâmico apresenta todos os riscos de uma roleta russa" (bem, talvez não todos), e "os preços não são indicadores de qualidade". O conselho que dá: para o verdadeiro, feito na Itália pelo método vagaroso, tradicional, artesanal, procure no rótulo as palavras *Aceto Balsamico Tradizionale di Módena*, ou o curiosamente bilíngue *Consortium of Producers of Aceto Balsamico Tradizionale di Réggio-Emília*. E prepare-se para pagar um preço alto.

Mas, se você encontrar uma garrafa de vinagre rotulado "balsâmico" de que você goste, não importa que o preço seja modesto, fique com ele e use-o sempre que quiser.

Eis aqui como todo vinagre "acontece", seja espontaneamente na Natureza ou induzido deliberadamente pelos seres humanos.

Há uma sequência de duas etapas de reações químicas: (1) o açúcar é degradado em álcool etílico e gás dióxido de carbono, e (2) o álcool etílico é oxidado a ácido acético. A primeira transformação, chamada de fermentação, é o que produz vinho a partir dos açúcares das uvas e inúmeras outras bebidas alcoólicas de inúmeros outros carboidratos, na presença de enzimas de levedos ou bactérias. Na segunda transformação, as bactérias conhecidas como *Acetobacter aceti* ajudam o álcool a reagir com o oxigênio do ar para formar ácido acético. Os vinhos podem oxidar-se e, portanto, azedar sem o *Acetobacter*, mas esse é um processo mais lento. A palavra *vinagre* na verdade vem do francês, *vin aigre*, que significa vinho azedo.

Dá para fazer vinagre em casa, de vinho ou de outro líquido alcoólico, acrescentando uma pequena quantidade de vinagre contendo uma massa de bactérias de vinagre, chamada de "madre do vinagre", para iniciar a reação. Para tudo o mais que você precisa saber a respeito da fabricação do vinagre, visite Vinegar Connoisseurs International em www.vinegarman.com.

Os vinagres comerciais estão na faixa dos 4,5% a 9% de ácido acético; os mais comuns estão em 5%. Essa é a potência mínima para a conservação de alimentos como picles, que é um dos usos mais veneráveis do vinagre, pois a maior parte das bactérias não consegue prosperar em ácidos dessa potência ou mais fortes.

Depois de cortar carne ou aves cruas na tábua ou bancada de açougueiro, uma boa ideia é limpá-la com uma solução desinfetante, como uma ou duas colheres de sopa de água sanitária em um litro de água. Mas a água sanitária deixa a tábua com um cheiro de cloro que demora muito a sair, é muito difícil de ser eliminado.

O vinagre retira esse cheiro. Enxágue a tábua com qualquer tipo de vinagre; o ácido acético que ele tem neutralizará o hipoclorito de sódio, alcalino, da água sanitária e irá acabar com o cheiro.

Se você acrescentar um pouco de vinagre branco destilado na água final de enxágue, quando lavar sua roupa branca com água sanitária, os lenços não irão mais cheirar a laboratório de química.

CUIDADO COM AS BATATAS VERDES

Uma batata com a casca verde acaba amadurecendo?

Não, não, não. Ela não é verde porque não está madura; as batatas podem ser comidas em qualquer estágio de crescimento. E elas não estão ostentando o verde por serem tradicionalmente um alimento irlandês. A cor verde é o recado da Mãe Natureza de que não é para comer, uma placa onde se lê: venenoso.

As plantas da batata contêm solanina, um membro da famosa família dos alcaloides, de gosto amargo, um grupo de substâncias químicas altamente tóxicas nas plantas, incluindo a nicotina, a quinina, a cocaína e a morfina. A maior parte da solanina das plantas de batatas está nas folhas e nos talos, mas quantidades menores são encontradas na casca e embaixo dela, embaixo do tubérculo e, em menor extensão, nos "olhos".

Se uma batata que mora no subterrâneo for acidentalmente descoberta durante o crescimento, ou mesmo se for exposta à luz depois de ser desenterrada, ela acha que já é hora de acordar e começar a fazer a fotossíntese. Desse modo, fabrica a clorofila e torna-se manchada de verde na superfície. Ela também fabrica a solanina, no mesmo lugar.

Embora a solanina só faça mal se ingerida em grande quantidade, é sempre prudente cortar fora e descartar as partes verdes; o resto da batata estará perfeitamente bom. Ou, como a solanina fica concentrada perto da superfície, você pode livrar-se de quase toda ela descascando a batata com mão meio pesada. Mas não compre um saco de batatas que tenham mais que umas poucas partes verdes, porque é muito chato retirá-las todas.

O nível de solanina aumenta quando a batata já viu dias melhores e está enrugada ou esponjosa. Portanto, por favor, jogue fora aquelas batatas tristes que você vem guardando há muito tempo. Quanto àquelas que brotaram, os brotos são especialmente ricos em solanina, especialmente quando começam a ficar verdes.

As batatas conservam-se melhor num local escuro, seco e fresco, mas não frio demais. Na temperatura da geladeira, elas tendem a fabricar a solanina. Elas também convertem parte de seu amido em açúcar, o que produz um dulçor peculiar e faz com que fiquem marrons ao serem fritas.

BATATA FRITA VERDE

Por que algumas batatas fritas têm beiradas verdes? Posso comê-las?

Essas batatas foram cortadas de batatas com superfície verde e, portanto, contêm pequenas quantidades da solanina tóxica, que não é destruída pela fritura. Não há problema em comê-las, porque para ter os efeitos nocivos você teria de comer tantos sacos de batata frita que ficaria mais pálido e verde do que as beiradas delas.

Ah, e se você achar que pode examinar as batatas fritas na loja, para ver quantas de beiradas verdes poderá haver num saco, pense melhor. Já notou que os sacos de batata frita são opacos, ao contrário dos sacos de *pretzels* e outros petiscos que muitas vezes deixam você ver o conteúdo? Isso não é para enganar olhos inquisitivos, mas para proteger da luz ultravioleta, que acelera a oxidação da gordura nas batatas fritas, fazendo-as ficarem rançosas. Todas as gorduras e óleos, na verdade, deveriam ser protegidos da luz intensa.

Os sacos de batatas fritas muitas vezes também são cheios de gás nitrogênio para deslocar o ar que contém oxigênio. É por isso que eles são estufados como um balão. É claro, cínico como sou, devo dizer que aquelas embalagens opacas, cheias de ar, que ocupam mais espaço de exposição escondem que estão cheias só pela metade.

MAU-OLHADO NA BATATA?

Sempre que descasco batatas, acho que estou flertando com a morte, desde que um amigo bem-intencionado me contou que os "olhos" são venenosos e que era melhor retirá-los cuidadosamente. São muito perigosos?

Nem tanto quanto alguns amigos bem-intencionados que espalham histórias aterrorizantes. Mas há um grão de verdade na história.

Quando as batatas foram introduzidas na Europa, na segunda metade do século XVI, havia suspeitas de que fossem venenosas, afrodisíacas ou – uma ideia estranha – as duas coisas. Os europeus tendiam a achar o mesmo de qualquer alimento exótico vindo do Novo Mundo, inclusive os tomates. (A cor escarlate sem dúvida ajudou a levar os franceses a chamá-los de *pommes d'amour*, ou maçãs do amor.)

Mas não devemos descartar inteiramente as suspeitas do Velho Mundo, porque tanto as batatas quanto os tomates são na verdade membros da mesma família, a erva-moura, cujo representante mais infame e letalmente venenoso é a planta da beladona.

Não posso deixar de dizer aqui que em italiano *bella donna* quer dizer "queridinha" ou "mulher bonita". Por que a planta foi batizada assim? Porque contém atropina, um alcaloide que dilata as pupilas dos olhos. Era usado (dizem) pelas mulheres italianas no século XVI como cosmético, para simular excitação sexual.

Um salto para o século XXI e seu amigo bem-intencionado. O alcaloide tóxico, solanina, normalmente presente em pequenas quantidades nas batatas, de fato se acumula nos "olhos", quando eles brotam. Então os "olhos" que estão começando a brotar certamente devem ser cortados fora, sobretudo se tiverem começado a ficar verdes. Mas mesmo assim, a solanina não vai muito fundo, e basta uma cavada normal com a faca para dar conta dela.

MILHO DE CANJICA

No sul dos Estados Unidos, o amido nos pratos muitas vezes é o milho de canjica, e não batatas ou arroz. Mas ele é fabricado com barrela. A barrela não é um composto químico muito corrosivo, usado para desentupir canos?

É, mas o milho foi muito bem lavado antes de chegar perto do seu prato.

A palavra *barrela* é relacionada à palavra latina que significa *lavar* e originalmente referia-se a soluções fortemente alcalinas obtidas pondo-se de molho ou lavando-se cinzas de madeira em água. O material alcalino das cinzas de madeiras é o carbonato de potássio, e como os álcalis reagem com as gorduras para formar compostos químicos chamados saponáceos, os sabões iniciais eram feitos de cinzas de madeira mais gordura animal.

Hoje em dia barrela refere-se mais comumente à soda cáustica, que os químicos chamam de hidróxido de sódio. Esse é um produto brabo, mesmo. Não apenas é venenoso, mas, se tiver chance, dissolve a sua pele. Ele desentope canos tanto por converter a gordura em sabão quanto por dissolver cabelo.

Se você puser de molho grãos de milho numa solução fraca de barrela, ela solta as cascas de celulose, duras. Separa, além disso, o germe, que contém o óleo, deixando apenas a parte do amido, ou endosperma, que é então lavado, secado e batizado de canjica. A etapa que alivia a ansiedade em tudo isso é a lavagem completa, que retira todo excesso de barrela. A canjica seca é então grosseiramente moída em sêmola de canjica.

Um álcali menos potente do que a soda cáustica é a cal (óxido de cálcio), que também pode ser posta em grãos de milho para quebrá-los para, por exemplo, fazer a canjica. A cal é tão fácil de se fazer, aquecendo-se calcário ou conchas (carbonato de cálcio), que já é conhecida e usada há milhares de anos. Os nativos das Américas usaram-na durante séculos para tratar ou cozinhar milho. No México e na América Central de hoje, o milho é cozido em água de cal, depois lavado, escorrido, seco e moído para fazer a *masa*, a farinha de que são feitas as *tortillas*.

Sem saber, os americanos primitivos estavam melhorando tanto o sabor quanto o valor nutritivo do milho ao tratá-lo com cal. O milho é deficiente em determinados aminoácidos essenciais, e o álcali torna esses aminoácidos mais disponíveis. A cal reage com o aminoácido triptofano, produzindo um composto químico muito saboroso (2-aminoacetofenona), que dá às tortilhas aquele sabor exclusivo. A cal, além disso, acrescenta cálcio à dieta e, talvez o mais importante, aumenta a nossa absorção de niacina, uma vitamina B essencial.

A deficiência de niacina na dieta causa a pelagra, uma doença debilitante, caracterizada por três D: dermatite, diarreia e demência. A pelagra progredia nas sociedades cujas dietas eram constituídas principalmente de milho, como a Itália, consumidora de polenta, e o Sul rural americano, até 1937, quando se reconheceu que a doença era causada por uma deficiência de niacina. Devido ao tratamento com a cal, mexicanos e nativos da América Central sempre estiveram livres da pelagra.

Não posso deixar de louvar um *brunch* memorável que uma vez desfrutei na região *cajun*, a oeste de Nova Orleans. Consistia de um coquetel feito de suco de laranja com champanha, ovos fritos, sêmola de canjica, linguiças defumadas, sêmola de canjica, biscoitos, sêmola de canjica e *café au lait*. Fui convertido.

Quer saber mais a respeito das sêmolas de canjica? Vá a (aonde mais?) www.grits.com.

Panquecas de milho e amoras

Embora originalmente esta receita peça o uso de milho azul, produto típico do Sudoeste norte-americano, seu resultado é igualmente saboroso usando-se milho comum.

- 1 xícara de farinha de milho
- 1 colher de sopa de açúcar
- 2 colheres de chá de fermento em pó
- 1 colher de chá de bicarbonato de sódio
- ½ colher de chá de sal
- 1 xícara de leite
- 2 ovos grandes, ligeiramente batidos
- 3 colheres de sopa de manteiga sem sal, derretida
- ½ xícara de farinha de trigo
- 1 xícara de amoras frescas
- manteiga ou óleo para untar a grelha
- manteiga e melaço

1. Misture a farinha de milho, o açúcar, o fermento, o bicarbonato e o sal numa tigela grande. Misture bem leite, ovos e manteiga numa tigela pequena. Acrescente os ingredientes úmidos aos secos e misture apenas o suficiente para formar uma massa final homogênea. Deixe a massa descansar por 10 minutos.

2. Junte a farinha de trigo e misture a massa até desaparecerem as partes brancas. Não misture demais. Junte as amoras com cuidado.

3. Aqueça a grelha até sentir o calor na palma da mão aberta alguns centímetros acima dela. Unte-a ligeiramente, pincelando-a com manteiga ou óleo. Com uma xícara de medida de ¼ de xícara, deixe cair porções da massa na grelha.

4. Quando se formarem bolhas na parte de cima, as beiradas estiverem firmes e o fundo estiver dourado (1 a 2 minutos), vire e asse as panquecas até que estejam ligeiramente douradas do outro lado. Sirva com manteiga e melaço.

- Rende de 14 a 16 panquecas de 10cm

capítulo 5

Por campos e mares

Nós, *Homo sapiens*, somos um bando de onívoros, dotados de dentes e sistemas digestivos bem- adaptados para comer tanto alimentos vegetais quanto animais. Apesar dos ativistas dos direitos dos animais, é inegável que, na nossa sociedade, a carne e o peixe são, em geral, os personagens centrais em nossos pratos principais.

Do número quase ilimitado de espécies animais na Terra, talvez apenas uma centena tem sido rotineiramente caçada, apanhada ou pescada pelos seres humanos para servir de alimento, e apenas um punhado desses foi domesticado. Na nossa sociedade ocidental contemporânea, consumimos rotineiramente apenas um número ainda menor de animais. Passe pela seção de carnes de um supermercado e raramente vai encontrar mais de quatro tipos genéricos de carne: boi ou vitela, cordeiro, porco e aves.

Por outro lado, umas quinhentas espécies de peixes e crustáceos podem ser encontradas nos Estados Unidos, sendo que no mundo todo há ainda o dobro disso. Embora o mar contenha uma variedade inimaginável de espécies comestíveis, estamos apenas engatinhando na domesticação dessas espécies, quer dizer, "criando-as" em quantidades comercialmente significativas.

Nossa falta de opção, portanto, não se deve a qualquer falta de diversidade na Natureza, mas a limitações culturais e econômicas autoimpostas. Muitos de nós já provaram outras delícias culturais, como gafanhotos, cobra cascavel, jacaré, berbigão e ouriço-do-mar, enquanto muitos outros começaram a gostar de coelho, bisão, veado, avestruz e ema por causa da crescente disponibilidade comercial desses animais.

Mas ainda é possível classificar nossos alimentos animais diários em duas categorias: carne e peixe. Ou, como dizem alguns donos de restaurantes para alguns fregueses "pessoas jurídicas" que não conseguem decidir-se sobre que prato caro vão pedir: campo e mar – uma composição de filé e cauda de lagosta, que combinam quase tanto quanto anchovas com sorvete.

Neste capítulo, veremos o que faz com que as proteínas animais da terra e do mar se pareçam e cozinhem de modo tão diferente.

CARNE MALPASSADA

Gosto de filé e de rosbife malpassados. Mas muitas vezes há alguém na mesa que faz algum comentário desagradável a respeito de eu estar comendo "carne sangrenta". O que posso dizer em minha defesa?

Nada. Sorria e continue se deliciando, porque eles estão errados. Praticamente não há sangue algum na carne vermelha. A maior parte do sangue que circula pelas veias de uma vaca jamais chega ao açougue, quanto mais à mesa de jantar.

Não querendo ser exageradamente realista a esse respeito, no abatedouro, logo depois de a criatura ter sido despachada, a maior parte do sangue é escoada, com exceção do que fica preso no coração e nos pulmões, que, você vai concordar, têm um interesse gastronômico mínimo.

O sangue é vermelho porque contém hemoglobina, uma proteína que contém ferro e que leva o oxigênio dos pulmões para os tecidos musculares, onde é necessário para os movimentos. A cor vermelha da carne, no entanto, não vem primariamente da hemoglobina. Ela deve-se sobretudo a outra proteína vermelha que contém ferro e transporta oxigênio, chamada de mioglobina. A função da mioglobina é guardar o oxigênio nos músculos, onde ele estará disponível para uso imediato sempre que o músculo receber um apelo à ação. Se não fosse por essa mioglobina aqui-e-agora, o músculo iria ficar rapidamente sem oxigênio e teria de esperar uma nova leva de sangue. Assim, seria impossível qualquer atividade estafante e prolongada.

Ao ser cozida, a mioglobina fica marrom, exatamente como a hemoglobina. A carne bem-passada será portanto marrom-acinzentada, enquanto o filé malpassado ainda permanecerá vermelho. Mas, na França, quando você quiser o bife bem malpassado, peça que ele seja *bleu*. É, isso quer dizer azul, mas desde quando os franceses têm de ser lógicos?

Está bem, para sermos justos, a carne crua na verdade tem a cor um tanto arroxeada da mioglobina.

Diversos animais carregam quantidades variadas de mioglobina em seu tecido muscular, porque eles têm graus variáveis de necessidade de um reservatório de oxigênio para atividades extenuantes. O porco (esse preguiçoso) contém menos mioglobina do que o boi, o que permite que os vendedores de porcos a chamem de "a outra carne branca", embora ela seja na verdade rosada.

O peixe contém muito menos ainda. Então, a carne animal pode ser inerentemente vermelha, rosa ou branca, dependendo da necessidade evolucionária de atividade muscular contínua nas diferentes espécies. A carne do atum, por exemplo, é bastante vermelha, porque os atuns são nadadores fortes, rápidos, que migram distâncias enormes pelos oceanos do mundo.

Agora você sabe por que a carne de peito do frango é branca, enquanto o pescoço, as pernas e as coxas são mais escuros. Os frangos exercitam o pescoço ciscando e as pernas andando, mas aquele peito enorme não passa de excesso de bagagem. Eles ficaram assim por cruzamento, porque, comparados com o resto do mundo, os norte-americanos têm uma forte preferência por carne branca. Na verdade, a não ser que sejam criadas soltas, as galinhas norte-americanas são tão mimadas que até sua "carne escura" é tão branca quanto o peito.

COMO REAQUECER A CARNE MALPASSADA

Quando tenho sobras de carne malpassada, como um bife, um rosbife ou cordeiro, gosto de aquecê-las, no dia seguinte, mas não quero que cozinhem mais. Até uma passada rápida no forno de micro-ondas mataria a vermelhidão, porque as micro-ondas penetram profundamente. Então, ponho-as num saco plástico desses com zíper, retirando todo o ar de dentro, e ponho tudo de molho numa tigela de água quente. A água aquecerá a carne, mas não é quente o suficiente para cozinhá-la.

APARÊNCIA DA CARNE MOÍDA

A carne moída que costumo comprar é vermelho vivo do lado de fora e de aparência baça por dentro. Será que estão borrifando as carnes com algum tipo de tintura para que pareçam frescas?

Não, é pouco provável que seja um truque.

A superfície de uma carne recém-cortada não é vermelho vivo; é naturalmente arroxeada, porque contém a mioglobina, a proteína vermelho-arroxeada do músculo. Mas quando a mioglobina fica exposta ao oxigênio do ar, ela rapidamente vira oximioglobina, vermelho-cereja vivo. Por isso é que apenas a superfície externa da sua carne moída tem essa bela cor vermelho vivo, geralmente associada a frescor; as partes internas não foram expostas suficientemente ao ar.

A carne arroxeada, recém-cortada, é enviada dos frigoríficos aos mercados em recipientes herméticos. Depois de ser moída no mercado, ela é geralmente envolvida em filme plástico que permite a passagem do oxigênio, e a superfície da carne então "floresce" com a cor vermelha da oximioglobina. Mas depois de exposições mais longas ao oxigênio, a oximioglobina vermelha oxida aos poucos para uma metamioglobina amarronzada, que não apenas tem aspecto ruim mas dá um gosto "esquisito" à carne. É essa cor marrom-metamioglobina que assinala a carne já velha. Mas na verdade essa transformação acontece muito antes de a carne se tornar realmente insalubre.

Os mercados varejistas usam materiais de embalagem plástica (ou polietileno de baixa densidade, ou cloreto de polivinil), que permitem apenas a entrada de uma quantidade de oxigênio suficiente para manter a superfície da carne no estágio oximioglobina vermelho vivo.

Para resumir: se sua carne, seja ela cortada ou moída, estiver roxo-fosco, ela é realmente fresca. Mas se estiver ficando marrom pela metamioglobilina, ainda assim pode ser usada durante vários dias. O nariz – e não os olhos – é o melhor órgão dos sentidos para determinar se a carne está marrom *demais*.

COMO OS AMERICANOS CLASSIFICAM AS CARNES

Pensei que Prime era o tipo de carne melhor e mais caro, mas em alguns restaurantes é até muito ruim.

USDA *Prime* é realmente a melhor e mais cara classificação de carne. Mas todos nós já fomos submetidos, uma vez ou outra, a uma placa de costela de primeira (*prime rib*) dura e seca, rodeada de gordura de borracha vulcanizada, que devia claramente ter o carimbo "*USDA incomível*". Haverá alguma informação enganosa por aqui?

Não necessariamente. É verdade que em quase qualquer contexto, a palavra *prime* significa a primeira, ou da mais alta qualidade. Mas nesse caso não tem nada a ver com a qualidade, refere-se apenas ao corte: de que parte do animal veio. Um assado de costela de primeira pode ser de qualquer classificação de qualidade do USDA.

Antes de serem cortadas, as carcaças bovinas são classificadas em oito categorias de qualidade, baseada em características como a maturidade, a textura, a cor e a distribuição de gordura – características que resultam em maciez, suculência e sabor no prato. Em ordem descendente de desejabilidade, essas categorias são: *Prime, Choice, Select, Standard, Commercial, Utility, Cutter* e *Canner.* (A *Select* era chamada de *Good* até 1987.)

Quando a carcaça é cortada – independentemente de sua classificação –, ela é em primeiro lugar dividida em oito cortes "primários": *chuck, rib, short loin* e *sirloin, rump, round, brisket and shank, short plate* e *flank*. No Brasil usa-se o corte francês do boi e os cortes primários são: acém, capa de filé e filé de costela, contrafilé e filé mignon, picanha e alcatra, lagarto, coxão mole (chã) e patinho, peito e pá (ou braço, em São Paulo), ponta de agulha, aba de filé e fraldinha.

O principal corte de costelas consiste nas costelas de número seis a doze das treze costelas do novilho. Depois de as pontas das costelas (costelas curtas) terem sido retiradas, o que fica é o que em açougues se chama de "costela de primeira". Mais uma vez, o nome não tem nada a ver com a classificação de qualidade *USDA Prime*, portanto não se deixe levar pelas palavras do menu. Avalie a qualidade provável do assado pela qualidade do restaurante.

OSSOS NO CALDO

Qual a contribuição dos ossos para um caldo? Consigo entender como a carne e a gordura dão gosto, mas os ossos se degradam de alguma maneira? Ou acrescentamos os ossos apenas por causa do tutano?

Os ossos são ingredientes essenciais na elaboração de uma sopa, um caldo ou um ensopado, tão completamente essencial quanto a carne, os legumes e os temperos. O objetivo pode não ser óbvio, no entanto, se pensamos neles como material duro, mineral não reativo. Sim, a estrutura material do osso é mineral: fosfatos de cálcio, para ser mais específico. Mas os fosfatos de cálcio não se dissolvem nem decompõem na água quente, de modo que se fossem feitos só disso, poderíamos então acrescentar pedras em vez de ossos. Os ossos não poderiam contribuir com sabor algum para um caldo.

Mas os ossos contêm também materiais orgânicos, além dos minerais, principalmente cartilagem e colágeno. Em animais jovens, os ossos podem até mesmo conter mais cartilagem do que matéria mineral, e a cartilagem contém colágeno, uma proteína que se degrada em gelatina mole, quando cozida. Então, os ossos na verdade contribuem para o caldo com uma sensação rica e untuosa na boca.

Os ossos da canela e da coxa, além dos tecidos conjuntivos do mocotó, são especialmente ricos em colágeno. Se você realmente quiser um caldo ou um ensopado que fique um gel, quase como uma gelatina, depois de cozido, acrescente um mocotó de vitelo ou alguns pés de porco, ricos em colágeno. Os pés de porco cozidos, esfriados em sua geleia, são um petisco rural tradicional. Quando for fazer isso, diga a seus convidados que esse é um elegante prato francês chamado *Pied de Cochon*.

As partes duras dos ossos parecem ser sólidas, mas contêm uma surpreendente quantidade de água, fibras nervosas, vasos sanguíneos e outras coisas que iriam imediatamente fazer com que você virasse vegetariano, se eu as descrevesse. No curso Ossos 1 você poderá aprender que um osso típico é feito de três camadas. O miolo é um material esponjoso contendo um monte de deliciosa matéria orgânica, e nos ocos dos ossos longos, há o tutano, ainda mais delicioso. Eis por que – e isso é importante – cortamos ou quebramos os ossos antes de pô-los no caldeirão. Fora do miolo fica a camada dura, principalmente de material mineral, seguida por uma membrana externa dura, fibrosa, chamada de periósteo.

Mas não jogamos apenas ossos num caldeirão. Sem ser num esqueleto de Halloween ou num laboratório de anatomia, você já viu algum osso perfeitamente limpo, sem qualquer carne, gordura, cartilagem ou outros tecidos conectivos grudados nele? Pouco provável. Todas essas coisas contribuem imensamente para o sabor do caldo. Além do mais, eles douram maravilhosamente quando assamos nossos ossos de vitelo antes de pô-los na panela, ao fazer um caldo marrom.

Então, guarde todos os seus ossos no congelador para o dia de fazer caldo. Ou lance mão da última coisa no mundo – além de conselhos –, que é de graça, ou quase de graça: os ossos no açougue.

Perna de cordeiro à grega

Os ossos das pernas de animais jovens, como os cordeiros, são envolvidos por uma grande quantidade de cartilagem contendo colágeno, que se reduz pelo cozimento a um monte de gelatina na carne, de fazer a boca aguar, e contribui, junto com os sucos da carne, da gordura e do tutano, para formar um rico molho marrom. Você pode não conseguir tirar o tutano de ossos mais para finos – *o osso buco* não é –, mas à medida que cozinha, a gordura saborosa pinga no molho.

O sucesso, aqui, depende em grande parte da escolha do recipiente de cozimento. Para resultados melhores, use uma panela larga, mais baixa do que alta, de ferro esmaltado e com tampa bem ajustada, que mantém o calor, para garantir o cozimento e o dourado por igual. Depois de cozida, a carne deverá estar dourada, reluzente, salpicada de ervas e caindo dos ossos, de tão macia.

Você pode preparar esse prato de véspera. Ponha a carne e os legumes em um recipiente separado do molho, de modo que a gordura solidificada possa ser suspensa e retirada do molho.

- 4 canelas de cordeiro, cada uma com cerca de 350g a 450g
- 2 colheres de sopa de azeite de oliva
- sal e pimenta moída na hora
- 2 cenouras grandes
- 2 talos de aipo picados grosseiramente
- 1 cebola grande, picada grosseiramente
- 4 a 6 dentes de alho, picados grosseiramente
- ½ xícara de vinho tinto seco
- ½ xícara de água
- 1 xícara de molho de tomate (1 lata de 250g)
- 1 colher de chá de orégano seco, de preferência grego
- ½ colher de chá de folhas de tomilho seco ou 1 colher de sopa de folhas frescas

1. Preaqueça o forno a 180°C. Apare o excesso de gordura das pernas. Ponha azeite numa panela grande e pesada, mais baixa do que larga, em fogo médio-alto. Trabalhando em duas etapas, se for preciso, doure bem to-

→

dos os lados das pernas de cordeiro. Junte sal e pimenta generosamente. Retire para uma travessa, com a ajuda de pinças.

2. Na mesma panela, em fogo médio, refogue as cenouras, o aipo e a cebola até que fiquem macios, mas sem dourar, cerca de 5 minutos. Junte o alho e cozinhe mais 2 minutos. Ponha o cordeiro sobre a camada de legumes na panela.

3. Misture o vinho e a água numa xícara de medida de vidro e despeje por cima e em volta do cordeiro. Ponha o molho de tomate por cima e ao redor do cordeiro. Salpique com orégano e tomilho. Aqueça até o líquido chegar à fervura.

4. Tampe com uma tampa bem ajustada ou com papel laminado amassado e asse no forno durante 2 horas ou até que a carne esteja macia e quase caindo dos ossos.

5. Com a ajuda de pinças, coloque as pernas numa travessa e cubra-as com o papel laminado para mantê-las quentes. Retire os legumes com uma colher perfurada e arrume-os ao redor da carne. Despeje o molho numa xícara de medida, retire o excesso de gordura (ver página 121) e jogue-o fora. Deverá haver cerca de 1 xícara de molho. Confira os temperos, se necessário, e despeje esse molho por cima do cordeiro, ou coloque-o numa molheira.

▸ Rende 4 porções

CARNE-PERTO-DO-OSSO

Por que se diz que a carne que fica mais próxima ao osso é sempre a mais gostosa?

A carne mais próxima do osso é realmente mais saborosa por diversas razões.

Em primeiro lugar, como estão enterrados dentro da carne, o osso e seus contornos não ficam tão quentes nem cozinham tão rapidamente quanto as partes mais externas. Quando você grelha um T-bone steak, por exemplo, a carne perto do osso acaba mais crua do que o resto, e quanto mais crua a carne, mais suculenta e mais saborosa ela é.

Outro efeito vem da abundância de tendões e outros tecidos conectivos que ancoram a carne ao osso. A proteína colágeno nesses tecidos se degrada ao ser aquecida e vira gelatina, uma proteína muito mais macia. A gelatina tem ainda a propriedade de conseguir segurar quantidades enormes de água, cerca de dez vezes mais do que seu próprio volume. Então, em geral, onde houver a maior quantidade de colágeno – e isso ocorre geralmente perto do osso –, a carne será tanto mais macia quanto mais suculenta.

Um terceiro efeito de carne-perto-do-osso é mais evidente. Em determinados cortes, especialmente nas costelas e no carrê, há uma porção de gordura perto do osso. Desse modo, quando ninguém estiver olhando e você estiver roendo um daqueles ossos, como D. João VI, não há como evitar comer uma grande dose de gordura. E para nosso incrível pesar e de nossas artérias, a gordura animal altamente saturada é deliciosa.

TERMÔMETRO PARA CARNES

Os livros de culinária avisam que, ao usar um termômetro para testar o ponto de cozimento de um assado, nunca devo deixá-lo tocar o osso. Não vi em lugar algum uma explicação para isso. O assado explode, ou qualquer coisa assim?

Detesto avisos sem motivos, você também? Tudo o que fazem é fomentar a ansiedade. Sempre que vejo um aviso de "abra do outro lado" numa caixa, abro-a do lado errado, só para ver o que acontece.

O osso conduz menos calor do que a carne. Para começar, o osso é poroso, e as cavidades de ar são isolantes de calor. Ossos também são relativamente secos, e muito da transferência de calor dentro de um assado deve-se à água que a carne tem. Desse modo, quando a maior parte da carne já atingiu uma determinada temperatura, é provável que as regiões que circundam os ossos ainda estejam relativamente frias. Isso fará com que a leitura do termômetro seja muito baixa e engane você, levando-o a cozinhar demais o frango, o peru ou o assado.

COMO RETIRAR A GORDURA DE UM CALDO

Cada vez que faço caldo, a sopa ou o ensopado de carne acabam ficando com uma película de gordura por cima: gordura derretida da carne. Quero retirá-la, mas é trabalhoso e nunca consigo eliminar tudo. Há alguma maneira fácil de se fazer isso?

As receitas mandam "escumar a gordura" de sopas e ensopados, como se fosse tão fácil como descascar uma banana. Supõe-se que é só pegar uma colher e tirar a camada de gordura sem retirar nenhum do líquido ou dos sólidos que ficam por baixo. Mas a palavra *escumar* é um engodo.

Para começar, é difícil saber o quão fundo se deve ir sem retirar uma porção do líquido subjacente. Se o caldeirão ou a panela forem largos, a gordura poderá ter se espalhado numa camada tão fina que você não consegue retirá-la com uma colher. Além do mais, provavelmente há pedaços de carne e de legumes projetando-se acima da superfície e impedindo a limpeza. E, finalmente, ainda poderá haver uma porção de gordura escondida entre os sólidos.

Se não houver muito líquido no caldeirão, você poderá despejá-lo todo num separador de molhos – uma daquelas xícaras de vidro ou de plástico que parecem regadores em miniatura e liberam o conteúdo da parte de baixo, como um jogador de cartas pouco honesto. O líquido aquoso sai, deixando a camada de cima, gordurosa, para trás.

Ou você pode coar os líquidos para um recipiente de vidro à prova de calor, alto e estreito, de modo que a camada de gordura fique mais espessa e possa ser sugada com uma daquelas seringas de temperar peru, com bulbo de borracha.

O método mais tentador é pôr a panela toda na geladeira, de modo que a camada de gordura solidifique e então você possa suspendê-la, aos pedaços, como o gelo num poço. Mas isso é perigoso, a panela poderá aquecer o que está na geladeira a uma temperatura amigável para as bactérias. Sempre esfrie os alimentos quentes em diversos recipientes menores antes de pô-los na geladeira.

Um método maravilhosamente simples e fácil envolve um miniesfregão – é isso mesmo, um esfregão – que literalmente absorve a gordura. Você passa-o por cima da superfície do caldo (sopa ou ensopado) e ele encharca-se seletivamente com o óleo, sem absorver o líquido aquoso. Esse esfregão, nos Estados Unidos, é vendido sob diversas marcas, inclusive *Oil Mop* e *Grease Mop*, e lá ele está disponível em lojas de material culinário. Por enquanto, a engenhoca ainda não apareceu no Brasil.

Como, você poderá perguntar, um esfregão consegue distinguir entre líquidos aquosos e oleosos?

Um esfregão comum absorve água, porque a água molha as – ou seja, gruda nas – fibras do esfregão. Há uma atração entre as moléculas da água e as moléculas do algodão ou seja lá do que sejam feitas as fibras do esfregão. Além disso, a água vai até mesmo subir entre as fibras, por causa da atração capilar. Desse modo, quando você mergulha um esfregão comum em água e retira-o em seguida, muito da água vem junto com ele.

Mas a água não molha todas as substâncias, de jeito algum; suas moléculas são muito pouco atraídas por outras determinadas moléculas. Mergulhe uma vela em água, por exemplo, e ela sairá seca. A água não gruda na cera ou em diversos plásticos, mas – aí e que está a coisa – o óleo gruda. O *Grease Mop* é feito de plástico que molha com óleo, mas não com água. Desse modo, ele suga apenas o óleo.

Agora que seu esfregão está carregado de óleo e só tem capacidade para uma determinada quantidade a cada vez, como é que você se livra desse óleo antes de usá-lo novamente?

Você pode segurar o esfregão embaixo de água quente e deixar o óleo descer pelo ralo, mas ele pode acabar encontrando um lugar frio e solidificar-se, entupindo os canos além do alcance de qualquer bombeiro, a não ser que se ponha a casa abaixo. Se você tiver um quintal, pode sair pela porta dos fundos e sacudir astutamente o esfregão. Uma pequena chuva de gordura não prejudicará a grama e é biodegradável. As formigas irão até agradecer por isso. E aí, volte à cozinha e passe o esfregão, depois sacuda-o outra vez, até que toda a gordura tenha sumido do caldeirão.

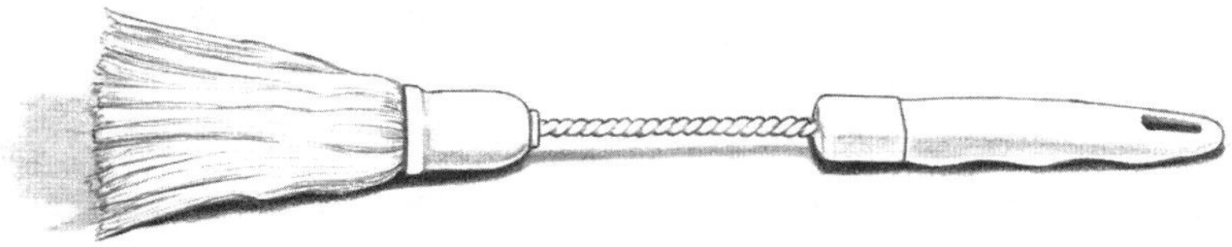

Um esfregão de gordura

COMO SE FAZ PRESUNTO

Por que existem presuntos que nunca são refrigerados, mas vendidos diretamente nas prateleiras, em bancas de beira de estrada e nos supermercados? O que evita que eles estraguem?

Eles não estragam porque são "curados", o que é um termo genérico para qualquer processo que iniba o crescimento de bactérias, mesmo à temperatura ambiente. Mas os presuntos podem ser intrigantes. Como são curados? Todos os presuntos são salgados? Defumados? Você tem de pô-los de molho? Cozinhá-los?

Não há um único conjunto de respostas para essas perguntas, porque há muitos tipos diferentes de presunto preparados de muitas maneiras diferentes. Poucos desafios à humanidade parecem ter exigido tantos recursos quanto: como comer os quartos traseiros de um porco.

Em termos de corte, você encontra presuntos inteiros, meio presunto (a extremidade da perna ou a do traseiro), presuntos com ou sem pele e presuntos enrolados e amarrados, sem mencionar os com osso, sem osso e o paradoxo tosco dos presuntos "semidesossados". E depois há os presuntos batizados, não pelos procedimentos cirúrgicos a que foram submetidos, mas pelo estilo e locais de produção. Cada região e cada cultura, fora Israel e o Islã, parece ter seu próprio jeito de lidar com o traseiro de um porco. Alguns dos presuntos regionais mais conhecidos vêm da Inglaterra, da França, da Alemanha, da Polônia, da Itália e da Espanha. E nos Estados Unidos há os aclamados presuntos de Kentucky, Vermont, Geórgia, Carolina do Norte e Virgínia.

Agora, por favor, não me escrevam para dizer que deixei de fora "os melhores presuntos do mundo". Não discuto política, religião e presuntos.

O que classifica muitos desses produtos sob o título comum de "presunto" é o fato de todos serem quartos traseiros de porco tratados – com exceção do presunto "fresco", que não é tratado – por um ou mais dos seguintes processos: salga, defumação, secagem, condimentação e maturação. Há quase tantos presuntos diferentes quanto há combinações e permutações desses cinco procedimentos, a não ser pela salga, que é a única etapa comum a todos e é muitas vezes chamada por si só de "cura".

A salga, a defumação e a secagem contribuem, todas, para matar as bactérias que estragam alimentos. Eis como funcionam.

Salga e cura

Há séculos as carnes têm sido conservadas com sal. O sal conserva o alimento porque mata ou desativa bactérias por osmose.

Uma bactéria é essencialmente uma porção de protoplasma dentro de uma membrana celular, como uma fronha cheia de gelatina. O protoplasma contém água com coisas dissolvidas – proteínas, carboidratos, sais e um monte de outras substâncias químicas que são de interesse vital para a bactéria, mas que não nos importam no momento.

Agora, vamos mergulhar uma infeliz bactéria numa água muito salgada, de modo a ter um ambiente mais forte, mais salgado, fora da membrana celular do que dentro. Sempre que há um desequilíbrio como esses em lados opostos de uma barreira permeável à água (a membrana celular), a Mãe Natureza, que detesta desequilíbrios, tenta restabelecer o equilíbrio. Neste caso, faz isso forçando a água para fora do lado menos concentrado (as tripas da bactéria) para o mais concentrado (a água salgada de fora). O efeito é para diminuir o desequilíbrio, tornando mais fraca a solução mais forte e mais forte a mais fraca. As desventuradas consequências para a bactéria é que ela perde água, enruga e morre. Ou pelo menos não constitui mais uma ameaça, porque foi desencorajada a se reproduzir.

Esse movimento espontâneo da água através de uma membrana, estimulado por um desequilíbrio de concentrações entre as soluções de cada lado, é chamado osmose. Ela desempenha um papel também na salmoura de carnes, para melhorar o gosto, e nas propriedades do cozimento (ver página 128).

Aliás, uma solução forte de açúcar em água pode ter o mesmo efeito que a água bem salgada. É por isso que usamos um montão de açúcar para conservar frutas e frutinhas para fazer conservas. Em princípio, você poderia muito bem fazer sua geleia de morangos com sal, em vez de açúcar. Só não me convide para o café da manhã.

Hoje em dia, os presuntos e outros produtos de porco podem ser curados com sal misturado com substâncias adicionais, incluindo o açúcar ("presunto curado com açúcar"), condimentos e nitrito de sódio. Os nitritos fazem três coisas: inibem o crescimento da bactéria *Cloristridium botulinum* (a famosa fonte do veneno botulina), contribuem no sabor e reagem com a mioglobina (a cor vermelha na carne fresca) para formar um composto químico chamado de mioglobina de óxido nítrico, que faz a carne assumir uma cor rosa-brilhante durante o aquecimento lento usado no processo de cura.

No estômago, os nitritos são convertidos em nitrosaminas, que são compostos químicos causadores de câncer. A FDA estabelece, portanto, um limite nas quantidades de nitritos residuais que possam estar presentes em produtos de carne curados.

Defumação

A cura de um presunto não o cozinha, de modo que teremos de tratar disso mais tarde. A defumação sobre fogo de lenha também mata micróbios, em parte porque seca a carne, em parte porque é um tipo de cozimento a baixa temperatura, e em parte porque a fumaça contém compostos químicos bem malvados. (É melhor você não saber.) Mas também pode dar à carne uma gama maravilhosa de sabores, dependendo do tipo de lenha, da temperatura, da duração e daí por diante.

Em geral, os presuntos que foram defumados, e a maior parte deles é, não precisam ser mais cozidos antes de serem comidos. Os presuntos de supermercados podem ser parcialmente ou inteiramente cozidos. Pergunte ao açougueiro ou examine a etiqueta, que dirá qualquer coisa do tipo "cozido" ou "pronto para o consumo" ou "cozinhe antes de servir".

Para responder à sua pergunta, aí vai: os presuntos da Virgínia, inclusive o renomado Smithfields, foram completamente curados, tanto por salga quando por defumação, de modo que não têm necessidade de serem refrigerados ou cozidos. Mas isso não impede que muitas pessoas ponham-nos de molho, cozinhem, assem, recubram com geleia e em geral façam uma porção de coisas desnecessárias com eles.

Secagem

Pôr o presunto dependurado por longos períodos em ar seco também pode funcionar para matar bactérias. O *prosciutto* italiano e o *serrano* espanhol são curados com sal seco e depois deixados a secar pendurados, normalmente em porões ou sótãos nos quais haja vento. Não tendo sido defumados a quente, tecnicamente eles ainda são crus e são comidos desse jeito, cortados em fatias finas feito papel. Não há nada demais em comer-se carne crua livre de bactérias.

Condimentação e maturação

É aqui que a verdadeira individualidade aparece. Os presuntos podem ser recobertos com sal, pimenta-do-reino, açúcar e diversos preparados secretos de condimentos, e depois deixados anos a maturar. Se estiverem curados e secos, não vão estragar com bactérias, mas, com a maturação, podem criar uma camada de mofo que pode ser raspada antes de ser consumido. Os assim chamados presuntos camponeses muitas vezes estão nessa categoria. O mofo parece horrível, mas a carne por dentro pode ser maravilhosa. Mais uma vez, não há perigo em comer esse presunto.

Na extremidade mais baixa do espectro dos presuntos estão aquelas fatias quadradas ou redondas, cor-de-rosa, vestidas de plástico, nas vitrines de *delicatessens*, nos supermercados e lojas de conveniência. Podem ser chamadas de presunto porque contêm porco curado, mas qualquer relação com presunto verdadeiro acaba aí. (Você já viu uma perna de porco perfeitamente quadrada?) Esses "presuntos" são feitos enformando-se sob pressão sobras de carnes em blocos geométricos que se ajustem entre fatias de pão branco, grudento, das lojas de conveniência, onde eles, com muita justiça, merecem estar. Mesmo que sejam defumados, estragam com facilidade, por causa da grande quantidade de água que contêm, e por isso devem ser guardados na geladeira.

Deixe-os por lá.

Gravlax

Presuntos e outras carnes são geralmente curados por salga, enquanto frutas são geralmente conservadas em açúcar. O motivo para essa diferença, é óbvio, tem a ver com o sabor. Mas o sal e o açúcar são igualmente eficazes em matar bactérias; eles retiram a água pelo mesmo processo: por osmose.

Uma carne curada clássica – na verdade, peixe – é o *gravlax*, ou *gravad lax*, um salmão curado escandinavo. Quer você grafe a palavra como *lax* (sueco), *laks* (dinamarquês e norueguês), *lachs* (alemão) ou *lox* (iídiche), ela significa salmão, e *gravlax* que dizer salmão enterrado. Os escandinavos medievais tinham o hábito de enterrar salmão e arenque em buracos no solo, para fermentar.

Hoje em dia, o salmão é curado recobrindo-o com açúcar e uma pitada de sal. Os franceses algumas vezes fazem isso com sal e uma pitada de açúcar. Essa receita usa meio a meio das duas coisas, porque essa é a maneira que gostamos, mas você pode variar a proporção de sal e açúcar a seu gosto. É só preparar ½ xícara de mistura total.

O *gravlax* é muito fácil de fazer, mas exige algum planejamento, porque demora dois ou três dias. Depois disso, você terá um dos tira-gostos mais bonitos e mais gostosos. Sirva-o cortado bem fino, com molho de mostarda doce (receita adiante) e pão de centeio com manteiga.

→

- 1,4kg a 1,6kg de um corte central do salmão, com a pele intacta, em um só pedaço, tão retangular quanto possível (sem aparar a largura)
- 1 ramo grande de endro (cerca de 125g)
- ¼ de xícara de sal *kosher* grosso
- ¼ de xícara de açúcar
- 2 colheres de sopa de grãos de pimenta-do-reino inteiros, branca ou preta, grosseiramente esmagados num almofariz ou com um socador de carne.

1. Esfregue um dedo por cima do lado da pele do peixe, de uma extremidade a outra, para sentir se há espinhas. Com a ajuda de alicates de bico fino ou de pinças, arranque as espinhas e jogue-as fora. Lave o endro e sacuda-o para secar. Misture o sal, o açúcar e os grãos de pimenta-do-reino esmagados num prato pequeno. Corte o salmão ao meio, no sentido da largura, e ponha os dois pedaços, com a pele para baixo, lado a lado, numa superfície de trabalho. Salpique a mistura de sal, açúcar, pimenta-do-reino uniformemente por cima dos filés e esfregue com cuidado em todo o peixe exposto.

2. Ponha galhinhos de endro sobre um dos pedaços de peixe e coloque o outro pedaço por cima dele, com a pele para cima como um sanduíche.

3. Envolva-o em duas camadas de filme plástico, ponha-o numa assadeira rasa e coloque um peso de uns 2,5kg a 5 kg por cima dele. Use produtos enlatados ou livros embrulhados em plástico. (Usamos um tijolo de chumbo envolvido em plástico, mas a maior parte dos domicílios não é tão privilegiada.)

4. Ponha na geladeira por 3 dias, virando o salmão a cada 12 horas, mais ou menos. Desembrulhe e limpe o peixe, raspando-o com uma faca ou uma espátula, jogando fora o endro salgado-doce. Para servir, corte em fatias muito finas, na diagonal, destacando cada fatia da pele.

- Rende 10 a 12 fatias

Molho de Mostarda Doce

Combine ¼ de xícara de mostarda escura picante, 1 colher de chá de mostarda em pó, 3 colheres de sopa de açúcar, 2 colheres de sopa de vinagre de vinho tinto. Incorpore, batendo, ⅓ de xícara de óleo vegetal num fio constante, até atingir a consistência de uma maionese rala. Misture 3 colheres de sopa de endro bem picado e ponha na geladeira durante 2 horas, para amadurecer.

COMO FUNCIONA A SALMOURA

A salmoura parece ser a febre do momento, como se os chefs do mundo e os autores de culinária tivessem subitamente descoberto a água salgada. Qual é, exatamente, sua função?

A salmoura – mergulhar carne, peixe ou aves em uma solução de sal em água – está longe de ser novidade. É claro que, em alguma hora na história marítima, alguém descobriu – por acaso, talvez? – que a carne posta de molho em água do mar era mais suculenta e tinha gosto melhor depois de cozida.

Como funciona a salmoura? O que um banho em água salgada produz, além de fazer com que a comida fique... bem, molhada e salgada? Será que as alegações de aumento de suculência e maciez são justificadas?

Em primeiro lugar, vamos definir a terminologia. A palavra *salmoura* é erroneamente usada para quase tudo, desde esfregar sal num assado a pô-lo de molho em um preparado de sal, açúcar, pimenta-do-reino, vinagre, vinho, sidra, óleo, temperos e, ah, sim, água. Mas esfregar sal seco na carne não é salmoura; é a salga seca, que serve para coisas inteiramente diferentes. Algumas pessoas chamam de salmoura o processo de pôr de molho a carne em uma mistura líquida de diversos ingredientes, embora isso seja na verdade pô-la em marinada, o que é outra coisa. Por outro lado, a indústria de carnes refere-se à injeção de água salgada em porco como marinada, embora seja realmente uma forma de salmoura.

Para manter esta seção um pouco mais curta do que o tempo que levaria para pôr Moby Dick em salmoura, vou limitar minha discussão aos efeitos de se colocar carne de molho em pura água salgada, embora a maior parte dos líquidos de salmoura também contenha açúcar.

Uma típica célula (muscular) de carne é uma fibra longa, cilíndrica, de proteína e líquido, contendo substâncias dissolvidas, tudo isso encerrado dentro de uma membrana que permite que moléculas de água a atravessem. Quando uma célula dessas é banhada em salmoura, que tem muito mais moléculas de água livre por centímetro cúbico, a Natureza tenta igualar as coisas, forçando as moléculas da água para dentro da membrana, ou seja, a partir de onde elas estão em maior abundância – na salmoura – em direção ao lugar onde elas estão em menor quantidade – dentro da célula. Esse processo, no qual a água passa de uma solução rica em água para uma solução relativamente pobre em água, é chamado de osmose, e a pressão que força a água a passar através da membrana é chamada de pressão osmótica. Nesse caso, o resultado é uma transferência de água da salmoura para as células, tornando o pedaço de carne mais suculento.

Mas e o sal? Há muito pouco sal dissolvido (papo técnico: muito poucos íons de sódio e de cloro) dentro da célula, mas há toneladas de sal na salmoura, em geral de uma a seis xícaras por galão. Mais uma vez, a Natureza tenta igualar as coisas, dessa vez pelo processo de difusão: alguns dos íons de sal, em abundância fora da célula, são difundidos ou migram através da membrana para dentro da célula. Aí, por um mecanismo que ainda não é completamente conhecido, aumenta a capacidade da proteína de reter água. O resultado é um pedaço de carne temperado, mais suculento. Como um bônus a mais, a carne ficará mais macia, porque as estruturas que estão retendo mais água tendem a inchar e a ficar mais macias.

Portanto, a salmoura é muito mais eficaz para carnes relativamente sem gosto, as magras, que tendem a secar ao serem cozidas, como as carnes brancas de peru e os lombos de porco sem gordura. Mas isso, meus amigos, é onde acaba a ciência e começa a arte, porque existem dezenas de maneiras diferentes de se pôr em salmoura e cozinhar diversos tipos de carne. Não pode existir uma solução geral quanto à duração e a quão concentrada deverá ser a solução de sal para pôr em salmoura determinado tipo de carne, que deverá depois ser cozida de determinada maneira, a determinada temperatura, durante um determinado período de tempo. Aí é que sua confiança em quem elaborou a receita deverá ser o fator de decisão, pela regra da tentativa e erro. Se você encontrar uma receita de salmoura que lhe dê uma carne macia, suculenta e não muito salgada, trate-a com carinho e não faça perguntas.

Já que estamos nessa de sal, vamos falar da capacidade que o sal tem de "retirar a umidade" dos alimentos, um método histórico de se secar e conservar carne e peixe, cobrindo-os com salgema. Mas isso não é o contrário do que acabei de dizer a respeito da água salgada *aumentar* a umidade em carnes de salmoura? De jeito algum. (Vejam como saio dessa.)

A água salgada e o sal seco não têm o mesmo efeito sobre os alimentos. A osmose funciona porque há uma *diferença* na quantidade de água disponível entre os dois lados das membranas da célula. Na salmoura, há maior número de moléculas de água do lado de fora da célula do que do lado de dentro, e então a pressão osmótica força a água para dentro. Mas quando você cobre um pedaço de alimento de alto teor de água (e isso aplica-se praticamente a qualquer alimento) com sal sólido, uma parte do sal se dissolve em umidade superficial, produzindo uma película de solução salina extremamente concentrada, com uma proporção de água extremamente baixa – mais baixa do que dentro das células. Desse modo, há uma quantidade maior de moléculas de água dentro das células do que do lado de fora, e a umidade é retirada.

Galinhas-d'angola na salmoura, do Bob

As galinhas-d'angola são saborosas e suculentas, especialmente quando postas em salmoura antes de serem assadas. Nesta receita, damos um ar asiático a elas, regando-as com um molho de soja e alho, que produz peles de uma linda cor marrom-mogno.

Quanta salmoura usar? Ponha as galinhas na tigela, pote ou saco plástico em que você pretende deixá-las em salmoura e junte água o suficiente para cobri-las inteiramente. Depois retire as aves e meça a quantidade de água.

Qual deverá ser a concentração da salmoura? Como regra geral, use 1 xícara de sal *kosher* para cada 4 litros de água. Podem-se acrescentar açúcar e outros ingredientes para equilibrar os sabores.

- 2 galinhas-d'angola
- 4 litros de água
- 1 xícara de sal *kosher*
- 1 xícara de açúcar mascavo, medido sem empurrá-lo na xícara
- $\frac{1}{3}$ de xícara de um bom molho de soja
- 2 colheres de sopa de óleo de amendoim
- 4 dentes de alho
- 3 fatias de gengibre do tamanho de uma moeda

1. Limpe bem as cavidades das galinhas e enxágue bastante. Despeje água numa tigela grande ou num caldeirão. Junte o sal e o açúcar e mexa até dissolver. Ponha as aves no líquido, com o peito para baixo. Ponha um prato por cima, como peso, para manter as aves completamente submersas. Deixe descansar num local fresco, ou na geladeira, durante 1 hora. Retire as aves da salmoura, lave e seque com toalhas de papel. Se não for usá-las imediatamente, guarde-as na geladeira.

2. Preaqueça o forno a 200°C. Amarre as pernas das galinhas com um fio, sem apertar, só para que elas não se espalhem.

3. Despeje o molho de soja em uma xícara de medida de vidro e junte o óleo. Passe o alho por um espremedor e junte-o à soja e ao óleo. Pique o gengibre, ponha no espremedor de alho e esprema o suco, ou os pedaços que

passem pelo espremedor, sobre a mistura de soja. Com um batedor, misture para combinar tudo o máximo possível (o óleo não vai misturar completamente, é claro), pincele as aves inteiras com essa mistura. Ponha as aves, com o peito para baixo, em uma grade por cima de uma assadeira.

4. Asse as aves por 30 minutos, regando com a mistura de soja depois de 10 e de 20 minutos. Misture ou bata o molho a cada vez, para suspender o alho e os fragmentos de gengibre, de modo que o pincel pegue um pouco dos fragmentos e deposite-os na pele das galinhas. Vire as aves de peito para cima para continuar a assar outros 30 a 40 minutos, regando a cada 10 minutos. Certifique-se de que está passando parte dos sólidos para a pele, especialmente na regada final.

As aves ficarão macias, suculentas e com uma cor idêntica ao mogno.

▸ Rende 2 porções generosas

. . . .

O segredo do hambúrguer selado com sal

O hambúrguer cozido numa grelha a gás ou a carvão perde muito dos sucos porque ele pinga no fogo. Mas quando se está cozinhando numa frigideira, os sucos da evaporação deixam para trás os saborosos "resíduos dourados", ou *fond*, na frigideira. Seria maravilhoso se a frigideira pudesse ser regada com vinho ou outro líquido, para fazer um molho. Mas ao preparar um hambúrguer simples, sem molho, numa frigideira, aqueles resíduos dourados todos se perdem.

A solução: cozinhar o hambúrguer numa fina camada de sal na frigideira. O sal retira os sucos e rapidamente coagula-os, formando uma crosta na carne que evita que ela grude na frigideira deixando para trás as coisas boas douradas. O hambúrguer fica crocante na parte de fora e deliciosamente salgado.

▸ 340g a 450g de acém moído
▸ ½ a ¾ de colher de chá de sal *kosher*

1. Molde, com as mãos, a carne em dois formatos ovais achatados. Não comprima a carne mais do que o necessário, para que ela não se desfaça.

→

2. Salpique sal uniformemente na superfície de uma frigideira de ferro fundido com 20cm de diâmetro. O sal não deverá exatamente cobrir o fundo numa única camada. Aqueça a frigideira salgada durante 5 minutos em fogo médio-alto.

3. Ponha os hambúrgueres diretamente sobre o sal e cozinhe-os sem virar durante 3 minutos, de um lado, depois vire-os e cozinhe-os 3 minutos do outro lado, para que fiquem malpassados, ou deixe que cozinhem mais até chegar no ponto que você gosta.

▸ Rende 2 hambúrgueres

DE UM DIA PARA O OUTRO

As receitas estão sempre mandando deixar marinando de um dia para o outro, deixar de molho de um dia para o outro, descansar de um dia para o outro etc. "De um dia para o outro" quer dizer quanto tempo?

Estou com você. Por que de um dia para o outro? Deveríamos crer que a luz do dia interfere de algum modo com o processo de marinar? E se são apenas duas horas da tarde quando chegamos ao ponto crítico na receita? A que horas o "de um dia para outro" pode começar? Se deixamos de um dia para o outro, temos que prosseguir com a receita no momento em que o galo cantar? E se tivermos de ir trabalhar de manhã? Como você impede que alguma coisa fique descansando, por favor?

Em geral, "de um dia para o outro" tem a intenção de significar de oito a dez horas, mas, na maior parte dos casos, até doze horas provavelmente não causa prejuízos. Mas uma receita escrita com cuidado deveria deixar-nos estabelecer nossos próprios horários. É só dizer quantas horas o prato precisa descansar.

ESPUMA NA CANJA

Sempre que faço canja, logo depois que a água começa a ferver, aparece uma espuma branca em torno da galinha. Consigo retirar a maior parte com uma escumadeira, mas o resto desaparece logo. O que é isso, e estou certo em retirá-la?

É proteína coagulada, mantida coesa por gordura. Embora ela não vá causar problemas, não tem um gosto bom, e é melhor retirá-la por motivos puramente estéticos.

Ao ser aquecida, a proteína coagula. Quer dizer, suas longas moléculas convolutas se desdobram e depois se aglomeram de outros modos. O que aconteceu foi que uma parte das proteínas da sua galinha dissolveu-se em água, onde, à medida que a temperatura aumentou, começou a coagular. Ao mesmo tempo, uma parte da gordura da ave derreteu, transformando-se em óleo, que, como costumam fazer os óleos, começou a dirigir-se para a superfície da água, por ser menos denso que ela. Em qualquer lugar em que se tenham encontrado, o óleo recobriu a proteína coagulada e funcionou como um salva-vidas, mantendo-a flutuando como uma espuma de óleo. É tudo comestível, mas não tem aspecto bonito.

À medida que a temperatura vai chegando à de fervura, o óleo se afina e desaparece, deixando a proteína continuar a se aglomerar. Acaba formando aquelas partículas marrons que você vê na sopa terminada – quer dizer, se você não tiver retirado a espuma nos estágios iniciais. A espuma não desapareceu; ela apenas ficou mais compacta naquelas partículas marrons, muitas das quais irão grudar-se nos lados da panela, à altura da água, formando um tipo (desculpe a comparação) de anel de banheira.

Desse modo, escume logo e capriche nisso, e você será premiado com uma bela sopa transparente.

ESCUMADEIRA

A amplamente recomendada colher perfurada para escumar sopas e ensopados não é, na realidade, o melhor instrumento, porque os orifícios são grandes demais e vão perder um bocado das partículas. O melhor instrumento para retirar a espuma é chamado (surpresa!) escumadeira. Tem uma extremidade chata, redonda, recoberta com uma grade parecida com uma tela. Pode ser encontrada em lojas de artigos culinários.

RESÍDUOS DO FRANGO

Depois de assar um frango, ficam todos esses resíduos gordurosos na assadeira. Posso usá-los para alguma coisa?

Não, se você tem de perguntar, você não os merece. Despeje o excesso de gordura, raspe os sólidos num pote e envie-me pelo sedex.

Agora vamos falar sério. Esses resíduos são compostos de sucos e géis maravilhosamente saborosos. Seria um crime alimentar sua máquina de lavar pratos com eles. Muitas vezes pensei que, se eu fosse um rei ou imperador, eu mandaria que meus cozinheiros assassem centenas de frangos, jogassem-nos para os camponeses e me servissem os resíduos combinados numa travessa de prata, junto com muitos pães franceses de crosta crocante.

Ou então eu teria logo um barril do melhor molho já feito, porque todos aqueles maravilhosos sucos da galinha, gorduras, géis de proteínas e partículas douradas são as bases de sabor dos grandes molhos.

MOLHO EMBOLOTADO OU GORDUROSO

Por que meu molho acaba ficando embolotado ou gorduroso?

Não tem de ficar nem embolotado nem gorduroso. Mas, todos nós conhecemos gente que consegue fazê-lo ao mesmo tempo embolotado e gorduroso, não é?

Os grumos e a gordura vêm do mesmo fenômeno básico: óleo e água não se misturam. No seu molho, você quer um pouco de cada deles, mas tem de induzi-los a se combinarem.

Em primeiro lugar, vamos definir a terminologia. Óleo, gordura e graxa são a mesma coisa. É chamada de gordura, quando está sólida, e de óleo, quando está líquida. Qualquer gordura sólida pode ser transformada em líquido e qualquer óleo líquido pode ser solidificado ao esfriar.

Em suas formas naturais, as gorduras sólidas em geral são encontradas nos animais, e os óleos líquidos são encontrados nas sementes de plantas. Mas, de todo modo, os nutricionistas chamam todos eles de gordura, porque desempenham o mesmo papel na nutrição.

O que às vezes chamam de *graxa* é uma consistência intermediária entre a gordura sólida e o óleo líquido. A palavra tem uma conotação pejorativa e nunca é ouvida à mesa do jantar, a não ser nas circunstâncias mais desesperadoras. A seguir, usarei as palavras *gordura, óleo* e *graxa* no que for necessário para explicar o que quero dizer. Ou, para ser franco, usarei o que me der vontade de usar.

Um pouco mais sobre nomenclatura: originalmente, *molho* era o suco que pingava da carne enquanto ela estava cozinhando. Quando um assado é servido com aquele líquido relativamente não modificado, diz-se que ele é servido *au jus*, quer dizer "com suco", em francês. Infelizmente, a maior parte dos *jus* de restaurantes é apenas uma "base" comercial em pó, feita de sal, aromatizantes e corante de caramelo, dissolvidos em água quente.

Quando você acrescenta outros ingredientes às gorduras na frigideiras e cozinha-os juntos, está fazendo um molho, que também é um tempero feito numa panela separada, em geral incorporando uma parte dos mesmos resíduos, mas aumentado por qualquer quantidade de temperos, aromatizantes e outros ingredientes.

Vamos falar do tipo mais comum de molho: molho da frigideira, feito dos resíduos de carne ou ave assada.

Ninguém gosta de molho aguado, portanto é necessário usar algum agente para engrossá-lo. É aí que entra a farinha. A farinha contém tanto amido quanto proteína. O espessamento de um molho com maisena ou araruta, que são amidos desprovidos de proteínas, é outro assunto, de modo que não tente substituir a farinha por eles nas recomendações que vêm a seguir.

Depois que o peru está assado, retire-o da assadeira e examine aquela gororoba horrorosa que ficou. Você vai notar que há dois tipos de líquido: um líquido com base oleosa, que consiste da gordura do peru derretida, e um líquido de base aquosa, que são os sucos da carne e dos legumes, mais caldo ou água que você possa ter acrescentado. O problema é incorporar esses dois líquidos incompatíveis no seu molho, porque cada um deles contém um conjunto exclusivo de sabores. Ou seja, determinados sabores são solúveis em gordura e outros são solúveis em água. Seu objetivo é conseguir que os sabores com base de gordura e os sabores com base aquosa se misturem num molho liso, homogêneo.

Isso vai depender inteiramente de como você manipula a farinha, porque a farinha não é apenas um agente de espessamento; ela executa também a tarefa de combinar o óleo com a água.

A farinha é um pó fino, contendo determinadas proteínas (glutenina e gliadina) que, combinadas, formam uma substância viscosa, o glúten, ao absorver água. Agora, se você apenas jogar um pouco de farinha na assadeira e mexer, as proteínas e a água vão se unir e formar uma bolota pegajosa. E como a bolota tem a água como base, o óleo não conseguirá penetrar nela. Você vai acabar com grumos de bolotas nadando numa piscina de graxa. Isso pode ser o trivial padrão em alguns domicílios, mas a maior parte dos entendidos concorda que o molho não deve ser a parte mais mastigável do jantar.

O que você deverá fazer, em vez disso? É simples como um-dois-três (mais dois):

1. Separe os líquidos aquoso e oleoso um do outro em um daqueles separadores de molho espertos, que despejam o líquido que fica no fundo. (A gordura é a camada de cima, se você for perguntar.)

2. Misture a farinha em um pouco da gordura. Essa mistura de farinha e gordura é chamada de *roux*.

3. Cozinhe o *roux* um pouco, para dourá-lo e para livrar-se do gosto de farinha crua.

4. Só então misture lentamente, mexendo, os fluidos aquosos. A farinha, o óleo e a água irão magicamente combinar-se num molho liso, como se nunca tivessem sido inimigos naturais.

5. Finalmente, cozinhe o molho em fogo baixo para degradar os grãos de farinha e liberar os amidos espessantes.

É assim que funciona.

Misturando primeiro a farinha com a gordura, você garante que cada grão microscópico de farinha fique revestido de óleo, de modo que os sucos aquosos não conseguem passar para colar a proteína da farinha. Depois, quando você mistura os sucos no *roux*, os grãos de farinha ficam dispersos, levando junto seu revestimento de gordura. E é exatamente isso que você quer: gordura e farinha uniformemente dispersas pelo líquido, para formar uma mistura lisa, homogênea. Em resumo, você persuadiu o óleo e a água a se confraternizarem, usando a farinha como um transportador do óleo pela água. Depois, quando você cozinha o molho, para deixar a farinha fazer o espessamento, ela o faz completa e uniformemente. Nada de pontos espessos ou pontos ralos. Nada de grumos.

Se você fizer um *roux* com gordura demais, no entanto, ela não será toda assimilada pela farinha, e o excesso de gordura vai simplesmente ficar por lá, em pequenas piscinas gordurosas, estragando a sua reputação. Por outro lado, se você usar farinha demais, ela não ficará toda recoberta pela gordura disponível, e a farinha a mais vai virar um grude embolotado assim que você acrescentar o líquido aquoso. Desse modo, é essencial manter as quantidades de farinha e de gordura mais ou menos iguais.

Quanta farinha, gordura e líquido aquoso? Para uma parte de farinha e uma parte de gordura, use oito ou mais partes de sucos líquidos e/ou caldo, dependendo da consistência que você quer obter. Seu molho será lendário.

COMO LIMPAR AVES

Você está preocupado em limpar a galinha e outras aves antes de cozinhá-las? Você tem problemas em retirar todas aquelas vísceras de dentro da cavidade? Eu uso uma escova de cabelo de fios de plástico duros como "escova de vísceras". Girá-la dentro da cavidade retira todos os fragmentos de fígado, pulmões e deus-sabe-mais-o-quê de entre as costelas. Depois lavo a escova sob água quente e a coloco na lavadora de pratos.

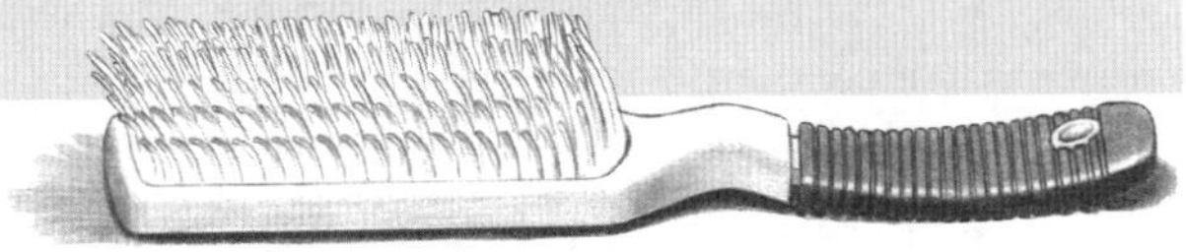

Uma "escova de vísceras" para limpar as cavidades na galinha crua.

O MOLHO PERFEITO PARA FRANGO OU PERU

Há três coisas importantes a se lembrar ao fazer um molho:

1. Combinar e cozinhar gordura e farinha de trigo em partes iguais.
2. Acrescentar, enquanto bate, a quantidade certa de caldo para a consistência que você quer obter.
3. Cozinhar o molho em fogo brando por um total de 7 minutos.

A proporção padrão para molho é 1 parte de gordura, 1 parte de farinha, 8 a 12 partes de líquido. Por exemplo: ½ xícara de gordura de assado, ½ xícara de farinha, 4 ou 6 xícaras de caldo. Outro: 4 colheres de sopa de gordura, 4 colheres de sopa de farinha, 2 ou 3 xícaras de caldo. Use as mesmas proporções para fazer molho de carne.

Como fazê-lo: o peru ou o frango foram retirados do forno e postos a descansar. Agora olhe para a assadeira. Deverá ser uma gloriosa gororoba de gordura, caldo suculento e legumes dourados. A essência do molho vem desses resíduos, junto com o caldo que você faz com os miúdos.

Sim, você pode fazer o molho diretamente na assadeira, mas tem uma desvantagem. É difícil medir a quantidade de gordura e só esse fato pode atrapalhar proporções. É difícil usar ao mesmo tempo dois queimadores com aquela assadeira gigantesca, e dá um baita trabalho limpar tudo depois do jantar.

É melhor fazer o molho da seguinte maneira: despeje o conteúdo da assadeira numa xícara de medida grande, tanto a gordura quanto os sucos, mas deixando para trás os legumes assados. A gordura e os resíduos irão se separar na parte de cima e ficarão mais fáceis de serem medidos.

Molho básico de peru ou frango

- Peru ou frango
- ½ xícara de cada um dos ingredientes seguintes: cebola picada, aipo e cenouras
- ¼ de xícara de gordura da assadeira
- ¼ de xícara de farinha de trigo
- sucos da assadeira
- cerca de 2 xícaras de caldo de peru ou de galinha
- sal e pimenta-do-reino moída na hora

1. Prepare o peru ou o frango para assar. Antes de pô-lo no forno, acrescente a cebola picada, o aipo e as cenouras na assadeira.

2. Asse a ave de acordo com a receita.

3. Faça o caldo com os miúdos enquanto a ave assa.

4. Quando a ave estiver assada, retire-a para uma travessa e deixe-a descansar, enquanto faz o molho.

5. Despeje todos os sucos numa xícara de medida de vidro.

6. Meça ¼ de xícara de gordura e ponha de volta na assadeira.

7. Meça e reserve os resíduos líquidos marrons. (Jogue o resto da gordura fora ou guarde para fazer mais molho para as sobras.)

8. Raspe o fundo da assadeira para soltar os legumes e partículas assadas.

9. Acrescente a farinha à assadeira.

10. Combine a gordura com a farinha, usando uma colher de pau, para fazer uma mistura espessa, lisa.

11. Deixe o conteúdo da panela borbulhar e cozinhar durante 2 minutos em fogo baixo. Isso elimina o gosto de farinha crua.

12. Misture vagarosamente, batendo, os resíduos marrons reservados e bastante caldo para levar o molho à consistência que você preferir, um total de cerca de 2 xícaras.

13. Cozinhe em fogo baixo apenas por mais uns 5 minutos, até o molho ficar espesso e liso. Tempere com sal e pimenta-do-reino.

14. Coe numa molheira.

▸ Rende cerca de 2 xícaras

No mar

A VERDADEIRA CARNE BRANCA

Por que peixe cozinha tão mais depressa que as outras carnes?

As carnes, como os vinhos, podem ser vermelhas ou brancas. A carne de boi é vermelha; as de peixe e de crustáceos em geral são brancas. O salmão é cor-de-rosa – *rosé,* se você preferir –, porque ele come crustáceos de conchas cor-de-rosa. Os flamingos, se você quiser saber, são rosados pela mesma razão.

Na cozinha, aprendemos logo que a carne branca de peixes cozinha muito mais rapidamente do que a carne vermelha. É mais do que só a cor, é claro; a estrutura da carne do peixe é em si mesma diferente da carne da maioria das criaturas que correm, rastejam ou voam.

Em primeiro lugar, trafegar dentro d'água não é qualificado exatamente como um exercício de desenvolvimento muscular, pelo menos quando comparado ao galope pelas planícies ou aos arremessos aéreos. Portanto, os músculos dos peixes não ficam tão schwarzeneguianos quanto os de outros animais. Os peixes mais ativos, como o atum, têm músculos mais vermelhos, contendo mais mioglobina (ver página 113) e, portanto, carne mais escura.

Ainda mais importante é o fato de que os peixes têm o tecido muscular fundamentalmente diferente dos da maior parte dos animais terrestres. Para fugir de seus inimigos, o peixe precisa de explosões rápidas, altamente energéticas de velocidade, em oposição à resistência para longas distâncias que os outros animais precisam para correr – ou de que precisavam, antes de serem domesticados para a indolência.

Os músculos são geralmente feitos de feixes de fibras, e os músculos dos peixes consistem predominantemente das assim chamadas fibras de contração rápida. Estas são mais curtas e mais finas do que as grandes e vagarosas fibras musculares da maior parte dos animais terrestres, sendo, portanto, mais fáceis de serem dilaceradas, como no caso da mastigação, ou degradadas quimicamente, como no caso do calor do cozimento. É por isso que o peixe é macio o suficiente para ser comido cru, no *sushi*, enquanto a carne de boi tem de ser picada para fazer o *steak tartare*, para torná-la vulnerável aos nossos molares.

Outro grande motivo pelo qual a carne de peixe é mais macia do que a de outros animais é que os peixes vivem num ambiente essencialmente sem gravidade, de modo que não têm grande necessidade de tecido conjuntivo – cartilagens, tendões, ligamentos e coisas desse tipo, que outras criaturas precisam para sustentar as partes do corpo contra a gravidade e ancorá-las na árvore esquelética. Então, os peixes são feitos principalmente de músculos, precisando de muito pouca coisa cartilaginosa, resistente ao dente, e pouco mais do que uma simples espinha é suficiente no departamento de ossos. A falta relativa de tecido conectivo nos peixes significa uma relativa falta de colágeno, a proteína que se transforma em uma bela gelatina suculenta quando aquecida. Esta é uma das razões pelas quais o peixe fica mais seco com o cozimento do que outros tipos de carne. Outra razão é que, tendo sangue frio, o peixe não precisa de muita gordura para isolamento térmico, e a gordura contribui para a suculência.

Por todos esses motivos, o problema maior com o peixe é evitar que cozinhe demais. Deve ser cozido apenas até que a proteína perca sua característica translúcida e se torne opaca, mais ou menos o mesmo que acontece com a proteína de uma clara de ovo. Se cozido durante tempo demais, o peixe vai ficar duro e seco, porque as fibras musculares contraem-se, encolhendo e endurecendo a carne; ao mesmo tempo, perde-se água demais quando o tecido seca. A regra geral é oito a dez minutos de cozimento para cada 2,5cm de espessura.

Peixe embrulhado

Peixe cozinha tão facilmente que pode até ser cozido em vapor, um método que evita também que ele seque. Um método clássico é *en papillote*, ou envolvendo o peixe em papel-manteiga e aquecendo o pacote no forno. Hoje em dia podemos usar papel de alumínio.

Quase qualquer filé de peixe funciona: robalo, salmão, garoupa, vermelho ou perca. O peixe cozinha sempre perfeitamente (sem precisar ser vigiado). Os sucos do peixe cozido no vapor misturam-se com os sabores dos legumes e dos temperos.

- 2 pedaços de 38cm de papel laminado
- 2 colheres de chá de azeite de oliva

→

- 2 filés de peixe
- sal e pimenta-do-reino
- 2 cebolinhas, partes branca e verde, cortadas ao meio, em diagonal
- 2 galhos de salsa
- 2 fatias pequenas de cebola
- 8 tomates-cereja maduros
- 2 colheres de sopa de vinho branco seco ou suco de limão
- 2 colheres de chá de alcaparras escorridas (opcional)

1. Preaqueça o forno a 220°C. Lave os filés em água fria e seque-os com toalhas de papel. Rasgue dois pedaços de papel laminado. Salpique azeite em metade de cada pedaço do papel de alumínio.

2. Pegue um dos filés por uma extremidade e deslize-o pelo azeite para recobri-lo. Faça a mesma coisa com o outro lado. Repita o procedimento com o outro filé, cada qual em seu próprio pedaço de papel de alumínio. Tempere os pedaços com sal e pimenta-do-reino. Cubra com as cebolinhas e a salsa e ponha por cima as fatias de cebola. Acrescente os tomates-cereja, o vinho e as alcaparras, se quiser.

3. Dobre cada folha do papel laminado por cima do peixe e dos legumes. Dobre e amasse as beiradas para selá-las, formando pacotes apertados. Ponha os embrulhos num tabuleiro e asse durante 10 a 12 minutos.

4. Retire do forno. Ponha cada embrulho de papel de alumínio num prato de sopa ou de massa largo, abra cortando a beirada que não foi amassada com uma faca ou tesoura e cuidadosamente deslize o conteúdo, junto com o líquido, para o prato.

- Rende 2 porções

CHEIRO DE PEIXE, ARGH!

Peixe tem de cheirar mal?

De jeito algum. As pessoas aceitam peixe que tem cheiro de peixe porque provavelmente devem estar pensando, bem, nada mais natural, não é? Embora possa parecer estranho, o peixe não tem qualquer obrigação de ter cheiro de peixe.

Quando são perfeitamente frescos, fora d'água há apenas umas poucas horas, peixes e crustáceos não têm praticamente cheiro algum. Talvez um leve "aroma de mar", mas certamente nem um pouco forte. Só aparece aquele odor de peixe quando começa a decompor-se. E peixe começa a decompor-se muito mais rapidamente do que outros tipos de carne.

A carne de peixe – músculo de peixe – é feita de tipos de proteínas diferentes das do boi ou da galinha. Não só fica macia mais rapidamente pelo cozimento como também é decomposta mais depressa por enzimas e bactérias; em outras palavras, estraga mais rápido. Esse cheiro de peixe vem dos produtos de decomposição, especialmente amônia, compostos sulfurosos e substâncias químicas chamadas aminas, que resultam da degradação dos aminoácidos em proteínas.

Os odores dessas substâncias químicas podem ser notados muito tempo antes de a comida chegar a ser desagradável para comer, de modo que um ligeiro cheiro de peixe indica apenas que você tem bom olfato e que o peixe não é assim tão fresco quanto poderia ser, e não necessariamente que esteja ruim. As aminas e a amônia são neutralizadas por ácidos: é por isso que muitas vezes servem-se cunhas de limão com o peixe. Se você tiver vieiras com um cheiro um tanto maduro, lave-as rapidamente em suco de limão ou em vinagre, antes de cozinhá-las.

Há um outro motivo pelo qual o peixe estraga rapidamente. A maior parte dos peixes tem o hábito inamistoso de engolir outros peixes inteiros, sendo, portanto, equipados com enzimas que digerem peixe. Se alguma dessas enzimas escapar das vísceras por manuseio inadequado depois de o peixe ter sido pescado, elas irão rapidamente funcionar em sua própria carne. É por isso que peixes devem ser eviscerados o mais cedo possível depois de pescados.

As bactérias de decomposição no peixe são também mais eficientes do que as que agem nos animais terrestres, porque foram projetadas para operar em mares e correntes muito, muito frios. Para evitar que façam seu trabalho sujo, temos de esfriá-las muito mais rapidamente e muito mais do que quando queremos conservar carne de sangue quente. É por isso que o gelo é o melhor amigo do pescador. A geladeira da casa deles marca cerca de 4°C.

Uma terceira razão pela qual a carne do peixe estraga mais rapidamente do que a carne de animais terrestres é que ela contém mais gorduras insaturadas. As gorduras insaturadas ficam rançosas (oxidam) muito mais prontamente do que as gorduras saturadas no boi, por exemplo. A oxidação das gorduras as transforma em ácidos graxos malcheirosos, que contribuem ainda mais para o odor de peixe.

FALSO SIRI

Comprei uns bastonetes de caranguejo artificial outro dia, e eles realmente não são ruins. O rótulo diz que são feitos de surimi. O que é isso e como são feitos?

Surimi é carne de peixe que foi picada e montada em formatos parecidos com caranguejos ou camarões. Foi desenvolvida no Japão, para utilizar as aparas que sobram ao se retirarem os filés e para explorar algumas espécies de peixes menos desejáveis que são apanhadas nas redes. Firmou-se nos Estados Unidos como uma alternativa de baixo custo para as coisas verdadeiras.

As aparas de peixes, na maior parte das vezes de pescada-polaca e de badejo, são picadas, bem lavadas, para eliminar a gordura, os pigmentos e os sabores, enxaguadas e parcialmente secas, para reduzir o conteúdo de umidade a cerca de 82%, depois do que são congeladas até precisar-se delas. Isso é o surimi.

Para montar algum produto determinado, o surimi pode então ser esfiapado em fibras; depois disso, são acrescentados ingredientes como claras de ovos, amido e um pouco de óleo, para dar-lhe uma textura parecida com a do verdadeiro caranguejo, do camarão ou da lagosta. A mistura é então pressionada, através de orifícios, e sai de uma máquina, feito uma folha de massa, e aquecida rapidamente para estabilizar-se como um gel. As folhas são então enroladas, dobradas e/ou moldadas em bastões ou outros feitios, aromatizadas e coloridas, para imitar as coisas verdadeiras, e congeladas para serem enviadas ao mercado.

COLHERES PARA CAVIAR

Vi num catálogo diversos tipos de colher para caviar com preços exorbitantes. Por que o caviar tem de ser servido com uma colher especial: é chique?

Podem-se imaginar diversos motivos.

1. Os comerciantes presumem que quem come caviar regularmente compra qualquer coisa.

2. O caviar *merece*.

3. E o menos romântico: há uma razão química para isso.

O caviar é a ova do esturjão, um peixe enorme, da época dos dinossauros, com couraça em vez de escamas. O esturjão vive principalmente nos mares Cáspio e Negro, embora esteja aparecendo uma boa quantidade de bons caviares norte-americanos de esturjões, e outros peixes, de criação. O litoral do mar Cáspio era monopólio do Irã e da União Soviética, mas agora é compartilhado entre Irã, Rússia, Cazaquistão, Turcomenistão e uma parte do Azerbaijão.

De três espécies principais de esturjão do mar Cáspio, o beluga é o maior (chega a pesar quase 800kg) e tem as ovas maiores, indo do cinza-claro ao cinza-escuro, ao preto. O segundo maior é o osetra (que pode chegar a 230kg) e tem ovas acinzentadas, cinza-esverdeadas ou marrons. O menor é o servuga (até 115kg), com ovas pequenas, preto-esverdeadas.

Como o caviar pode conter de 8% a 25% de gordura (e uma montanha de colesterol), é perecível e tem de ser preservado com sal. Eles são chamados de *malassol*, que em russo quer dizer ligeiramente salgado.

Aí está o problema: o sal é corrosivo. É capaz de reagir com colheres de prata e de aço, produzindo traços de compostos que têm a fama de dar um gosto metálico ao caviar.

As colheres feitas de materiais inertes sempre foram, portanto, usadas para caviar. O ouro, que não é afetado pela corrosão por sal, é muitas vezes usado, embora o material já consagrado pelo tempo seja a madrepérola, a substância dura, branca e lustrosa chamada *nacre*, encontrada nas pérolas e na superfície interior das conchas dos moluscos.

Só que estamos no século XXI. Agora temos materiais extremamente baratos, que são tão inertes, não corrosíveis e tão desprovidos de sabor quanto a madrepérola. São chamados de plástico. Por sorte, há uma grande variedade de colheres de plástico disponível em restaurantes *fast food*.

Se você acha um sacrilégio servir caviar em plástico, mas não está disposto a gastar US$600 por uma colher de caviar Fabergé, folheada a ouro, tente uma solução física. Feche uma das mãos com o polegar apontando para baixo e ponha uma bolota de caviar na pele entre o polegar e o indicador. Aí você come direto da mão e lava-a com uma dose de vodca gelada, russa ou polonesa, servida em um copo estreito de tequila.

Na zdorovye! Saúde!

MEXILHÕES E OSTRAS

Os mexilhões e as ostras na concha ainda estão vivos quando os comemos?

Você está de férias na praia, certo? Os restaurantes de frutos do mar são muitos. Vários deles têm balcões de mariscos crus, aos quais se dirigem hordas de hedonistas imprudentes para chupar centenas de moluscos infelizes que foram demovidos, à força, da condição de bivalves a univalves. É mais do que natural ter escrúpulos em mastigar uma criatura tão recentemente tirada de suas conchas protetoras, e, sendo uma alma sensível, você não pode deixar de imaginar se ela ainda está viva.

Para resolver a questão de uma vez por todas, permitam-me essa afirmação definitiva: mariscos e ostras recentemente abertos estão mais ou menos vivos, pode-se dizer. Desse modo, se você for uma dessas pessoas que acreditam que as plantas sentem dor ao serem podadas, pode ser que não queira ouvir o resto da resposta.

Pense no humilde marisco. Ele passa os dias enterrado na areia ou na lama, metido na concha, sugando água por um de seus dois tubos (sifões), filtrando delícias (plâncton e algas) e cuspindo água, servindo-se do outro tubo. E, é claro, de vez em quando ele se reproduz.

Mas é praticamente só isso o que ele faz. E na hora em que chega ao restaurante, com as conchas firmemente fechadas contra a indignidade de ter sido arrastado para a atmosfera, não está fazendo nem mesmo isso. Ele não tem órgãos de visão ou de audição e inquestionavelmente não sente prazer nem dor, especialmente quando entorpecido, por estar no gelo.

Basta de biologia. Agora a física: como você consegue abrir aquelas conchas sem *se* matar?

COMO ABRIR MARISCOS

Comprei mariscos vivos no mercado de peixes, mas foi uma lenha para abri-los. Há algum jeito fácil?

A criatividade humana quase se esgotou nas inúmeras tentativas de descobrir como abrir mariscos de um jeito confortável. Já recomendaram, seriamente, desde martelos, limas e serrotes à execução na câmara de micro-ondas. Mas a força bruta é inteiramente desnecessária, e o calor das micro-ondas pode comprometer seriamente o sabor.

Para abrir mariscos do modo mais fácil, ponha-os no freezer durante 20 a 30 minutos, dependendo do tamanho deles; você vai querer que fiquem muito frios, mas não congelados. Sob essa condição anestesiada, eles não conseguem agarrar-se muito fortemente nas conchas. Depois, apoiando o marisco na mão, protegida por um pano, pressione uma faca plana, arredondada, de marisco –

não uma faca de ostras, pontuda – entre as conchas, no ligeiro entalhe perto da extremidade mais pontuda. É aí que o marisco deixa sair seus sifões. Ao deslizar a faca contra a superfície interna de uma das conchas, você corta os músculos que prendem as duas conchas (papo técnico: músculos adutores). Torça a concha na dobradiça e jogue-a fora. Depois você solta os músculos do mesmo jeito da outra concha, deixando o marisco dentro dela. Junte uma porção meio a meio de raiz-forte e molho de pimenta e talvez uma gota de Tabasco ou uma espremidela de limão e deslize-o para dentro da boca.

Uma faca de marisco, a lâmina arredondada é inserida entre as conchas.

LIMPAR MARISCOS!

Uma vez, de férias na praia, encontrei uns mariscos vivos. Levei-os para o hotel e pedi na cozinha que os preparassem para mim. Eu queria comê-los vivos. Depois de comê-los, perguntei ao chef como os preparara. Ele disse: "abri-os". Por que essas criaturas vivas, arrancadas direto de seu hábitat natural, não precisam ser limpas nem nada antes de serem comidas inteiras?

Elas deveriam ser, mas na verdade não precisam ser. Mas essa etapa muitas vezes é eliminada.

Ao chegarem do mar ou do mercado de peixes, os mariscos vivos em geral devem ser limpos. Ao serem arrancados de suas aconchegadas caminhas na areia, eles puxaram seus sifões para dentro e fecharam hermeticamente suas conchas, possivelmente trazendo junto um pouco de areia e seja lá mais o quê estivesse nas vizinhanças. Além do mais, os mariscos têm um canal alimentar parecido com a veia do camarão. Embora não vá fazer mal, pode ser meio áspero, e não é a coisa mais bonita para se comer. É melhor limpá-lo.

Assim, depois de esfregar a parte de fora das conchas, dê aos seus mariscos um repousante banho em imitação de água do mar – um terço de xícara de sal de cozinha para cinco litros de água – com mais ou menos uma colher de sopa de farinha de milho misturada, e deixe-os lá por mais ou menos uma hora. Se você observar quietinho (eles se assustam com vibração, não com som), poderá vê-los alimentando-se da farinha de milho e limpando-se. Depois de algum tempo, ficará surpreso com a quantidade de detritos que estará no fundo do recipiente. Não adianta deixá-los lá por muito tempo, porque eles vão gastar todo o oxigênio da água, se fechar e parar de expelir as sujeiras.

Tantos os livros de culinária quanto os artigos de revistas mandam que purguemos os mariscos vivos pondo-os de molho em água da torneira, com ou sem a farinha de milho, mas um momento de reflexão mostra como isso seria inútil. Embora haja mariscos de água doce, os de que estamos falando moram em água salgada. Se você fosse um marisco de água salgada mergulhado em água doce, iria se fechar imediatamente, não ousando abrir nem uma fresta nas conchas, na esperança de que o ambiente viesse a se tornar, por fim, mais hospitaleiramente salgado. Então, pôr mariscos de molho em água doce não leva a nada. Uma mergulhada em água salgada, com a salinidade adequada, por outro lado, engana os mariscos, que vão pensar que estão de volta ao mar, projetando seus sifões, alimentando-se e purgando-se dos detritos.

Alguns restaurantes pulam a etapa da purga, e os mariscos podem ficar arenosos. Isso tem menor importância se os mariscos forem cozidos, mas areia no fundo de uma tigela de sopa de mariscos é um sinal do atalho dessa cozinha. Pelo menos você vai ficar sabendo que a sopa foi feita de mariscos realmente vivos, e não enlatados ou congelados.

Mariscos "moles", ou mariscos para serem cozidos no vapor, têm grandes sifões ("pescoço") e não conseguem fechar completamente as conchas. Portanto, sempre terão alguma areia. É por isso que você deve passá-los em caldo de mariscos antes de mergulhá-los na manteiga derretida e comê-los.

CONCHAS X CASCAS

As conchas de mariscos e ostras são duras como pedra, mas as cascas dos camarões e dos siris parecem plástico fino. Por que a diferença?

Temos duas classes diferentes de animais: os crustáceos e os moluscos.

Dentre os crustáceos temos siris, lagostas, camarões e pitus. As cascas deles são uma "armadura" de placas articuladas, calosas, flexíveis. A cobertura superior de um caranguejo ou lagosta é chamada de carapaça.

Os crustáceos fabricam sua casca fina principalmente de matéria orgânica – quitina, um carboidrato complexo que eles fabricam a partir dos alimentos que comem. Você não vai gostar de saber disso, mas camarões, siris e lagostas têm uma relação bem próxima com insetos e escorpiões, que também fazem suas carapaças de quitina. Se isso lhe dá nojo, fique sabendo que muitos biólogos preferem, atualmente, acreditar que os crustáceos e os insetos evoluíram independentemente.

Por outro lado, os moluscos bivalves – mariscos, ostras, mexilhões, vieiras e outros bichos que vivem entre pares de conchas duras – fabricam suas conchas principalmente de material inorgânico que retiram do oceano, sobretudo o carbonato de cálcio, a mesma substância versátil que constitui o calcário, o mármore e as cascas de ovos. Da próxima vez que você tiver mariscos ou mexilhões inteiros no seu prato, note as linhas de crescimento, encurvadas, ou as estrias paralelas às beiradas. Representam os acréscimos sucessivos de novo material à concha, depositado pelo animal sempre que cresceu o suficiente para precisar de mais espaço, geralmente durante as estações quentes.

Mexilhões ao vinho branco

Os mexilhões são os *fast food* da natureza vindos do mar. São lindos de se ver, em suas conchas de ébano decoradas com linhas de crescimento concêntricas. Eles cozinham quase instantaneamente (estão prontos quando as conchas se abrem), têm muito pouca gordura e alto teor de proteína. A textura é carnuda e têm gosto de mar, um pouco salgado e ligeiramente doce.

Se você conseguir encontrá-los, os mexilhões maiores, mais gordos, suculentos e mais saborosos que já comemos são os mexilhões do Mediterrâneo (*Mytilus galloprovincialis*).

Já os mexilhões cultivados não têm areia nem cracas e só precisam de uma pequena escovadela antes de serem cozidos. A maior parte da "barba" escura, feito bombril, já foi retirada. Um puxãozinho retira a sobra do que ficou entre as conchas.

Use o mesmo vinho para cozinhar e para beber.

- 1kg de mexilhões, limpos e sem barbas
- 1 xícara de vinho branco seco, como *sauvignon blanc*, *sancerre* ou *muscadet*
- ¼ de xícara de cebolinha branca picada (chalotas)
- 2 dentes de alho picados

- ½ xícara de salsa picada
- 2 colheres de sopa de manteiga com sal

1. Lave os mexilhões em água da torneira, retirando qualquer barba que se projete, puxando-as para fora da dobradiça. Jogue fora qualquer mexilhão cujas conchas estejam abertas e não feche imediatamente quando batido contra outro mexilhão. Eles estão mortos ou moribundos e estragam muito rapidamente.

2. Ponha numa panela grande, funda, com uma tampa que ajuste bem, o vinho, as chalotas, o alho e a salsa. A panela deverá ser grande o suficiente para acomodar os mexilhões depois que suas conchas se abrirem e ainda sobrar lugar para os sacudirmos; calcule pelo menos duas vezes o volume antes que cozinhem. Leve o vinho à fervura e depois diminua o fogo para fraco e cozinhe por 3 minutos. Aumente o fogo para alto. Junte os mexilhões; tampe bem e cozinhe, sacudindo a panela diversas vezes até que os mexilhões se abram, 4 a 8 minutos, dependendo do tamanho da panela e dos mexilhões.

3. Retire os mexilhões do líquido com uma colher perfurada ou com uma escumadeira e divida-os entre 2 pratos de sopa grandes. Misture rapidamente a manteiga no líquido da panela para fazer um molho ligeiramente emulsificado.

4. Despeje o caldo por cima dos mexilhões e sirva imediatamente com pão francês e vinho branco gelado.

- Rende duas porções

Os dois tipos diferentes de conchas em crustáceos e moluscos significam que as criaturas têm de inventar duas estratégias de crescimento diferentes. Os moluscos, que crescem juntando mais material às beiradas exteriores de suas conchas, encompridam as calças, enquanto os crustáceos fabricam ternos novos.

Quando um siri ou uma lagosta ficam grandes demais para suas calças, ele ou ela entram na muda: rasgam as costuras da casca, saem dela e fabricam uma nova, de um tamanho maior. Se apanhamos um deles logo depois do ato de despir-se, podemos curtir a delícia epicurista do siri-mole. O "mole" fica por conta das cascas novas, nos estágios iniciais de fabricação.

O siri-azul do Atlântico, por exemplo, precisa de 24 a 48 horas para completar seu trabalho de construção, o que dá aos predadores, salivando como nós, o tempo necessário para apanhá-los – não é fácil, porque, como estão desprovidos de suas armaduras, eles escondem-se nas zoosteras (um tipo de plantas marinhas) e têm de ser arrancados. Mas se tivermos sorte, podemos apanhá-los, livres, logo antes da muda. Pessoas experientes conseguem dizer, só com um olhar, quando um siri está prestes a sair da casca; quando são encontrados, são mantidos num curral especial até completar o feito.

E aí o que fazemos com ele? Ora, cozinhamos o mais rápido possível e comemos o bicho inteiro. Por que gastar tempo catando a carne da casca quando encontramos siri sem cascas? Tudo o que precisamos fazer são três etapas de limpeza, que são mais bem-feitas se o siri ainda estiver vivo.

Está bem, se você tem fricotes, pode pedir ao seu peixeiro que faça isso para você. Mas eis o que é preciso fazer:

1. Rasgue e jogue fora o avental abdominal (ver adiante).

2. Retire a parte dos olhos e da boca, que ficam do lado longo, entre as duas pinças maiores.

3. Suspenda as extremidades pontudas para encontrar e retirar as guelras feito penas, ou, como os folcloristas exuberantes gostam de chamá-las, os dedos do diabo. Eles dão esse nome porque as guelras são filtros muito eficazes para as impurezas tóxicas que possam estar na água, e comê-las pode ser perigoso. Além disso, não têm um gosto muito bom. E toda aquela "coisa verde-amarela?" dentro dos siris? Não pergunte e coma. É delicioso.

Os siris-azuis machos em geral são maiores que as fêmeas e são usados principalmente para serem cozidos no vapor e catados, enquanto as fêmeas são usadas mais para serem enlatadas. Como distinguir um siri macho de uma fêmea, você pergunta? Olhe na parte de baixo e verá um "avental", uma aba delgada que recobre a maior parte do abdome. Se o avental tiver o feitio exato de um domo é uma fêmea madura. Se o feitio do avental for como a Torre Eiffel, em Paris, é macho. Mas se for uma fêmea jovem, imatura, o avental parece com um domo com um pedaço da Torre Eiffel em cima. Na última muda antes de atingir a maturidade ela joga fora a parte da torre.

Ah, e você já pensou por que essas cascas de siris e de lagostas, pardacentas, verde-escuras, ficam vermelhas depois de cozidas? A cor vermelha, uma substância química chamada de astaxantina, está presente, mas não é visível nas cascas cruas, porque está ligada (papo técnico: complexadas) com determinadas proteínas para formar os componentes azuis e amarelos que, juntos, parecem verdes. Ao ser aquecido, o complexo astaxantina-proteína se degrada, soltando astaxantina livre.

Siri-mole refogado

Alguns *chefs* gostam de se exibir emperiquitando os siris com massa, farinha de rosca, farinha de biscoito, polvilhados com farinha ou com temperos. Nada disso é necessário. Na verdade, eles abafam o sabor delicado de siris realmente frescos. Guarde os temperos para serem postos à mesa. Tudo o que você precisa são siris frescos, vivos, manteiga borbulhando e um pouco de respeito. Calcule 2 siris grandes ou 3 pequenos por porção.

Se os siris não tiverem sido limpos pelo peixeiro, rasgue e jogue fora o avental abdominal, retire e jogue fora as partes dos olhos e da boca, que estão dos lados longos, entre as duas pinças grandes, e suspenda as extremidades pontudas para encontrar e retirar as guelras como se fossem penas.

1. Aqueça uma frigideira em fogo médio-alto.

2. Junte uma ou duas porções de manteiga e, quando ela tiver espumando e chiando, ponha os siris. Não encha demais a frigideira.

3. Refogue até dourar, cerca de 2 minutos. Tempere com sal e pimenta-do-reino. Vire, usando pinças, tempere e cozinhe o outro lado por cerca de 2 minutos mais, até tomar uma bela cor e ficar crocante. Sirva imediatamente.

COMO COZINHAR UMA LAGOSTA

Algumas pessoas dizem que a melhor maneira de se cozinhar uma lagosta viva é pondo-a em água fervendo. Outros insistem que no vapor é melhor. Que método devo usar?

Com o intuito de encontrar uma resposta peremptória, fui ao Maine e entrevistei diversos dos principais *chefs* e especialistas em lagosta. Encontrei dois campos distintos: os do vapor, irredutíveis, e os apaixonados pelo mergulho em água fervendo.

"Eu mergulho", declarou desafiadoramente o *chef* de um conhecido restaurante francês. Ele mergulha as lagostas em água fervendo engalanada com vinho branco e um monte de alho descascado.

Mas de acordo com o *chef* de outro restaurante eminente, "a fervura extrai muito do sabor da lagosta. Você consegue até mesmo ver a água ficando verde do fígado que sai. Cozinhamos nossas lagostas em vapor, sobre caldo de peixe ou de legumes".

O *chef* de uma conceituada pousada primeiro jurou fidelidade à escola "ferver-retira-o-sabor" e disse que cozinha as lagostas no vapor, sobre água salgada. "Elas acabam com menos água dentro", disse ele. Mas ao ser pressionado, disse que, pelo sabor, "tanto a fervura quanto o cozimento em vapor são bons. É uma discussão sobre minúcias".

Esse último sentimento teve eco no dono de um venerável reservatório de lagostas, que vem pescando, vendendo e cozinhando lagostas há 40 anos. "Eu costumava cozê-las no vapor durante cerca de 20 minutos", disse ele. "Tenho clientes que não recuam: elas absolutamente têm de ser cozidas em vapor sobre água salgada. Todo mundo tem uma opinião. Agora eu as cozinho em água do mar durante 15 minutos." Um crente da filosofia de que o cliente tem sempre razão, ele recusa-se a inclinar-se para um lado ou para o outro e a recomendar um método como melhor que o outro.

A única coisa com o que todo mundo parece concordar, no entanto, é que cozinhar no vapor demora mais. Por quê? Teoricamente, quando a água ferve, o vapor deve estar na mesma temperatura da água. Mas será que está? Para responder a essa pergunta, lancei mão do meu "laboratório" na cozinha.

Pus alguns centímetros de água em uma panela de lagosta de 15 litros, levei à fervura, tampei a panela muito bem, como se deve fazer ao cozinhar alimentos no vapor, e medi a temperatura da água a diversas distâncias acima da superfície da água com um termômetro de precisão, de laboratório. (O jeito que dei para suspender o bulbo do termômetro dentro da panela coberta enquanto eu lia as temperaturas do lado de fora será explicado mediante o recebimento de um envelope já selado e endereçado e um cheque ou ordem de pagamento para ajudar a custear parte das minhas despesas médicas.)

Resultados? Com o queimador num nível suficiente para manter a água em franca ebulição, as temperaturas nas distâncias acima da água eram exatamente as mesmas que a da água fervendo: 98,88°C. (Não, não foram 100°C. A minha cozinha, como o resto da casa, está 300 metros acima do nível do mar, e a temperatura de ebulição da água é menor a altitudes maiores.)

Mas quando diminuí o queimador para uma fervura mais branda, a temperatura do vapor diminuiu consideravelmente. Minha explicação é que parte do calor do vapor está sempre sendo perdido pelos lados da panela (que no caso era bastante fina), e a água deve estar fervendo rapidamente o suficiente para continuar mantendo esse calor com vapor quente, novo.

Conclusão: cozinhe suas lagostas no vapor numa grade sobre água que esteja fervendo vigorosamente numa panela pesada, muito bem fechada, e elas estarão sendo expostas a exatamente à mesma temperatura do que se estivessem sendo cozidas dentro da água.

O mistério, então, é: por que todos os cozinheiros me dizem que cozinham as lagostas no vapor durante mais tempo do que quando as cozinham na água? Jasper White, por exemplo, em seu abrangente livro *Lobster at Home*, recomenda ferver uma lagosta de 750g durante 11 a 12 minutos, ou cozê-la no vapor por 14 minutos. (Esses tempos são menores do que os recomendados pelos *chefs* do Maine, porque eles cozinham várias lagostas de uma vez, e essa é simplesmente uma questão de mais carne, mais calor.)

A resposta, creio, reside no fato de que a água líquida consegue manter mais calor (papo técnico: tem maior capacidade de calor) do que o vapor, à mesma temperatura; logo tem mais calor para dar às lagostas. Além disso, a água líquida é um condutor de calor muito melhor que o vapor, de modo que consegue transferir essas calorias com maior eficiência às lagostas, e elas cozinharão num tempo menor.

Agora, não sou um *chef*. Mas, por outro lado, *chefs* não são cientistas. Desse modo, os *chefs* que entrevistei podem ser desculpados por fazer algumas afirmações cientificamente errôneas. Aqui vão algumas delas.

"Cozinhar no vapor atinge uma temperatura de cozimento mais alta do que cozinhar na água." Como minha experiência mostrou, as temperaturas são as mesmas.

"A água salgada produz um vapor com temperatura mais alta." Bem, talvez um bocadinho, porque a temperatura de ebulição é mais alta, mas no máximo alguns centésimos de grau.

"O sal marinho na água do cozimento por vapor dá um gosto melhor ao vapor." O sal não sai da água e entra no vapor, de modo que o tipo de sal – ou sal algum – não tem qualquer efeito. E até mesmo duvido que as essências de vinho ou de caldo na água possam penetrar na casca da lagosta o suficiente para ter qualquer efeito sobre o sabor da carne. As lagostas são bichos com uma boa armadura.

Eis como Chip Gray, nativo lá do Maine, contou-me que cozinha lagostas na praia: primeiro, obtenha um cano de chaminé de fogão com uns 1,2 a 1,8 metro numa loja de ferragens. Na praia, faça uma fogueira. Agora, feche uma das extremidades do cano com algas e jogue dentro um par de lagostas e um punhado de mariscos. Faça uma outra "rolha" com algas e ponha por cima mais lagostas e mariscos. Continue alternando algas e frutos do mar até acabarem as lagostas ou o cano. Ponha uma rolha final de algas por cima e ponha o cano atravessado na fogueira. À medida que a comida cozinha, regue-a continuamente com uma xícara ou duas de água do mar despejada na extremidade mais alta do cano; ela vai se transformar em vapor à medida que escoa para o fundo. Depois de cerca de 20 minutos, ponha o conteúdo do cano sobre um lençol, no chão.

"É danado de bom", diz Chip.

Lagosta cozida viva

No mercado de peixes, escolha, por pessoa, uma lagosta animada, sacudindo a cauda, levantando as pinças. (Você pega uma lagosta segurando-a pelas costas, atrás da cabeça.) Se a cabeça não se sustenta ao ser apanhada, esqueça e volte outro dia; não está fresca.

Leve as lagostas para casa num recipiente que deixe bastante espaço para que elas respirem e mantenha-as frias. Mesmo sendo aquáticas, elas conseguem viver no ar durante várias horas, quando mantidas frescas e úmidas.

1. Escolha um caldeirão fundo, com tampa, grande o bastante para conter as lagostas completamente imersas na água. (Use 3 litros de água por 750g a 1kg de lagosta, levando em consideração que a panela não deverá ficar mais de ¾ cheia.)

2. Junte ⅓ de xícara de sal marinho para cada 5 litros de água (para produzir uma imitação de água do mar) e leve-a a uma fervura vigorosa.

3. Apanhe uma lagosta de cada vez e mergulhe-a de cabeça. Tampe, retome a fervura, depois reduza o fogo e cozinhe. Uma lagosta de uns 600g levará uns 11 minutos; 450g, uns 8 minutos; 1kg, uns 15 minutos. Não cozinhe demais, ou a carne delicada ficará dura.

4. Retire a lagosta da água com a ajuda de pinças, tomando cuidado para não deixá-la cair de novo na água e respingar. Ponha-a num balcão coberto com um papel ou com um pano.

5. Escorra o excesso de água da lagosta fazendo um pequeno furo entre os olhos com a ponta de uma faca pequena. Apoie cada lagosta numa panela ou na pia, com a cabeça para baixo, para que o líquido escoe da carcaça. Isso diminui a bagunça, quando a lagosta for aberta.

Leve-a correndo à mesa e sirva-a com manteiga derretida e cunhas de limão.

capítulo 6

Fogo e gelo

Dê uma olhada na cozinha e observe todas as conveniências modernas: torradeira, liquidificador, processador de alimentos, moedor de café, batedeira, cafeteira – todos acessórios que você usa de vez em quando para objetivos especiais.

Agora, olhe para os dois únicos aparelhos na sua cozinha que você usa diariamente e sem os quais não poderia passar: um aquece, o outro esfria. Se comparados ao processador de alimentos, você pode achar que o fogão e a geladeira não sejam aparelhos modernos, mas eles são contribuições surpreendentemente recentes ao arsenal humano de equipamentos para cozinhar e preservar alimentos.

O primeiro fogão, uma área fechada contendo combustível inflamável (inicialmente carvão) que aquece uma superfície plana para cozinhar, foi patenteado há menos de 350 anos, anunciando o final de mais de um milhão de anos de cozimento em fogueiras. E a geladeira elétrica tomou o lugar do gelo para esfriar, como ainda se lembram alguns dos leitores deste livro.

Quando você traz comida fresca do mercado para casa, você pode pô-la na geladeira, cuja baixa temperatura evitará que estrague. Depois pode usar as altas temperaturas do fogão para converter parte daquela comida numa forma que seja mais palatável e mais digerível. Depois de a comida ter sido cozida e servida, você pode estocar parte das sobras de volta na geladeira ou no freezer. E algum tempo mais tarde, você pode retirá-la da geladeira e aquecê-la de novo. A manipulação dos alimentos nas nossas cozinhas parece envolver um ciclo contínuo de aquecimento e resfriamento, ou figurativamente, de fogo e gelo. Só que hoje fazemos isso tudo com gás e eletricidade.

O que o calor e o frio fazem com os nossos alimentos? Como podemos controlá-los para que produzam os melhores resultados? Podemos queimar uma comida com calor demasiado, mas, por outro lado, o freezer pode "queimá-la" também. Afinal de contas, o que *é* queimadura de freezer? E o que acontece quando executamos aquela mais elementar das operações culinárias, ferver água? A coisa é mais complicada do que se pode imaginar.

Tá quente

CALORIA

Eu sei que uma caloria é uma unidade de calor, mas por que comer calor me faz engordar? E se eu só comesse comida fria?

Uma caloria é um conceito muito mais amplo do que apenas calor; é uma quantidade de qualquer tipo de energia. Poderíamos medir a energia de um caminhão em alta velocidade em calorias, se quiséssemos.

Energia é o que faz as coisas acontecerem; chame-a de "umpf", se quiser. Ela vem sob diversas formas: movimento físico (pense no caminhão), energia química (pense na dinamite), energia nuclear (pense em reator), energia elétrica (pense na bateria), energia gravitacional (pense em cachoeira) e, sim, na forma mais comum de todas, calor.

Não é o calor que é o seu inimigo; é a energia – a quantidade de energia para viver que seu corpo recebe por meio da metabolização dos alimentos. E se o metabolismo daquele *cheese cake* produz mais energia do que a que você gasta caminhando da geladeira até a TV, o seu corpo vai guardar o excesso de energia como gordura. A gordura é um armazém concentrado de energia, porque tem o potencial de liberar montes de calor ao ser queimada. Mas não se precipite nas conclusões. Quando um anúncio promete "queima de gordura", é apenas uma metáfora; um maçarico não é um dispositivo viável para a perda de peso.

Quanta energia é uma caloria e por que alimentos diferentes "contêm" (quer dizer, produzem) valores diversos de calorias ao serem metabolizados?

Como o calor é a forma mais comum e mais conhecida de energia, a caloria é definida em termos de calor – quanto calor é necessário para aumentar a temperatura da água em determinada quantidade. Especificamente, como o termo é usado em nutrição, uma caloria é a quantidade de calor necessária para elevar a temperatura de um quilo de água em um grau Celsius.

(Os químicos, ao contrário dos nutricionistas e dietistas, usam uma "caloria" muito menor, apenas um milésimo disso. No mundo deles, a caloria nutricional é chamada de *quilocaloria*. Mas neste livro eu uso a palavra *caloria* no sentido comum, aquele de que falam os livros de alimentos, rótulos de alimentos e dietas.)

Eis uma ideia de quanto calor é uma caloria: uma caloria nutricional é a quantidade de calor que seria necessária para elevar a temperatura de meio litro de água em 0,11°C.

Alimentos diferentes, como todo mundo sabe, nos fornecem quantidades diferentes de energia. No início, o conteúdo de caloria nos alimentos era medido realmente queimando-os num recipiente cheio de oxigênio mergulhado em água e medindo-se o aumento da temperatura da água. (O aparelho é chamado de calorímetro.) Você pode fazer o mesmo com uma porção de torta e ver quanta caloria ela libera.

Mas a quantidade de energia liberada quando uma fatia de torta é queimada no oxigênio é a mesma quantidade de energia liberada ao ser metabolizada no corpo? Por incrível que pareça, é, embora os mecanismos sejam bem diferentes. O metabolismo libera sua energia bem mais devagar do que a combustão, e felizmente sem chamas. A reação química total, no entanto, é exatamente a mesma: alimento mais oxigênio produz energia e mais diversos produtos da reação. E um princípio básico da química diz que se as substâncias iniciais e finais forem as mesmas, a quantidade de energia liberada é a mesma, não importa como a reação aconteceu. A única diferença prática é que os alimentos não são digeridos ou "queimados" completamente no corpo, de modo que, na verdade, retiramos deles um pouco menos do que a quantidade total de energia que eles liberariam se fossem queimados em oxigênio.

Na média, acabamos recebendo 9 calorias de energia para cada grama de gordura e 4 calorias para cada grama de proteína ou carboidrato. Desse modo, em vez de correr para o laboratório e botar fogo em todos os alimentos que estão à vista, os nutricionistas atualmente apenas somam os números de gramas de gordura, proteína e carboidrato numa porção e multiplicam por 9 ou por 4.

Sua taxa normal de metabolismo basal – o mínimo de energia usada só para respirar, fazer o sangue circular, digerir os alimentos, consertar os tecidos, manter a temperatura corporal normal e manter o fígado e rins etc. executando suas tarefas – é cerca de 1 caloria por hora para cada quilo de peso. O que dá cerca de 1.600 calorias por dia para um homem de 68kg. Mas isso pode variar bastante, dependendo do gênero (mulheres precisam de 10% menos), idade, condições de saúde, tamanho e feitio do corpo e daí por diante.

Entre outras coisas, o ganho de peso depende de quanto a ingestão de energia dos alimentos excede o gasto de energia com metabolismo e exercícios, sem contar o levantamento de garfo. Para um adulto saudável médio, a Academia Nacional de Ciências norte-americana recomenda uma ingestão diária de 2.700 calorias para homens e 2.000 para mulheres – mais para atletas e menos para preguiçosos que ficam em frente à televisão.

A esperançosa teoria sobre comer alimentos frios, desprovidos de calorias, foi propalada sob várias formas durante algum tempo, mas infelizmente não funciona. Uma variação que ouvi foi que beber água gelada ajuda a perder peso porque você tem de gastar calorias aquecendo a água até que ela atinja a temperatura corporal. Em princípio, ela está certa e é trivial. Aquecer um copo de 250ml de água gelada até a temperatura corporal usa menos do que 9 calorias, o equivalente a um único grama de gordura. Se dieta fosse tão fácil, os spas teriam piscinas de sorvete, pois tremer também gasta energia.

MATEMÁTICA DAS CALORIAS

Se há 9 calorias num grama de gordura, isso significa que há mais de 4 mil calorias em meio quilo de gordura. Mas eu li que para perder meio quilo de gordura, só preciso cortar 3.500 calorias da minha dieta. Por que essa discrepância?

Como não sou nutricionista, perguntei a Marion Nestle, professora e catedrática do Departamento de Nutrição e Estudos dos Alimentos da Universidade de Nova York.

"Fator doce de chocolate", respondeu ela.

Em primeiro lugar, o conteúdo real de um grama de gordura está mais próximo de 9,5 calorias. Mas isso só aumentaria a discrepância. O fato é que o número de calorias por energia que recebemos ao comer um grama de gordura é um pouco menor do que isso, porque a digestão, a absorção e o metabolismo são incompletos.

"Outro fator doce de chocolate", continuou Nestle, "é aplicado ao número de calorias em meio quilo de gordura corporal. A ideia é que a gordura corporal contém apenas 85% de gordura, mesmo." O resto consiste de tecido conectivo, vasos sanguíneos e outras coisas que você provavelmente vai preferir nem saber.

Assim, para perder meio quilo de gordura verdadeira, você deve privar-se de apenas 3.500 calorias.

E ficar longe de doce de chocolate.

COZINHANDO A GRANDES ALTITUDES

Meu marido, minha filha e eu vamos voltar a La Paz, Bolívia, para adotar outro bebê. Por causa da altitude elevada, a água fervente pode levar horas para cozinhar as coisas. Há alguma regra geral a respeito de quanto tempo leva para cozinhar alguma coisa a altitudes diversas? E ferver as mamadeiras a essa altitude mata os micróbios?

A altitude de La Paz vai de 3.250 a 4 mil metros acima do nível do mar, dependendo de em que parte da cidade você esteja. E como você deve saber, a água ferve a temperaturas mais baixas a grandes altitudes. Isso acontece porque, para poder escapar da forma líquida e passar à gasosa, as moléculas da água têm de lutar contra a pressão para baixo produzida pela atmosfera. Quando a pressão atmosférica é menor, como acontece a grandes altitudes, as moléculas de água podem ferver sem ter de ficar tão quentes.

A temperatura de ebulição da água diminui 0,06°C para cada 300 metros acima do nível do mar. Então, a 4 mil metros, a água vai ferver a 86°C. Temperaturas acima de 74°C são consideradas suficientes para matar a maior parte dos micróbios, de modo que você vai estar bem, nesse aspecto.

É difícil generalizar em tempos de cozimento, porque alimentos diferentes respondem de modos diferentes. Eu sugeriria perguntar às pessoas do local por quanto tempo elas cozinham o arroz, o feijão e o resto. É claro, você sempre pode carregar uma panela de pressão no avião e fabricar a sua própria atmosfera de alta pressão à vontade.

Para assar é outro papo. Para começar, a água evapora muito mais rapidamente a grandes altitudes, de modo que você vai precisar acrescentar mais água às massas. E como a pressão para reter o dióxido de carbono liberado pelo fermento é menor, o gás consegue escapar pelo topo do bolo, deixando-o achatado. Então, você tem de usar menos fermento. Tudo isso pode ser bem complicado. Meu conselho é que você compre bolos nas confeitarias locais.

FERVER ÁGUA QUENTE OU FRIA

Meu marido alega que a água quente demora mais para ferver do que a água fria, porque está no processo de esfriar quando você a põe no fogo. Eu acho isso ridículo. Mas ele estudou física na faculdade, e eu não.

Que nota ele tirou em física? Pelo jeito, a sua intuição está rendendo mais do que a taxa de matrícula dele, porque você está certa e ele está errado.

Posso imaginar o que ele está pensando, no entanto. Aposto que é alguma coisa a respeito de impulso, porque, se algum objeto já estiver caindo – imagina-se que na temperatura –, será preciso mais tempo e esforço para fazê-lo dar a volta e subir outra vez. Primeiro você tem de neutralizar seu impulso para baixo.

Isso tudo está muito bem para objetos físicos, mas temperatura não é um objeto físico. Quando a previsão do tempo diz que a temperatura está caindo, não esperamos que ela vá se espatifar.

Temperatura é apenas nossa maneira humana, artificial, de expressar a velocidade média das moléculas numa substância, porque essa velocidade é que faz uma substância ficar quente; quanto mais rápido é o movimento das moléculas, mais quente a substância fica. Não podemos entrar lá e medir a velocidade de uma única molécula, de modo que inventamos o conceito de temperatura. De fato, é pouco mais que um número prático.

Numa panela de água quente, zilhões de moléculas estão correndo de um lado para outro a uma velocidade média mais alta do que numa panela de água fria. Nossa tarefa em aquecer a panela é dar-lhe mais energia para essas moléculas e torná-las ainda mais rápidas – no final, rápidas o bastante para ferverem. É óbvio, então, que moléculas já quentes exigem menos energia adicional que as frias, porque elas já estão a meio caminho da linha final: o ponto de ebulição. Portanto, a água mais quente vai ferver primeiro.

E você pode dizer para ele que fui eu quem disse.

O uso de água quente da torneira pode não ser prudente por outro motivo. As casas mais velhas têm canos de cobre, que são soldados com solda que contém chumbo. A água quente pode carregar quantidades minúsculas de chumbo, que é um veneno cumulativo. Portanto, é uma boa ideia sempre usar água fria para cozinhar. É, vai levar mais tempo para ferver, mas, como você vai viver mais, pode contar com mais tempo.

FERVER COM OU SEM TAMPA?

Minha mulher e eu não concordamos quanto a se uma panela de água vai ferver mais depressa se estiver tampada. Ela diz que sim, porque sem a tampa um bocado do calor se perde. Eu digo que leva mais tempo, porque a tampa aumenta a pressão e eleva o ponto de ebulição da água, como uma panela de pressão. Quem está certo?

Sua mulher ganha, embora você tenha alguma razão.

À medida que uma panela de água é aquecida e sua temperatura aumenta, mais e mais vapor d'água é produzido acima da superfície. Isso é porque um número cada vez maior de moléculas da superfície ganhará energia suficiente para pular para o ar. A quantidade crescente de vapor d'água transporta uma quantidade crescente de energia, que poderia então servir para elevar a temperatura da água. Além disso, quanto mais perto a água estiver da temperatura de ebulição, mais energia cada molécula de água transporta, de modo que se torna mais importante não perdê-la. A tampa da panela bloqueia parcialmente a perda dessas moléculas todas. Quanto mais ajustada a tampa, mais moléculas quentes são retidas na panela e mais cedo a água irá ferver.

O seu ponto de vista, de que uma tampa aumenta a pressão dentro da panela como numa panela de pressão, elevando, portanto, o ponto de ebulição e retardando a fervura, é correto em teoria, mas insignificante na realidade. Mesmo uma panela com tampa muito justa, uma potente tampa de meio quilo numa panela de 25cm, iria elevar a pressão interna em menos de 0,1%, o que, por sua vez, elevaria o ponto de ebulição em apenas 0,08°C. Você provavelmente conseguiria retardar mais a fervura olhando para a panela.

REDUÇÃO DE CALDOS

Outro dia eu estava fazendo uma "geleia" de caldo de vitelo (glace de viande), reduzindo-o a uma pequena fração de seu volume. Mas parecia demorar séculos! Por que é tão difícil reduzir um caldo?

Evaporar água parece a coisa mais fácil do mundo. É só deixar uma poça d'água por aí e ela evapora-se toda sozinha. Mas demora, porque as calorias necessárias não vão muito rapidamente para a água a partir do ar relativamente frio de um aposento. Mesmo no fogão, em que você está fornecendo um monte de calorias para um caldeirão, por meio de um queimador quente, você poderá ter de ferver por uma hora ou mais para seguir essa instrução aparentemente simples de "reduzir à metade".

Reduzir uma quantidade excessiva de água pode ser tão frustrante quanto reduzir um excesso de gordura corporal, pelo fato de ser muito mais difícil livrar-se dela do que se espera. Mesmo ferver uma pequena quantidade de água exige uma quantidade surpreendente de energia.

Eis por quê.

As moléculas de água se unem muito estreitamente. Exigem, portanto, um bocado de trabalho, ou seja, gasto de muita energia, para separá-las da massa do líquido e enviá-las voando para o ar, como vapor. Por exemplo, para ferver meio litro de água, ou seja, convertê-la de líquido a vapor depois que ela já está no ponto de ebulição, o queimador do fogão deverá bombear para a água mais de 250 calorias de energia de calor. É essa a quantidade de energia que uma mulher de 57kg precisa para subir uma escada, sem parar, durante 18 minutos. Isso só para ferver meio litro de água.

É claro que você pode aumentar o fogo e adicionar calor mais rapidamente. A temperatura do líquido nunca irá ultrapassar seu ponto de fervura, mas irá borbulhar mais vigorosamente, e mais bolhas transportarão mais vapor. Entretanto, não é prudente fazer isso com um caldo, a não ser que você já o tenha coado e desengordurado. Até então, a fervura, ao contrário do cozimento em fogo brando, irá fragmentar os sólidos em pedaços minúsculos e a gordura em glóbulos suspensos, ínfimos, o que fará com que o líquido fique turvo. Uma maneira melhor de acelerar as coisas é transferir o líquido para uma panela mais larga e mais rasa. Quanto maior a superfície do líquido, maior parte dele ficará exposta ao ar e mais rapidamente poderá evaporar.

ÁLCOOL NA COMIDA

Ao cozinhar com vinho ou cerveja, o álcool todo é evaporado, ou resta uma quantidade que poderia ser um problema para alguém sob abstinência severa, como um alcoólatra em recuperação?

Será que o vinho perde seus poderes na panela de barro de um dia para o outro? O álcool todo evapora, como os livros de receitas dizem? Ou se você comer um prato de *coq au vin* pode ficar meio alto? Bom, *quando* você cozinha com vinho ou com conhaque, eis aqui o furo: haverá sempre algum álcool.

Muitos livros de culinária afirmam que todo, ou quase todo, o álcool "é queimado" durante o cozimento (o que eles querem dizer é que se evapora: ele só queima se for aceso). A "explicação" padrão, quando existe, é que o álcool ferve a 78°C, enquanto a água ferve a 100°C, e que, portanto, todo o álcool terá fervido antes da água.

Bem, não é exatamente assim que a coisa funciona.

É verdade que o álcool puro ferve a 78°C, e a água pura ferve a 100°C. Mas isso não quer dizer que eles se comportem de maneira independente; quando estão misturados cada um afeta a temperatura de ebulição do outro. Uma mistura de água e álcool irá ferver a uma temperatura entre 78° e 100°C – mais próxima a 100°, se a maior parte for água, mais próxima a 78°, se for mais álcool, o que sinceramente espero não seja o caso da sua culinária.

Quando uma mistura de água e álcool alcança o ponto de ebulição, ou ferve, os vapores são uma mistura de vapor d'água e de vapor de álcool; eles evaporam juntos. Mas como o álcool evapora mais rapidamente do que a água, a proporção de álcool nos vapores é um tanto maior que no líquido. Porém, os vapores ainda estão muito longe do álcool puro, e à medida que se evolam da panela, não estão levando muito do álcool. O processo de perda do álcool é muito menos eficiente do que se pensa.

A quantidade exata de álcool que permanecerá na sua panela vai depender de tantos fatores que uma resposta geral para todas as receitas é impossível. Mas os resultados de alguns testes poderão surpreendê-lo.

Em 1992, um grupo de nutricionistas da Universidade de Idaho, da Washington State University e da USDA, mediram os teores de álcool antes e depois de cozinharem dois pratos carregados de vinho borgonha semelhantes ao *boeuf bourguignon* e ao *coq au vin*, e mais uma caçarola de ostras ao xerez. Eles descobriram que ficaram nos pratos entre 4% e 49% do álcool original, dependendo do tipo de alimento e do método de cozimento.

Verificou-se sem surpresa que temperaturas mais altas, tempos mais longos de cozimento, panelas destampadas, panelas mais largas, cozimento em cima do fogão, e não no forno fechado – todas essas condições que aumentam a quantidade geral de evaporação, tanto da água quanto do álcool – aumentam a perda de álcool.

Você acha que está queimando todo o álcool ao marchar triunfante em sua sala de jantar escurecida, carregando uma bandeja de *crêpes suzette*? Bem, pense melhor. De acordo com os resultados dos testes de 1992, você poderá estar queimando apenas cerca de 20% do álcool antes de a chama apagar. Isso porque, para que a chama seja sustentada, a porcentagem de álcool no vapor deverá estar acima de um determinado nível. Lembre-se de que você teve de usar um conhaque de alta gradação alcoólica e aquecê-lo até mesmo antes dele acender. (Você não consegue acender vinho, por exemplo.) Quando o álcool se reduz a um determinado nível ainda substancial no prato, os vapores não são mais inflamáveis, e o fogo apaga. É tudo representação.

Que peso dar aos resultados desses testes ao tentar conciliá-los com os convidados?

Uma coisa que você deve levar em consideração é o fator de diluição. Se sua receita para seis porções de *coq au vin* pede 3 xícaras de vinho, e se cerca de metade do álcool vai embora durante os 30 minutos de cozimento (segundo resultados dos pesquisadores), cada porção irá acabar com o conteúdo de álcool de 60 ml de vinho. Por outro lado, essas mesmas 3 xícaras de vinho em um *boeuf bourguignon*, que cozinha por três horas e perde 95% de seu álcool (de acordo com os resultados dos testes), vão acabar dando a cada conviva o álcool equivalente a apenas 12ml de vinho.

Mas mesmo assim haverá ainda *algum* álcool presente. Use seu bom senso.

FRITANDO OVOS NO ASFALTO

Será que o calor pode chegar a fritar um ovo na calçada ou no asfalto?

É pouco provável. Mas a opinião científica não deve desencorajar as pessoas de tentarem pôr à prova uma antiga lenda urbana.

Na cidade mineira de Oatman, no velho Deserto do Moljave, Arizona, 150 pessoas fazem uma competição anual de fritar um ovo ao sol, todo 4 de Julho, às margens da famosa Route 66. De acordo com o exaltado coordenador de fritura de ovos, Fred Eck, vencem a prova os concorrentes que chegam mais perto de cozinhar um ovo em 15 minutos apenas por exposição ao sol.

De vez em quando, um ovo fica cozido em Oatman, mas as regras permitem coisas do tipo lentes de aumento, espelhos, refletores de alumínio e similares. Não vale, digo eu. Estamos falando aqui em quebrar um ovo diretamente no chão e deixá-lo lá.

Há uns dois anos, estava em Austin, Texas, durante uma onda de calor, e resolvi descobrir se era possível fritar um ovo na calçada sem a ajuda de qualquer dispositivo óptico ou mecânico. Para chegar a conclusões "científicas", tive de medir a temperatura da calçada. Por sorte eu trazia comigo um trequinho maravilhoso chamado termômetro sem contato. É como um revólver que você aponta para uma superfície, e, quando aperta o gatilho, ele lê instantaneamente a temperatura daquela superfície, indo de –32°C a 260°C. O tal trequinho, chamado MiniTemp, funciona analisando a quantidade de raios infravermelhos que estão sendo emitidos e/ou refletidos da superfície; as moléculas mais quentes emitem mais radiação infravermelho. Meu MiniTemp era o instrumento ideal para a experiência de cozimento em calçada, porque eu já sabia qual a temperatura necessária para cozinhar um ovo, e se você continuar lendo, também vai saber.

Numa tarde especialmente tórrida, saí medindo as temperaturas de uma ampla variedade de calçadas, entradas de carros e estacionamentos, tentando não perturbar os texanos por parecer estar carregando um revólver de verdade.

As temperaturas no chão variaram bastante, dependendo, como era de se esperar, de quão escura era a superfície. Pavimentos de asfalto eram muito mais quentes que os de concreto, porque os objetos mais escuros absorvem mais luz e, portanto, mais energia. Desse modo, parece que fritar um ovo no asfalto é realmente mais fácil que fritá-lo na calçada.

Embora a temperatura do ar estivesse por volta dos 38°C, não achei superfície alguma acima de 51°C no concreto ou 63°C em asfalto (lembre-se deste número). Nos dois casos, as temperaturas caíam quase imediatamente quando uma nuvem escondia o sol, porque grande parte da radiação infravermelha vinda das superfícies é simplesmente radiação solar refletida. Superfícies brilhantes, de metal polido, na verdade refletem tanta radiação solar que o MiniTemp não fazia leituras exatas para as temperaturas delas.

Agora, a experiência crucial. Eu tirara com antecedência um ovo da geladeira e deixei-o chegar à temperatura ambiente. Quebrei-o diretamente na superfície de 63°C do estacionamento pavimentado com asfalto, ao meio-dia. Não usei óleo, que poderia ter esfriado demais a superfície. E então esperei.

E esperei.

Sem contar os olhares estranhos dos passantes, nada aconteceu. Bem, talvez a clara do ovo tivesse ligeiramente mais espessa nas bordas, mas nada que de longe se parecesse com cozimento. A superfície simplesmente não estava quente o suficiente para cozinhar um ovo. E por que não, pensei?

Em primeiro lugar, só a clara do ovo, ou albúmen, estava em contato com a superfície quente – a gema flutua na clara –, de modo que é uma questão de que temperatura se deve exigir para cozinhar a albumina. E o que queremos dizer com "cozinhar", de qualquer modo? A clara de ovo é uma mistura de diversos tipos de proteína, cada uma das quais é afetada pelo calor de modo diferente e coagula a temperaturas diferentes. (Você esperava uma resposta simples?)

Mas dentro da casca do ovo tudo se resume ao seguinte: a clara do ovo começa a espessar-se a cerca de 62°C, para de ser fluida a 65°C e torna-se bastante firme a 70°C. Ao mesmo tempo, a gema começa a espessar-se a 65°C e perde a fluidez a 70°C. Desse modo, para cozinhar um ovo inteiro até um ponto não líquido, da gema para cima, tanto a clara quanto a gema devem atingir 70°C e lá permanecer tempo suficiente para que aconteça uma lenta reação de coagulação.

Infelizmente, isso é bem mais quente que qualquer temperatura que o chão possa atingir. Mas, e mais importante, quando você quebra um ovo a 21°C num chão a 63°C, ele esfria a superfície consideravelmente, e não há uma reposição contínua de calor vindo de baixo, como haveria numa frigideira em cima do fogo. O pavimento também é um condutor de calor bem ruim, de modo que não há calor vindo dos arredores. Desse modo, mesmo que a superfície preta de um estacionamento possa chegar perto da temperatura de coagulação de 70°C num dia realmente muito quente, temo que, na realidade, cozinhar um ovo no asfalto ou na calçada vai continuar para sempre sendo um sonho de uma noite de verão.

Mas espere! O teto de uma caminhonete azul-escuro que estava sob o sol mediu 81°C, mais que suficiente para endurecer tanto a clara quanto o ovo. E como o aço é bom condutor de calor, a temperatura poderia ser mantida pelo calor que vinha para o ovo de outras partes do teto. Talvez carros, e não ruas e calçadas, sejam a maneira certa de se fazer a coisa.

Na verdade, depois de ter descrito minha experiência na minha coluna do jornal, um leitor me escreveu para dizer que viu, num cinejornal sobre a Segunda Guerra Mundial, dois soldados do Afrika Korps fritarem um ovo no para-choque de um tanque. "Eles limparam um pedaço", escreveu ele, "despejaram um pouco de óleo, espalharam-no um pouco e quebraram dois ovos na superfície. As claras ficaram opacas tão rapidamente quanto como se estivessem numa frigideira."

Olhei no Almanaque e descobri que a temperatura mais alta já registrada foi de 58°C em 13 de setembro de 1922, em Azizia, na Líbia, não muito longe de onde estava o tanque alemão.

Outra leitora escreveu que ela e alguns amigos uma vez cozinharam um ovo numa calçada em Temple, Arizona, quando a temperatura do ar era de 50°C, embora ela não tivesse medido a temperatura da calçada.

"O ovo saiu diretamente da geladeira", escreveu ela. "Quebramos ele diretamente na calçada e imediatamente a clara começou a cozinhar. Em menos de 10 minutos a gema rompeu-se... e espalhou-se, e o ovo todo cozinhou. Pensamos que talvez tivesse sido um feliz acidente a gema ter-se rompido, de modo que tentamos outro, e a gema também se rompeu nesse outro, mais ou menos no mesmo tempo."

Agora, é claro que tive de descobrir por que as gemas dos ovos se romperam e estragaram a possibilidade de se preparar um ovo estrelado de rua. Só podia imaginar, mas minha leitora me deu a pista.

"Voltamos para dentro de casa", continuou ela, "e um pouco depois minha amiga nos disse que era melhor ir limpar os ovos antes que o marido dela chegasse, de modo que voltamos para fora. Os ovos estavam completamente desidratados e quebrados em pedacinhos, e havia um monte de formigas levando os pedaços; não tivemos o que limpar."

Aha! É esta a resposta: *desidratação*. No Arizona, a umidade do ar pode ser tão baixa a ponto de ser quase inexistente, de modo que os líquidos evaporam e secam num segundo. O que deve ter acontecido é que a superfície da gema do ovo secou rapidamente, tornou-se quebradiça e rompeu-se, derramando seu conteúdo ainda líquido. Ao final, o mexido de ovo secou e quebrou-se em plaquetas pequenas, como lama num lago seco. As plaquetas eram do tamanho exato para que felizes formiguinhas as levassem seja para onde quer que formigas tomem seu chá da tarde.

A coisa maravilhosa a respeito de ciência é que ela consegue explicar até coisas que ninguém está interessado em saber.

GRELHADOS: CARVÃO OU GÁS?

Qual o melhor tipo de fogo para fazer grelhados: carvão ou gás?

A resposta a esta pergunta é um inequívoco "depende". Você pode preparar um frango queimado por fora, cru por dentro tão bem sobre carvões quanto sobre uma chama de gás.

Como em todo processo culinário, o que importa é quanto calor o alimento absorve; afinal, é isso o que determina seu grau de cozimento. Assar na grelha impõe a quantidade necessária de calor, submetendo o alimento a uma temperatura alta durante um período de tempo curto, de modo que uma pequena diferença no tempo de cozimento pode fazer uma diferença muito grande entre suculência e cinzas.

O problema de assar na grelha é que é difícil controlar a temperatura. É fácil ajustar-se uma chama de gás, mas, com o carvão, você tem de ajustar a temperatura constantemente por malabarismos tais como mudar o alimento de lado, para um local mais quente ou mais frio, levantando ou baixando a grelha e amontoando o carvão para torná-lo mais quente ou espalhando-o para que esfrie. E as regras do jogo mudam, dependendo de se você estiver usando uma grelha coberta ou não.

Os ingredientes de qualquer fogo são dois: combustível e oxigênio. Se não houver oxigênio em quantidade suficiente, o processo de combustão será incompleto, e uma parte do combustível não queimado vai aparecer como fumaça e uma chama amarela. A cor amarela vem de partículas de carbono não queimadas, que são aquecidas à incandescência. Como a combustão nunca é 100% completa, haverá também produção de um pouco do venenoso monóxido de carbono, e não de dióxido de carbono. É por isso que você nunca deve fazer churrasco ou grelhar coisas dentro de casa.

Para cozinhar, queremos combustão completa, de modo que é indispensável que o combustível receba ar em quantidades suficientes. (Alimentos defumados são feitos privando-se deliberadamente a madeira aquecida de oxigênio.) Numa grelha a gás bem regulada, o gás é automaticamente misturado com a quantidade certa de ar a caminho do queimador; em grelhas a carvão, você tem de manipular as aberturas de ventilação.

Quando os homens das cavernas descobriram o fogo e grelharam seus primeiros mastodontebúrgueres, sem dúvida o combustível era madeira. Mas madeiras contêm substâncias resinosas e seiva que não queimam completamente e, portanto, produzem chamas sujas. As madeiras de lei contêm menor quantidade dessas substâncias, e madeiras de lei ainda são as preferidas para usar na grelha por puristas que acreditam que não há combustível que se iguale a um combustível antigo e que valorizam o sabor exclusivo, defumado, proporcionado por um fogo de madeira.

A pergunta mais boba que as pessoas fazem é se devem usar carvão ou gás – e, é claro, que tipo de equipamento devem usar. Hoje em dia, os equipamentos podem ir desde churrasqueiras improvisadas a monumentais churrasqueiras de casas de condomínio, dotadas de tudo, só faltando nadadeiras na cauda e radar.

O carvão é madeira que foi aquecida a uma temperatura alta, mas na ausência de ar, para que não queime. Toda a seiva e as resinas são decompostas ou expulsas, deixando o carbono quase puro, e ele queimará lenta, silenciosamente e de modo limpo. O carvão de madeira de lei natural, ainda com os feitios dos pedaços de madeira de que foi feito, não contém aditivos e não dá sabores estranhos à comida. O carvão em briquetes, por outro lado, é fabricado de serragem, raspas de madeira e pó de carvão, unidos por uma substância aglutinante. O carvão está longe do carbono puro, no entanto; ele contém um sortimento de substâncias químicas parecidas com petróleo, cuja fumaça pode afetar o sabor da comida.

O combustível inflamável mais limpo de todos é o gás, seja ele o propano, vendido em botijões, ou o assim chamado gás natural (metano), que é encanado para as nossas casas. As grelhas a gás são feitas dos dois tipos. Pode-se dizer que os gases não contêm impurezas e queimam produzindo essencialmente nada além de dióxido de carbono e água.

Mas e aquele "gostinho de carvão" que todo muito valoriza tanto? Você consegue obtê-lo cozinhando com uma chama de gás?

O maravilhoso sabor de grelhado não vem do carvão, mas do douramento intenso que ocorre na superfície do alimento tostada pela alta temperatura. Vem também da gordura derretida que, ao pingar numa superfície quente – um carvão incandescente, ou as pedras de lava de uma grelha a gás, ou nas barras de porcelana –, é vaporizada e manda a fumaça para cima, para condensar-se na superfície da comida.

Mas se uma quantidade excessiva de gordura pinga, você vai ter chamas súbitas que não são desejáveis, porque a gordura, embora constitua um ótimo combustível, não tem tempo nem oxigênio para queimar completamente, produzindo, portanto, uma chama amarela, fuliginosa, que lambe a sua comida, carbonizando-a e depositando substâncias químicas horríveis e sabores desagradáveis. Para evitar queimar os bifes, apare a maior parte da gordura antes, e se irromperem chamas, retire a carne até que as chamas desapareçam.

E aí vem o problema de acender os carvões. Nenhum combustível começa a queimar se não estiver quente o bastante para que um pouco dele se transforme em vapor. Só então suas moléculas misturam-se com as moléculas de oxigênio do ar; a reação dessa mistura produz calor e é chamada de combustão. Uma vez iniciada a reação de combustão, o calor que ela libera continua vaporizando mais combustível, e o processo todo se torna autossustentável.

O gás, é claro, já é vaporizado, de modo que você só precisa de uma faísca ou um fósforo para que a combustão entre em andamento. Mas o bicho-papão de grelhar em carvão é conseguir que ele fique quente o suficiente para realizar a importantíssima vaporização inicial. É aí que entra o combustível de iniciação, o combustível que acende o combustível. Você pode usar como combustível inicial fluido de isqueiro, que é um derivado líquido do petróleo (que fica entre a gasolina e o óleo combustível). Se você esperar um minuto para que ele encharque o carvão antes de acendê-lo, a maior parte de seus fumos serão absorvidos. Só que, na minha opinião, o carvão é o campeão mundial da retenção de odores (é usado em purificadores de água e em máscaras contra gases), e o cheiro do fluido na verdade jamais acaba completamente. Os acendedores elétricos funcionam lentamente, mas são eficientes se você tiver eletricidade à mão. Na minha opinião, a melhor maneira de iniciar um fogo a carvão é fazer uma chaminé de jornal, que é rápida e não tem cheiro. É só enfiar uns jornais nela, enchê-la de carvão, acender o papel, e, em 15 ou 20 minutos, o carvão vai estar bem aceso e pronto para ser jogado na grelha.

Um acendendor a carvão tipo chaminé, onde jornais amassados são colocados nos buracos na base.

A questão mais incandescente de todas, no entanto, é qual é o melhor combustível: gás ou carvão? Ambos têm adeptos fiéis. Eu, pessoalmente, prefiro o carvão por duas razões. Uma, há grelhas de gás vagabundas demais no mercado, que não produzem mais calor do que um isqueiro Zippo. E outra, enquanto a queima do carvão só produz dióxido de carbono, a queima de gás produz dióxido de carbono e água. Embora eu não tenha feito experimentos, creio que o vapor d'água pode impedir que a comida fique tão quente quanto no caso do fogo de carvão, e a temperatura alta, seca, é a essência do sucesso dos grelhados.

Legumes "grelhados" no forno

Grelhas ao ar livre são ótimas para carnes de peixe, mas para a maior parte dos legumes pode ser um problema. Você coloca-os na grade e eles tendem a cair no fogo; você coloca-os em espetos e algumas partes queimam enquanto outras cozinham.

Tostar legumes num forno potente é muito mais fácil. O resultado são legumes lindamente dourados, macios, com um sabor bem parecido ao grelhado, mas mais suave. Você pode assar uma variedade de legumes bem coloridos e servi-los no mesmo prato em que foram assados, uma travessa ou caçarola refratária larga, rasa. Ou pode tostá-los num tabuleiro e transferi-los para uma travessa. Os diversos legumes irão cozinhar no mesmo período de tempo, porque são mais ou menos do mesmo tamanho. →

- 2 cebolas grandes, descascadas e com um corte em cruz no topo
- 1 pimentão vermelho inteiro, cortado ao meio, sem o miolo, as sementes e as nervuras
- 1 pimentão amarelo inteiro, cortado ao meio, sem o miolo, as sementes e as nervuras
- 1 abobrinha média, sem o talo
- 1 abóbora amarela média, sem o talo
- 2 tomates maduros, cortados ao meio, sem as sementes
- 3 cenouras grandes inteiras, descascadas
- 6 talos grossos de aspargos
- 1 cabeça de alho, cortado o topo
- azeite extra virgem
- sal grosso
- galhinhos de tomilho e folhas de manjericão para guarnecer

1. Preaqueça o forno a 200°C. Lave todos os legumes e arrume-os de modo atraente numa travessa refratária rasa, larga, bonita o bastante para ir à mesa. Ou arrume-os numa camada única num tabuleiro. Salpique tudo com azeite de oliva.

2. Asse numa prateleira baixa do forno por cerca de 50 a 60 minutos, até que as beiradas dos legumes estejam um tanto douradas. Retire a travessa ou o tabuleiro do forno para esfriar.

3. Se você estiver usando o tabuleiro, transfira os legumes para uma travessa. Para servir, corte as cebolas em quatro. Esfregue a pele dos pimentões com os dedos, para retirá-la, e corte a polpa em pedaços grandes. Corte a abobrinha, a abóbora, os tomates e as cenouras em nacos ou tiras. Deixe os aspargos e a cabeça de alho inteiros. Não esqueça de recolher os sucos acumulados e pô-los de volta em cima dos legumes com uma colher.

4. Salpique os legumes com azeite extra virgem e com sal grosso. Guarneça com as ervas. Sirva à temperatura ambiente ou quente, com torradas. Espalhe o alho assado, macio, no pão.

- Rende cerca de 4 porções

COMO DESCONGELAR

Qual a maneira melhor e mais rápida de descongelar alimentos congelados?

Sei o que você quer dizer. Você volta para casa depois de um dia duro de trabalho. Não está a fim de cozinhar e não encara a discussão em torno de um restaurante. Para onde você se vira?

Para o freezer, é claro.

Ao examinar seus congelados, você não está pensando no que está lá ("por que não pus etiquetas nessas embalagens?"), mas no que pode descongelar no menor espaço de tempo.

Suas opções são:

1. deixar na bancada da cozinha enquanto você examina o correio
2. pôr de molho numa pia cheia d'água
3. o método melhor e mais rápido de todos, que divulgarei na hora certa e que, prometo, irá deixá-lo espantado.

Para alimentos comercialmente congelados, é só seguir as instruções. Você não acreditaria no exército de economistas domésticos e técnicos que ralaram para determinar os melhores métodos de descongelar os produtos de suas companhias na cozinha doméstica. Confie neles.

Embora as instruções para descongelar que aparecem nas embalagens comerciais muitas vezes envolvam um forno de micro-ondas, no descongelamento de alimentos preparados em casa isso em geral não funciona, porque é difícil evitar que as regiões externas do alimento comecem a cozinhar.

"Comida congelada" é um termo um tanto errado. Falando do ponto de vista técnico, congelar significa converter uma substância do estado líquido para o estado sólido, diminuindo-se a temperatura dela abaixo do ponto de congelamento. Mas as carnes e os legumes já estão sólidos ao serem postos no freezer. É o conteúdo de água deles que congela em cristais minúsculos, e esses cristais são o que faz com que a comida fique dura. A tarefa de descongelar, então, é transformar esses cristais minúsculos de volta na forma líquida.

Como é que você derrete gelo? Ora, é claro que você o aquece. O primeiro problema, então, é encontrar uma fonte de calor que forneça temperaturas baixas. Se essa expressão parece paradoxal, por favor, dê-se conta de que calor e temperatura são coisas muito diferentes.

Calor é energia, a energia que as moléculas em movimento apresentam. Todas as moléculas movem-se num determinado grau, de modo que há calor por toda parte, em tudo. Até os cubos de gelo têm calor. Não tanto quanto uma batata quente, mas têm.

Por outro lado, temperatura, como já observei antes, é apenas um número conveniente pelo qual os seres humanos expressam a velocidade do movimento das moléculas. Se as moléculas de uma substância estão se movendo mais rápido, em média, que as moléculas de outra, dizemos que a primeira substância está a uma temperatura mais alta, ou está mais quente que a outra.

A energia calorífica vai se transferir automaticamente de uma substância mais quente para uma mais fria, adjacente a ela, porque a moléculas mais rápidas da substância quente podem chocar-se contra as moléculas da substância fria, fazendo com que *estas* se movimentem com maior rapidez. É claro, então, que poderíamos aquecer nossa comida congelada simplesmente pondo-a em contato com uma substância quente, como o ar num forno quente. Mas isso iria cozinhar as partes de fora da comida antes que o calor conseguisse penetrar nas partes internas.

O ar na nossa cozinha está a uma temperatura muito moderada, se comparada ao ar num forno quente, mas ainda assim contém bastante calor, que pode ser usado para descongelar alimentos. Então deveríamos apenas deixar a comida ao ar? Não. Demoraria muito para o ar transferir o calor dele, porque o ar é um dos piores condutores de calor que você pode imaginar. As moléculas do ar estão muito afastadas para baterem em outras moléculas. Além disso, o descongelamento lento, pelo ar, é perigoso, porque pode haver o crescimento rápido de bactérias nas partes de fora, que são as primeiras a degelar.

E pôr de molho em água. A água é um condutor de calor muito melhor que o ar, porque suas moléculas estão muito mais próximas. Se a embalagem do alimento for hermética (se você não tiver certeza, ponha-o num desses sacos plásticos com zíper, depois de expulsar o máximo de ar possível), e então, claro, ponha-o numa tigela – ou, no caso de um frango ou peru inteiro, numa pia ou bacia grande – cheia de água fria. Como a ave congelada fará com que a água fique ainda mais fria, mude a água a cada meia hora, e o processo inteiro ficará ainda mais rápido.

O método mais rápido de todos, revelo agora, é pôr a comida congelada, desembrulhada, numa frigideira pesada não aquecida. É, sem aquecê-la. Os metais são os campeões dos condutores de calor, porque têm zilhões de elétrons soltos, conseguindo transmitir energia até melhor do que as moléculas se entrechocando. A frigideira de metal irá conduzir o calor do ambiente com grande eficiência para a comida congelada, degelando-a em tempo recorde. Quando mais pesada a frigideira, melhor, porque o metal mais espesso consegue conduzir mais calor por minuto. Comidas planas, como bifes e costeletas, vão descongelar mais rapidamente, porque ficam mais em contato com a frigideira; então lembre-se disso ao fazer suas embalagens para o freezer. (Assados redondos, volumosos e frangos ou perus inteiros não irão descongelar muito mais depressa na frigideira do que na bancada; no entanto, nenhum dos dois métodos é recomendado por causa do perigo de crescimento de bactérias. Degele-os em água fria ou na geladeira.) Por acaso frigideiras antiaderentes não funcionam, porque a camada de revestimento é má condutora de calor, nem uma frigideira de ferro fundido, porque é porosa.

Descobri o macete da frigideira quando fazia experiências com uma dessas bandejas de descongelamento "milagrosas", vendidas em catálogos e lojas de artigos para cozinhas. Elas supostamente são feitas de uma "liga avançada, supercondutiva, da era espacial", que "retiram o calor diretamente do ar". Bem, a liga da era espacial acabou sendo alumínio comum (eu analisei), e ele "retira o calor do ar" exatamente como uma frigideira de alumínio e exatamente pelas mesmas razões.

Então, guarde o método da água para as coisas volumosas e ponha o bife ou filé congelado numa frigideira pesada. Descongelará antes que você consiga dizer: "Onde é que botei as ervilhas congeladas?". Bem, não tão rápido, mas muito mais rápido do que você imaginaria.

ABRINDO A MASSA

Por que os livros de culinária recomendam abrir massa de confeitaria numa superfície de mármore?

Massa de confeitaria deve ser mantida fria enquanto está sendo estendida, para que a gordura – na maior parte das vezes gordura sólida, como manteiga, banha ou gordura vegetal – não derreta e encharque a farinha. Se encharcar, a massa de torta irá ficar com a textura de um papelão de embalagem. A massa podre é produzida quando muitas camadas finas de massa são mantidas separadas umas das outras por camadas de gordura. No forno, as camadas de massa separadas começam a firmar-se e, na hora em que a gordura derrete, o vapor da massa terá forçado as camadas a ficarem permanentemente separadas.

O mármore é recomendado como superfície para estender a massa porque, de acordo com os livros, "é frio". Mas isso é maltratar o conceito de temperatura, porque o mármore não é nem um pouco mais frio do que qualquer outra coisa no ambiente.

Mas, você vai protestar, o mármore "dá a sensação" de frio. É, dá. Do mesmo modo que o "aço frio" do seu facão de *chef* e todas as suas panelas e pratos. Na verdade, vá correndo até a cozinha imediatamente (eu espero), pegue qualquer coisa que não seja o gato e aperte contra a testa. Caramba, tudo dá a sensação de frio! O que está acontecendo por aqui?

O que está acontecendo é que a temperatura da sua pele está a cerca de 37°C, enquanto a temperatura da cozinha e de tudo o mais está por volta dos 21°C. Será então surpresa que as coisas deem a sensação de frias quando estão, de fato, 16°C mais frias do que a sua pele? Quando você toca um desses objetos, o calor passa da sua pele para o objeto, porque o calor sempre passa de uma temperatura maior para uma menor. Sua pele privada de calor manda então a mensagem "sinto um frio pouco comum" para o cérebro.

Então, não é que o objeto esteja frio; sua pele é que está quente. Como Einstein nunca disse: "tudo é relativo".

Mas nem todas as coisas parecem frias do mesmo modo, embora estejam todas à mesma temperatura ambiente de 21°C. Volte à cozinha, por favor. Observe que a lâmina de aço da faca parece mais fria do que, digamos, a tábua de cortar. Será mesmo mais fria? Não, porque os dois objetos estão no mesmo ambiente durante tempo suficiente para alcançarem a mesma temperatura.

A lâmina de aço da faca parece mais fria na testa do que a tábua de madeira porque o aço, como todos os metais, é um condutor de calor muito melhor do que a madeira. Em contato com a pele, ele conduz o calor para o ambiente muito mais depressa do que a madeira; portanto, esfria sua pele mais depressa.

O mármore não é um condutor de calor tão bom como o metal, mas é dez a vinte vezes melhor do que a madeira ou o balcão de plástico laminado. Do mesmo modo como o mármore parece ser mais frio na pele, também parece mais frio para a massa, já que retira mais depressa o calor gerado pelo rolo de abrir. Desse modo, a massa não aquece o suficiente para derreter a gordura.

Está bem, está bem, estou discutindo minúcias. Se alguma coisa dá a sensação de frio, funciona como se fosse frio, bolas, não podemos então dizer que é frio? Fique à vontade. Diga que o mármore é frio. Mas alegre-se secretamente em saber que isso não é exatamente correto.

Empanadas fáceis

Em espanhol, *empanada* que dizer "coberto de pão", palavra derivada de *pan*, que quer dizer pão. Mas essa expressão é meio enganosa, porque hoje, na América Latina, empanada é uma massa recheada – quase qualquer tipo de massa feita de farinha de trigo ou de milho e recheada com quase qualquer coisa imaginável, mas em geral com carnes ou frutos do mar de algum tipo. Podemos chamá-las de pastéis ou de tortas de carne individuais, e elas podem tanto ser assadas no forno como fritas por imersão. Cada país da América Latina tem a sua própria versão. Se você organizar seu local de trabalho como uma linha de montagem, pode montá-las rapidamente.

Nesta variação, um recheio tradicional é envolvido em massa folhada comprada, em vez de massa de torta feita em casa. Isso evita o trabalho de fazer a massa. Mas é especialmente importante abrir a massa numa superfície "fria", como o mármore. Se você não tiver mármore, abra-a o mais rapidamente possível numa tábua de madeira.

Você encontra massa folhada congelada na seção de congelados do supermercado. Pode-se substituir a carne de boi por peru ou frango.

- 1 pacote de 480g de massa folhada congelada
- 1 colher de sopa de azeite de oliva
- ½ xícara de cebola bem picada
- ½ xícara de pimentão vermelho bem picado
- 1 dente de alho bem picado
- 500g de carne moída
- 2 colheres de chá de farinha de trigo
- 1 colher de sopa de pimenta vermelha em pó
- 1 colher de chá de sal
- ½ colher de chá de pimenta calabresa
- ½ colher de chá de orégano seco
- ½ colher de chá de cominho moído
- ¼ de colher de chá de cravo-da-índia moído
- pimenta-do-reino moída na hora, a gosto
- 3 colheres de sopa de *ketchup*
- 1 gema grande misturada com 1 colher de sopa de água

1. Deixe a massa folhada descongelar na geladeira durante 8 a 12 horas.

2. Aqueça o azeite numa frigideira grande, em fogo médio-alto e cozinhe as cebolas e o pimentão até que fiquem macios, durante 5 minutos. Junte o alho e cozinhe por mais 1 minuto. Acrescente a carne moída e cozinhe até dourar e ficar em migalhas, cerca de 5 minutos. Tire a gordura acumulada. Retire do fogo.

3. Misture a farinha, as especiarias e os temperos numa tigela pequena. Junte-os à carne e misture bem. Acrescente o *ketchup* e mexa de novo. Prove o tempero. Deverá estar picante.

4. Transfira a mistura para um tabuleiro de biscoitos de 25 x 38cm e espalhe numa camada fina para esfriar. Os pastéis são feitos rapidamente se você fizer uma linha de montagem. Divida o recheio em 18 porções pequenas de 2 colheres de sopa cada. Um jeito de fazer isso é: usando uma espátula de metal, forme o recheio em três fileiras compridas e depois divida cada fileira em 6 seções, de modo que o recheio esteja agora em 18 porções pequenas. Reserve.

5. Preaqueça o forno a 200°C.

6. Retire o pacote de massa folhada congelada da geladeira. Ponha-a sobre uma superfície bem enfarinhada. A massa estará bastante dura. Assim que estiver mole o suficiente para ser desdobrada sem quebrar, abra-a. Polvilhe os dois lados com um pouco de farinha.

7. Usando uma faca afiada, corte a folha de massa em três tiras compridas, ao longo das marcas de dobra. Abra cada tira no sentido do comprimento, fazendo uma tira mais comprida ainda. Pegue uma das tiras espichadas e corte-a em seis porções. Abra os pedaços com um rolo, bem finos, em quadrados de 12 x 12cm. Enfarinhe ligeiramente os quadrados e empilhe-os de um lado. Repita o mesmo procedimento com a segunda tira de massa. Você terá 18 quadrados.

8. Faça as empanadas: ponha um quadrado de massa na superfície enfarinhada. Usando um pincel pequeno, macio, pincele uma tira de 1,5cm da mistura de gema nas beiradas de baixo e da esquerda. Ponha uma porção da mistura de carne do quadrado, mais ligeiramente para o lado que está pincelado. Dobre a outra metade da massa para formar um pastel quadrado. Aperte as beiradas. Com os dentes de um garfo, sele as beiradas. Corte as beiradas

→

irregulares com uma faca afiada, se necessário. Transfira os pastéis para um tabuleiro. Repita até acabar toda a massa e todo o recheio.

9. Pincele ligeiramente as empanadas com o restante da mistura de gema de ovo. Com a ponta de uma faca pequena, fure dois buracos no topo de cada uma, para que o vapor possa sair. Asse por 18 a 20 minutos até ficarem inchadas e douradas. Embrulhe individualmente e congele.

▸ Rende 18 empanadas

ÁGUA QUENTE CONGELA MAIS DEPRESSA?

Meus convidados devem chegar para uma festa dentro de três horas e preciso fazer gelo rapidamente. Ouvi dizer que a água quente congela mais depressa do que água fria. Devo pôr água quente nas minhas formas de gelo?

O paradoxo de que a água quente congela mais depressa vem sendo debatido pelo menos desde o século XVII, quando sir Francis Bacon escreveu a esse respeito. Mesmo hoje em dia, os canadenses afirmam que um balde de água quente deixado do lado de fora durante o inverno congelará mais depressa do que um balde de água fria. Os cientistas, no entanto, não conseguiram explicar por que os canadenses deixam baldes de água do lado de fora no inverno.

Mas, acreditem ou não, a água quente pode realmente congelar mais depressa do que a água fria. Algumas vezes. Sob determinadas circunstâncias. Depende de um monte de coisas.

Parece impossível, intuitivamente, porque a água quente simplesmente tem um caminho mais longo a percorrer na corrida para baixo, em direção ao 0°C. Para cada 0,12°C que meio litro de água esfrie, essa água precisa perder cerca de uma caloria de calor. Então, quanto maior o número de graus que a água tem de cair, mais calor tem de ser retirado dela, o que significa um tempo de resfriamento maior, se todas as demais condições forem as mesmas.

Mas de acordo com a Lei de Wolke da Perversidade Difusa, todas as demais condições nunca são as mesmas. Como veremos, água quente e fria são diferentes em mais aspectos do que suas temperaturas.

Ao serem acuados e pressionados por uma explicação de como seria possível a água quente congelar antes, os químicos provavelmente resmungariam alguma coisa a respeito de a água conter mais ar dissolvido e de substâncias dissolvidas abaixarem a temperatura de congelamento da água. É verdade, mas é simples. A quantidade de ar dissolvido na água fria da torneira abaixaria a temperatura de congelamento em menos de um milésimo de grau, e nenhuma corrida de congelamento consegue ser controlada com essa precisão. A explicação do ar dissolvido não se sustenta.

Uma diferença real entre a água quente e a água fria é que quanto mais quente uma substância, mais rapidamente ela irradia calor para o ambiente ao seu redor. Ou seja, a água quente esfria a uma velocidade maior – mais graus por minuto – do que a água fria. A diferença será especialmente grande se os recipientes forem largos, expondo grandes superfícies de água. Mas isso ainda não quer dizer que a água quente irá alcançar a linha de chegada antes, porque não importa o quão rapidamente esfrie no início, o máximo que ela consegue é atingir a temperatura da água fria. Depois disso, é pau a pau.

Uma diferença mais significativa entre água quente e água fria é que a água quente evapora mais rapidamente do que a água fria. Então, se começarmos tentando congelar a mesma quantidade de água quente e fria, haverá menos água sobrando no recipiente de água quente, quando se chegar na hora da verdade, 0°C. Menos água, naturalmente, congelará em menos tempo.

Poderia isso, de fato, fazer alguma diferença significativa? Bem, a água é um líquido pouco comum sob diversos aspectos. Um desses aspectos é que se deve retirar uma quantidade enorme de calor da água antes que a temperatura dela caia grande coisa. (Papo técnico: a água tem uma alta capacidade calórica.) Desse modo, mesmo se o recipiente de água quente tiver pedido só um pouco mais de água por evaporação do que o recipiente de água fria, ele exigirá muito menos resfriamento para congelar.

Agora, não vá correndo para a cozinha para tentar isso com cubos de gelo, porque simplesmente há muitos outros fatores. De acordo com a Lei de Wolke, as duas formas de cubos de gelo nunca serão idênticas. Elas não estarão exatamente no mesmo lugar e exatamente à mesma temperatura, e não estarão necessariamente sendo esfriadas na mesma velocidade. (Uma está mais perto das serpentinas de resfriamento do freezer?) Além disso, como é que você vai conseguir dizer exatamente quando a água congelou? Na primeira camada de gelo na parte de cima? Isso não quer dizer que a forma toda já tenha alcançado 0°C. E você não pode ficar olhando a toda hora, porque abrir a porta do freezer pode provocar correntes de ar imprevisíveis que irão afetar as taxas de evaporação.

O mais frustrante de tudo, água parada tem o costume perverso de ficar abaixo de 0°C antes de congelar. (Papo técnico: supercongela.) Ela pode se recusar a congelar até que alguma influência externa altamente imprevisível a perturbe, como uma vibração, um grão de poeira ou um arranhão na superfície interna do recipiente. Em resumo, você estará numa corrida com uma linha de chegada muito pouco definida. Ciência não é fácil.

Mas eu sei que isso não o impedirá de fazer a experiência. Vá em frente e meça quantidades iguais de água quente e fria, ponha-as em formas de gelo idênticas e não aposte muito no resultado.

CONGELAR OVOS?

Ovos crus, inteiros, podem ser congelados? Tenho quase duas dúzias de ovos que não conseguirei usar antes de sair em viagem e detesto ter de deixá-los estragar.

Eu também detesto ver comida estragar, mas, nesse caso, o congelamento dos ovos poderá causar mais problemas do que vantagens. Para começar, as cascas provavelmente quebrarão, porque, como você pode prever, as claras expandem-se quando congelam, igual à água quando vira gelo. Não há nada que você possa fazer a esse respeito. Poderá também haver alguma deterioração do sabor, dependendo de quanto tempo você os mantiver no freezer.

Mais problemático é o fato de que as gemas estarão espessas e grudentas quando você as degelar. A isso se chama gelificação – a formação de um gel. Isso acontece porque, à medida que os ovos congelam, algumas das moléculas de proteína unem-se numa rede que prende grandes quantidades de água, e elas não conseguem soltar-se depois de degeladas. A gema de ovo engrossada não será muito boa para fazer pudins ou molhos, nos quais a textura lisa é importante. O uso das gemas engrossadas em outras receitas poderá ser arriscado, e, se uma receita não der certo, você estará perdendo muito mais do que alguns ovos.

Da próxima vez, deixe os ovos na geladeira, se sua viagem não for de mais de algumas semanas, ou cozinhe-os antes de sair.

Fabricantes de comidas industrializadas usam toneladas de ovos congelados em alimentos assados, maionese e outros produtos. Eles evitam que as gemas fiquem grudentas acrescentando 10 partes de sal ou de açúcar para cada cem partes de ovos descascados, batidos antes de serem congelados. Acho que você poderia fazer isso também, se quisesse se dar a esse trabalho, mas o sal ou o açúcar iriam certamente limitar o uso dos ovos.

QUEIMADURA POR CONGELAMENTO

O que acontece exatamente com comida queimada por congelamento?

"Queimadura de freezer" deve ser um dos paradoxos mais ridículos que existem. Mas dê uma boa olhada naquela costeleta de porco que está no freezer há mais tempo do que se pretendia. A superfície ressecada e encolhida não dá a impressão de ter sido crestada?

O dicionário diz que *crestado* não se refere necessariamente a calor; quer dizer murcho ou ressecado, não importa o que provocou o ressecamento. Note que as manchas de "queimadura" na pobre costeleta de porco estão mesmo secas e ásperas, como se toda a água tivesse sido sugada.

O frio, por ele mesmo, consegue secar alimentos congelados, especialmente quando a água está sob a forma de gelo? Consegue sim. Enquanto a desamparada costeleta estava enlanguescendo no freezer, alguma coisa estava roubando moléculas de água de sua superfície congelada.

Eis como moléculas de água, mesmo estando firmemente ancoradas em gelo sólido, conseguem ser levadas para outro local.

Uma molécula de água irá migrar espontaneamente para qualquer local que ofereça um clima mais hospitaleiro. E para moléculas de água, isso quer dizer um lugar tão frio quanto possível, porque é lá que terão a menor quantidade de energia de calor, e "todas as demais condições sendo iguais" (ver Lei de Wolke da Perversidade Difusa, na página 181), a Natureza sempre favorece a energia mais baixa. Desse modo, se o envoltório do alimento não estiver absolutamente hermético, a água migrará através dele, dos cristais de gelo no alimento, para qualquer outro lugar minimamente mais frio, como as paredes do freezer. (É por isso que freezer que não seja "frost-free" deve ser descongelado.) O resultado final é que as moléculas de água saíram do alimento, e a superfície dele fica ressecada, rugosa e manchada. Parecendo queimada.

É claro que isso não acontece do dia para a noite; esse é um processo lento que acontece molécula a molécula. Mas pode ser retardado a praticamente zero usando-se um material de embalagem que bloqueie moléculas de água ambulantes. Algumas embalagens plásticas são melhores para isso do que outras.

Moral nº 1: para guardar alimentos congelados durante muito tempo, use um material especificamente projetado para congelamento, por causa de sua impermeabilidade à migração de moléculas de água. As melhores de todas são as embalagens de plástico grosso, seladas a vácuo, que são bastante impermeáveis ao vapor d'água. O papel de freezer obviamente é bom; tem uma camada de revestimento plástico à prova d'água. Mas envoltórios plásticos normais para alimentos são feitos de diversos materiais, alguns melhores que outros. O cloreto de polivinilidina é o melhor, e o cloreto de polivinil (PVC) também é bom. Leia as letras miúdas no pacote de filme plástico para saber do que é feito. Os envoltórios de alimentos de polietileno fino e os sacos comuns de armazenar alimentos não são muito bons, mas os "freezer-bags" de polietileno servem, porque são mais grossos que o comum.

Moral nº 2: embrulhe os alimentos sem deixar bolhas de ar. Qualquer espaço de ar dentro de uma embalagem deixará que as moléculas de água flutuem através dele para a parede interna do envoltório, onde é mais frio, e lá elas ficam como gelo.

Moral nº 3: ao comprar alimentos já congelados, tente sentir se há cristais de gelo ou "neve" no espaço dentro da embalagem. De onde você acha que veio a água (para formar o gelo)? Certo: da comida. Então, ou ela tornou-se desidratada por ter sido guardada tempo demais numa embalagem frouxa, ou já foi degelada, o que libera os sucos do alimento, e depois recongelada. Em qualquer desses casos, o alimento não foi bem tratado e, embora ainda seja seguro para comer, terá gosto estranho e textura ruim.

SOPRANDO A COMIDA

Por que quando sopramos na comida quente ela esfria?

Como já aprendemos por experiência própria, quando a polícia das boas maneiras estava olhando para o outro lado, esfriar alimentos soprando sobre eles funciona melhor com líquidos, ou pelo menos com comida úmida. Você não vai diminuir consideravelmente a temperatura de um cachorro-quente soprando sobre ele, mas chá, café e sopa quentes são notórios por inspirar maus modos à mesa. De fato, isso funciona tão bem que deve haver alguma coisa a mais acontecendo, além do mero fato de que ar assoprado é mais frio do que a comida.

O que está acontecendo é a evaporação. Quando você sopra, você está acelerando a evaporação do líquido, do mesmo modo que soprar o esmalte de unha faz ele secar mais depressa. Agora, todo mundo sabe que a evaporação é um processo de resfriamento, mas quase ninguém sabe por quê.

Eis por quê.

As moléculas na água estão se movimentando em diversas velocidades. A velocidade média reflete-se no que chamamos de temperatura. Mas isso é apenas a média. Na verdade, há uma ampla variedade de velocidades. Algumas moléculas apenas ficam por ali, enquanto outras andam como loucas. Agora adivinhe quais delas têm maior probabilidade de voar para o ar, se por acaso estiverem na superfície. Certo, as rápidas, de alta energia. As mais quentes. Então, à medida que a evaporação prossegue, saem mais moléculas quentes do que frias, e a água resultante fica mais fria do que estava.

Mas por que soprar? Soprar na superfície acelera a evaporação porque arranca as moléculas recém-evaporadas e abre lugar para mais moléculas. Evaporação mais rápida provoca esfriamento mais rápido.

A senhorita Boas Maneiras realmente não gosta de algumas das aplicações da ciência da gastronomia.

capítulo 7

Líquido e certo

No curso Química 1, todos nós aprendemos que a matéria se apresenta sob três estados físicos: sólido, líquido e gasoso. E o mesmo acontece com os nossos alimentos, embora a maior parte deles não esteja puramente em um ou outro estado.

Combinações estáveis de sólido e gás são chamadas de espuma e esponja, estruturas sólidas, porosas, preenchidas com bolhas de ar ou gás carbônico e geralmente criadas quando são misturadas com um batedor. Pense nos pães, bolos, merengues, marshmallows, suflês e musses. Se conseguem absorver grandes quantidades de água sem se dissolver, como os pães e os bolos, trata-se de uma esponja; se é decomposto e dissolve-se na água, como o merengue, é uma espuma.

Combinações estáveis de dois líquidos que normalmente não se misturam, como óleo e água, são chamadas de emulsões. Numa emulsão, um dos líquidos é disperso no outro em glóbulos tão minúsculos que permanecem suspensos e não se depositam. O exemplo principal é a maionese, uma mistura temperada de óleo vegetal, ovos ou gemas (que são metade água) e vinagre ou suco de limão. É feita acrescentando-se o óleo aos poucos, batendo-o vigorosamente na mistura aquosa de ovo e vinagre. O óleo se desmancha em gotículas que não se separam do ovo e do vinagre.

Bebidas são alimentos no estado líquido. Têm invariavelmente a água como base, mas podem conter diversas quantidades de outro líquido: álcool etílico, também conhecido com o álcool de cereais, porque é produzido mais fácil e economicamente pela fermentação de amidos nos grãos, como milho, trigo e centeio. Fermentação, do latim, *fervere*, que significa ferver ou borbulhar, é a decomposição de uma substância orgânica por enzimas liberadas quando bactérias e levedos alimentam-se dela. Diversos tipos de fermentação levam a diversos produtos, mas a palavra é geralmente mais usada para a conversão de amidos e açúcares em álcool etílico e bolhas de gás carbônico.

A fermentação alcoólica já vem sendo usada para fazer cerveja de amidos e vinhos de açúcares de frutas por pelo menos dez mil anos. Nossos ancestrais descobriram rapidamente que tudo o que tinham a fazer era deixar algumas uvas ou outras frutas esmagadas num local quente, e os sucos fermentavam, desenvolvendo uma característica intrigante, embriagadora.

Neste capítulo examinaremos os três principais tipos de bebidas: extratos aquosos quentes de material vegetal; bebidas contendo gás carbônico, esteja ele presente naturalmente, como resultado de fermentação, seja acrescentado deliberadamente, porque gostamos de suas borbulhas; e bebidas que contêm álcool, produzido diretamente da fermentação, ou acentuado deliberadamente por destilação, para fornecer um barato maior, de tipo diferente.

Vamos lá, então, para nossos cafés, chás, refrigerantes, champanhes, cervejas, vinhos e destilados.

CAFÉ ÁCIDO

Você pode me dizer como encontrar um café menos ácido? Estou procurando alguma coisa que não seja amarga e não destrua o meu estômago.

A acidez muitas vezes é acusada injustamente. Talvez por causa de todos aqueles anúncios na televisão, de remédios para controlar acidez e refluxo ácido. Mas o ácido no nosso estômago (ácido clorídrico) é milhares de vezes mais forte do que qualquer ácido que você possa encontrar no café. Só quando o ácido chega ao estômago, respingando no esôfago, é que ele queima. Em algumas pessoas, o café faz com que isso aconteça, mas não é o ácido do café que está queimando; é o do estômago.

Muitos dos ácidos fracos do café são os mesmos encontrados em maçãs e uvas, e nem todos incomodam o estômago. Mas se você ainda não estiver convencido, a maior parte desses ácidos é volátil e é liberada quando eles são assados, de modo que talvez surpreenda o fato de saber que os assados mais escuros podem ter o teor de ácido mais baixo.

Os ácidos cítrico, málico, acético e outros que estão no café avivam o gosto, e não acrescentam amargor. Os ácidos, em geral, não são amargos; são azedos. A cafeína é amarga, mas contribui com apenas 10% do amargor no café. E não empine o nariz para o amargor; ele é um componente de sabor importante no café, do mesmo modo que em outros grupos essenciais de alimentos, como a cerveja e o chocolate.

Então esqueça o ácido e encontre um café de que você goste. Se todos os cafés "destroem o seu estômago", não preciso dizer o que fazer. É só dizer "Não".

CAFÉ EXPRESSO X CAFÉ COMUM

Quando minha mulher toma uma xícara de café expresso ela fica eufórica durante horas. O expresso contém mais cafeína do que o comum?

Depende. Uma comparação direta fica complicada pelo fato de não existir "café comum". Nós todos já bebemos de tudo, até água suja vendida nas paradas de caminhão. Mesmo em casa, há tantas maneiras diferentes de se preparar café que não se pode fazer uma generalização.

E, pensando bem, na nossa sociedade atual, sob o impacto das butiques de café, o que se vende sob a designação de expresso em cada lojinha de bairro, que consegue juntar o preço de uma máquina e pagar um salário mínimo para um adolescente operá-la, faria um *barista* (fazedor de expresso) italiano profissional chorar na *grappa* dele. Então, também não há muita consistência aí.

É claro que qualquer expresso tem um volume muito menor do que uma xícara padrão de café norte-americano. Mas será que a alta concentração do expresso compensa o seu volume pequeno?

Cada gota de uma típica dose de expresso, de 60ml, certamente contém mais cafeína – e mais todo o resto, aliás – do que uma gota de uma xícara de 180ml de café comum. Mas, em diversos casos, a xícara inteira de um café norte-americano bem preparado conterá mais cafeína total do que uma xícara de expresso. (Note que eu disse "bem preparado". Não estou falando daquela água marrom que chamam de café no seu escritório, que poderá conter, não uma quantidade ínfima de cafeína, mas uma quantidade ínfima de café.)

O que dizem os especialistas? O consenso de Francesco e Riccardo Illy no livro maravilhosamente ilustrado *From Coffee to Espresso* e de Sergio Michel em *The Art and Science of Espresso* é que uma xícara típica de bom café expresso pode conter de 90 a 200mg de cafeína, enquanto uma xícara de bom café norte-americano conterá entre 150 e 300mg de cafeína. Como você pode ver, é possível alguma equivalência, mas, na média, os expressos contêm menos cafeína.

A quantidade de cafeína em qualquer xícara de café depende, em primeiro lugar, do tipo de grão de café de que ela é feita. Os grãos de café Arabica contêm uma média de 1,2% de cafeína, enquanto o Robusta contém uma média de 2,2% de cafeína, podendo atingir 4,5%. Mas a não ser que você seja conhecedor, poderá não saber que tipos de grãos estão no seu café, seja do bar de expresso local ou da marca que você compra em casa. A probabilidade é que os dois sejam principalmente da variedade Arabica, porque ela constitui três quartos da produção mundial de café, embora atualmente a produção de Robusta esteja aumentando, por razões econômicas.

O que importa, é claro, é quanto da cafeína é dissolvida dos grãos na água quente durante a elaboração. Isso vai depender de diversos fatores: a quantidade de água que está sendo usada e o tempo que a água fica em contato com o café. Mais café, grãos mais finos, mais água e contato durante mais tempo, tudo isso irá extrair mais cafeína. É aqui que entram as diferenças entre o expresso e outros métodos de se fazer café.

O café expresso é moído mais fino que o de cafeteira que você poderá estar usando em casa. Mas, por outro lado, para aproximadamente a mesma quantidade de pó por xícara, só cerca de 60ml de água entram em contato com o pó, durante a elaboração do expresso, comparados aos cerca de 180ml de água por xícara comum. Além disso, a água fica em contato com o pó durante apenas trinta segundos no processo expresso, e não alguns minutos, como na maior parte dos demais processos.

O resultado é que no estabelecimento local de café, você irá provavelmente ingerir menos cafeína na dose única de café expresso.

Agora vamos tratar da sua mulher. Por que ela fica tão eufórica depois de uma xícara de expresso? Um dos motivos pode ser que o metabolismo dela, essa variável humana que nenhuma análise química simples do 1,3,7-trimetilxantina, também conhecida como cafeína, consegue explicar. Há uma grande variação na taxa de metabolismo para cafeína entre as pessoas, e, de acordo com o livro de Illy, as mulheres tendem a metabolizá-la mais rapidamente. Mas é claro que isso se aplica a qualquer café.

Não sou médico ou nutricionista, mas acho possível que em determinadas pessoas a cafeína seja metabolizada mais rapidamente quando está no estado concentrado em uma pequena quantidade de líquido do que se estiver diluída num volume maior. Por outro lado, uma amiga me diz que fica mais desperta e agitada com o café comum do que com o expresso.

Na ausência de uma série de estudos fisiológicos controlados sobre os efeitos de diversos tipos de café expresso, quando comparado a diversos tipos de outro café, todos bebidos com e sem comida em várias horas do dia, ninguém pode generalizar e dizer que o expresso causa mais excitabilidade por causa da cafeína do que o café comum. Na verdade, na média, provavelmente acontece o contrário.

Pudim de soja moca

Aquele som vago, áspero, que você ouve é o som de hordas de pessoas naturebas torcendo as mãos, desafiadas a incluir soja em suas refeições diárias. Mesmo que quisessem, a maior parte das pessoas não tem ideia de como poderiam comer mais soja. Elas sequer sabem bem o que é isso. Tente esse jeito fácil, um pudim que não precisa cozinhar, quase instantâneo, que faz uma parceria da soja, sob a forma de tofu, com a impetuosidade dupla de cafeína de chocolate e de expresso.

- 1 xícara ou 180g de lascas de chocolate meio amargo
- 1 pacote de 360g de tofu firme, escorrido
- ¼ de xícara de leite de soja ou leite integral
- 2 colheres de café de sobras de café forte ou expresso
- 1 colher de chá de baunilha
- pitada de sal

1. Derreta o chocolate numa panela em banho-maria, uma frigideira pesada ou uma tigela que vá ao forno de micro-ondas.

2. Ponha o tofu, o leite, o café, a baunilha e o sal no copo do liquidificador. Agite por 30 segundos.

3. Com o motor ligado, junte o chocolate derretido até ficar liso e cremoso, cerca de 1 minuto. Refrigere durante 1 hora ou até a hora de servir.

- Rende uma porção muito grande ou 4 porções normais

CAFÉ DESCAFEINADO

Será que os produtos químicos usados para descafeinar o café são mesmo seguros? Um químico me contou que eles são parentes de fluidos de limpeza.

Parentes, sim, mas muito diferentes. Nas famílias dos compostos químicos, do mesmo jeito que nas famílias humanas, há tanto semelhanças como idiossincrasias.

A própria cafeína, por exemplo, é membro da família dos alcaloides de poderosos compostos químicos vegetais, que inclui vilões como a nicotina, a cocaína, a morfina e a estricnina. Mas, de novo, tigres e gatinhos pertencem à mesma família. O cloreto de metileno, usado em alguns processos de descafeinação, tem relação mas é muito diferente do percloretileno usado na lavagem a seco. Mas ainda não é um gatinho.

Os químicos identificaram de 800 a 1.500 compostos químicos diferentes no café, dependendo de a quem você perguntar. Como você pode imaginar, retirando-se o 1% ou os 2% de cafeína sem estragar o equilíbrio do sabor de todos eles não é fácil. A cafeína dissolve-se rapidamente em muitos solventes orgânicos, como o benzeno e o clorofórmio, mas esses estão fora, é óbvio, porque são tóxicos.

Desde 1903, quando um químico alemão chamado Ludwig Roselius perdeu o sono imaginando como retirar a cafeína do café e finalmente fixou-se no cloreto de metileno, que este tem sido o solvente escolhido. Ele dissolve muito pouco os outros componentes e evapora facilmente, de modo que seus traços remanescentes podem ser retirados por calor. Herr Roselius anunciou seu café sob o nome de Sanka, uma palavra que ele inventou, tirada do francês, *sans caffeine*. O Sanka foi introduzido nos Estados Unidos em 1923 e tornou-se uma marca registrada da General Foods em 1932.

Mas, em 1980, o cloreto de metileno foi apontado como cancerígeno. Ainda é usado para se descafeinar, mas a FDA limita a sua quantidade no produto terminado em dez partes por milhão. Fontes da indústria chamam a atenção para o fato de que a quantidade real é menor do que um centésimo disso.

A cafeína é retirada dos grãos verdes do café, antes de eles serem torrados. Primeiro, são passados no vapor, que traz a maior parte da cafeína para a superfície, e depois a cafeína é dissolvida pelo solvente. Para ser chamado de descafeinado, um café tem de ter mais de 97% de sua cafeína retirada.

Um método indireto, algumas vezes chamado de método da água, é usado algumas vezes: a cafeína – junto com muitos outros sabores e aromas desejáveis – é primeiro extraída em água quente. (A cafeína dissolve-se em água, é claro, ou não estaríamos nos preocupando com a sua presença nas nossas xícaras.) A cafeína é então retirada da água por um solvente orgânico, e agora, a água sem cafeína, com todos os seus componentes de sabor, é posta de volta nos grãos e secada com eles. O solvente nunca chega a tocar os grãos.

Um desvio novo interessante é o uso do solvente orgânico acetato de etila, em vez do cloreto de metileno. Como esse composto químico é encontrado em frutas e, na verdade, no próprio café, pode ser chamado de "natural". O rótulo de um café tratado com acetato de etila pode então alegar que é "naturalmente descafeinado". Mas não se impressione. Uma alegação semelhante pode ser feita no uso de cianeto, porque ele ocorre "naturalmente" nos caroços de pêssego.

Muitos dos cafés descafeinados de hoje são feitos por um processo desenvolvido recentemente, que extrai a cafeína transformando-a no velho conhecido e inócuo gás carbônico, mas numa forma peculiar que os químicos chamam de supercrítica: não é gasosa, líquida ou sólida.

Por fim, há o engenhoso "processo aquoso suíço", que lava os grãos com uma água quente que já está completamente saturada com todos os compostos químicos possíveis do café, com exceção da cafeína, de modo que não há lugar para mais nada a não ser a cafeína dissolver-se na água, vinda dos grãos.

Como é que tudo isso é coado para o corredor do seu supermercado?

Em primeiro lugar, você pode ler as palavras *naturalmente descafeinado* na lata. Pode ser que isso se refira ao método do acetato de etila ou pode não querer dizer nada. Todas as coisas não vêm da Natureza? O que mais poderíamos esperar? Café *sobrenaturalmente* descafeinado?

As palavras *processo aquoso* tampouco significam muito, porque a água é usada em diversos métodos, não apenas no processo suíço.

O melhor conselho seria esquecer a tecnologia – todos os métodos são seguros – e escolher o seu "*decaf*" com base em critérios intelectuais objetivos, como por exemplo, a marca de que você gosta mais.

TIPOS DE CHÁ

Pedi chá quente num restaurante e me foi apresentada uma caixa com uma dúzia de tipos sofisticados para escolher, inclusive Lapsang Souchong, Darjeeling, jasmim, camomila e assim por diante. Quantas espécies de chá existem, afinal de contas?

Uma. Quer dizer, há apenas uma planta – *Camellia sinensis* e alguns híbridos – cujas folhas podem ser postas de molho em água quente para fazer o verdadeiro chá. Ela pode ter vários nomes, dependendo, dentre outras coisas, de onde foi cultivada.

Alguns desses saquinhos de "chá" que lhe foram oferecidos, como camomila, por exemplo, não contêm chá. Eles contêm diversas outras folhas, ervas, flores e aromatizantes que podem ser postos de molho em água quente para fazer uma infusão, que é chamada apropriadamente de tisana, mas que também são, infelizmente, conhecidos como "chás". Quando você ouvir a palavra *ervas*, vai pensar, Uau! Natural. Saudável. Bom, mas você poderia fazer uma tisana de trepadeiras venenosas, se quisesse.

O chá verdadeiro vem em três tipos, dependendo de como as folhas são processadas: não fermentadas (verdes), semifermentadas (*oolong*) e fermentadas (preto) pela ação de enzimas, que oxidam compostos de tanino nas folhas. Dentre os pretos, que são a grande maioria, você pode encontrar o Assam, Ceilão, Darjeeling, Earl Grey, English Breakfast, Keemun e Souchong. Quaisquer outros nomes podem ser chás verdadeiros ou seja lá o que alguém ache que teria gosto bom se posto de molho em água quente. Estes últimos provavelmente não irão matá-lo, mas só os chás verdadeiros têm resistido ao teste do tempo sem qualquer efeito nocivo aparente.

Tisana de hortelã fresca

O ideal é usar uma jarra de vidro para fazer uma tisana de hortelã, muitas vezes chamada de chá de hortelã, porque a erva fica verde brilhante, e você vai querer ver. O aroma é ao mesmo tempo calmante e refrescante.

- 1 a 2 punhados de hortelã colhida na hora
- água fervendo
- açúcar a gosto

1. Lave um ou dois punhados de hortelã recém-colhida e ponha-os numa jarra de vidro aquecida. Junte água fervendo até um pouco além de cobri-la. Deixe macerar durante 5 minutos.

2. Despeje em copos de chá, adoce a gosto e inale profundamente antes de beber.

CHÁ NO MICRO-ONDAS 1

Por que, quando faço chá com água aquecida no micro-ondas, ele não tem um gosto tão bom se comparado ao preparado com água fervida na chaleira?

A água aquecida no micro-ondas não é tão quente quanto a água aquecida na chaleira, mesmo que ela pareça estar fervendo.

A água deverá estar fervendo para extrair toda a cor e o sabor do chá a ser preparado. A cafeína, por exemplo, não dissolverá em água abaixo de 80°C. Por isso é que o bule – ou, se você for do tipo que faz um saquinho de cada vez, a xícara – deve ser aquecido antes, para evitar que a água esfrie muito durante o período de maceração.

Quando a água está fervendo vigorosamente numa chaleira, você sabe que toda ela está a cerca de 100°C. Isso acontece porque a água aquecida do fundo da chaleira sobe para ser substituída pela água mais fria, que torna-se então aquecida e sobe, e assim por diante. Desse modo, toda a água na chaleira atinge o ponto de ebulição praticamente ao mesmo tempo.

Mas as micro-ondas aquecem apenas os dois centímetros e pouco exteriores da água, em redor da xícara toda, porque não conseguem penetrar mais que isso. A água no meio da xícara aquece mais devagar, pelo contato com as porções exteriores. Quando as porções exteriores da água atingiram o ponto de ebulição e começam a borbulhar, você pode achar que a água na xícara está quente. Mas a temperatura média pode ser muito mais baixa, e o chá ficará aquém do sabor pleno.

Outro motivo pelo qual a água aquecida na chaleira é melhor é porque aquecer uma xícara de água à temperatura de ebulição no micro-ondas pode ser complicado, para não dizer arriscado (ver p. 226).

CHÁ NO MICRO-ONDAS 2

O que é essa lama marrom que se forma na minha xícara quando faço chá no micro-ondas?

Paciente: Doutor, dói quando dobro o braço deste lado.

Médico: Então não dobre o braço desse lado.

A minha resposta é parecida: não faça chá no micro-ondas.

A água não fica tão quente quanto ficaria se você usasse água fervendo completamente numa chaleira. Desse modo, uma parte da cafeína e dos taninos (polifenóis) do chá não ficam dissolvidos: precipitam sob a forma de uma espuma marrom. Os taninos são uma categoria ampla de compostos químicos que dão ao chá, ao vinho tinto e às nozes aquele travo, uma sensação adstringente na boca. São chamados taninos porque historicamente têm sido usados para curtir peles para fazer couro. E é isso o que fazem, numa escala bem menor, com a "pele" da sua língua e da boca.

Refrigerantes

REFRIGERANTES E OSSOS

Acabei de ler a respeito de um estudo médico indicando que garotas adolescentes que bebem muito refrigerante têm ossos mais fracos do que meninas que não bebem refrigerantes. De acordo com o artigo, os pesquisadores especulam que pode ser o efeito do "fósforo nas bebidas carbonatadas". O que acontece na carbonatação que possa envolver fósforo?

Nada. O artigo não deveria ter generalizado a esse ponto.

É um equívoco dizer que todos os refrigerantes carbonatados são ricos no elemento químico fósforo. A única coisa que todos os refrigerantes carbonatados têm em comum é a água carbonatada: dióxido de carbono dissolvido na água. Além disso, eles contêm uma grande variedade de aromatizantes e outros ingredientes.

Alguns deles, inclusive Coca-Cola, Pepsi-Cola e outras colas (refrigerantes contendo o extrato rico em cafeína das castanhas tropicais kola), contêm ácido fosfórico. É um ácido fraco do fósforo, exatamente como a água carbonatada é um ácido do carbono fraco: ácido carbônico. Todos os ácidos têm gosto ácido, e o ácido fosfórico está lá para aumentar a acidez e dar um pouco mais de vivacidade à doçura. O ácido fosfórico é também usado para acidificar e aromatizar produtos de confeitaria, balas e queijos processados.

Quanto ao efeito de enfraquecer ossos: talvez o estudo esteja limitado às colas que contêm ácido fosfórico. Ainda assim, do mesmo modo que uma andorinha só não faz verão, um estudo só não prova uma relação de causa e efeito entre colas e ossos.

REFRIGERANTES PARA TIRAR MANCHAS

Li que fazer uma máquina de lavar pratos vazia funcionar com Tang em pó limpa todo o sabão, a espuma e tira as manchas. Li também que Coca-Cola retira manchas de ferrugem da pia. Que diabo andamos bebendo?

Eu não sei o que *você* anda bebendo, mas há muitas outras bebidas mais arriscadas do que Tang e Coca-Cola. Eu só estaria preocupado com esse duo em especial se meu estômago fosse feito de sabão, espuma ou ferrugem. Só porque um composto químico age sobre uma substância não quer dizer que fará o mesmo sobre outra substância. É isso que dá tanto trabalho aos químicos.

Não há dúvida de que é o ácido cítrico no Tang, Gatorade e outras bebidas de frutas que dissolve os sais de cálcio da sujeira da máquina de lavar pratos. Mas é também o ácido cítrico que nos dá aquela bela sensação ácida... de vivacidade. O ácido cítrico, é claro, é um componente perfeitamente natural e inócuo das frutas cítricas. Você poderia provavelmente limpar sua máquina de lavar pratos do mesmo jeito, fazendo-a funcionar com limonada.

O ácido fosfórico da Coca-Cola dissolve óxido de ferro (ferrugem). Não há nada de especial com as manchas na pia, a não ser pelo fato de que a camada de ferrugem nelas é provavelmente fina. Eu não tentaria rejuvenescer um velho cortador de grama jogando-o numa tina de Coca-Cola.

O ARROTO E O EFEITO ESTUFA

O arroto contribui para o aquecimento global?

Não ria. É uma boa pergunta. Tão boa que eu mesmo pensei nisso quando fiquei sabendo que 15,2 bilhões de galões de refrigerantes carbonatados e 6,2 bilhões de galões de cerveja foram consumidos em 1999 nos Estados Unidos. E o que você acha que aconteceu a todo o gás carbônico nessas bebidas? Acabou sendo liberada para a atmosfera pela respiração e por eructação – arroto, para falar claro.

Calculei rapidamente que 21,4 bilhões de galões de cerveja e refrigerantes norte-americanos conteriam cerca de 800 mil toneladas de gás carbônico. Esse é um baita arroto coletivo. E isso sem sequer levar em consideração o coro de eructações em harmonia em todo o globo terrestre.

Por que se preocupar como gás carbônico? É um dos chamados gases do efeito estufa que são reconhecidos como causadores da elevação da temperatura média da Terra. Não tem sido fácil medir-se a temperatura de um planeta. Mas análises científicas modernas são infinitamente mais sofisticadas do que designar pessoas para ficarem nas esquinas com termômetros. Hoje, resta pouca dúvida sobre o fato de que o gás carbônico e outros gases, produzidos pelas atividades humanas, têm realmente aumentado o termostato global.

Eis como o efeito estufa funciona:

Existe um equilíbrio natural de energia entre as radiações que vêm do sol para a Terra e as que são irradiadas de volta para o espaço. Quando a luz do sol atinge a superfície da Terra, cerca de dois terços dela são absorvidos pelas nuvens, pelo solo e pelo mar. Grande parte dessa energia absorvida é convertida – degradada em energia – em radiação infravermelha, muitas vezes chamada de ondas de calor. Normalmente, uma fração significativa dessas ondas de calor é refletida para a atmosfera e volta para o espaço. Mas se por acaso houver uma quantidade anormal de gás que absorva os infravermelhos na atmosfera – e o gás carbônico é um excelente absorvente de ondas infravermelhas –, então uma parte das ondas não vai embora; fica presa perto da superfície da Terra e aquece as coisas.

Então, devemos parar todos de beber refrigerantes e cerveja com medo de arrotar mais gás carbônico na atmosfera? Por sorte, não.

De acordo com os cálculos do Departamento de Energia para 1999, os últimos valores disponíveis neste momento, as 800 mil toneladas de emissões de gás carbônico produzidas por bebidas, chegam a 0,04% do montante de gás carbônico liberado para a atmosfera norte-americana por veículos movidos a gasolina e diesel.

Então, fique à vontade e continue bebendo. Mas não dirija.

PERDENDO GÁS

Minha cunhada, que é muito parcimoniosa, compra refrigerante em quantidades grandes com desconto, em atacadistas, e reclama que muitas vezes as bebidas estão "chocas" ao serem abertas. Uma garrafa de refrigerante pode ficar "choca" mesmo fechada?

Minha primeira reação foi responder não, não, se não houver um vazamento lento em alguma parte da selagem da garrafa. Mas depois de muita pesquisa, que consistiu em discar o número 0800 de Atendimento ao Consumidor, que consta de um rótulo de Coca-Cola, descobri que não só é possível, como muito comum.

Depois de sugerir que a amável mulher que atendeu ao telefone desse entrada às palavras adequadas no computador, acabei sabendo que as garrafas de plástico dos refrigerantes (são feitas de polietileno tereftalato, ou PET) são ligeiramente permeáveis ao gás carbônico e que, com o tempo, pode haver difusão suficiente do gás pelas paredes, de modo a diminuir a efervescência. Essa é a razão – de novo para minha surpresa – por que muitas garrafas de plástico de refrigerantes têm data de validade na tampa. As garrafas de vidro, é claro, não são nada permeáveis.

A Coca-Cola em garrafa de plástico, disse-me a mulher, tem uma vida recomendada de nove meses para o melhor sabor e qualidade, ao passo que para a Coca Diet o prazo recomendado é de apenas três meses. Por quê? Após alguns becos sem saída, descobrimos que o adoçante artificial aspartame é um tanto instável e perde o dulçor com o tempo.

Resolvi pesquisar um pouco mais sobre o que poderia afetar a qualidade da bebida e descobri que o congelamento pode diminuir a efervescência. Isso para mim foi um desafio, mas o gelo em expansão pode inchar a garrafa, e quando ela degela, a garrafa pode manter o feitio inchado. Isso dá mais espaço para o gás, fazendo com que mais gás carbônico escape do líquido para a garrafa, diminuindo o nível de efervescência.

A moral da história é sempre examinar as datas de validade nas garrafas de plástico. Uma visita ao supermercado mostrou-me que os produtos da Coca-Cola e da Pepsi são datados, mas muitas outras marcas não o são, a não ser por códigos ininteligíveis. Assim, guarde os refrigerantes num lugar fresco – o calor deteriora o gosto – e deixe gelar completamente antes de abrir.

E, sim, se os fornecedores da sua cunhada não tiverem cuidado no manuseio dos refrigerantes durante a distribuição, ou se as garrafas ficaram na prateleira durante anos, é bem possível que, ao serem abertas, estejam tão chocas quanto o orçamento dela.

COMO MANTER O GÁS DE UM REFRIGERANTE

Qual é a melhor maneira de evitar que um refrigerante perca o gás?

Se você não conseguir consumir uma garrafa inteira e quiser guardar as sobras em boas condições até a próxima pizza, é só tampá-la bem e mantê-la gelada. Você sabia disso. Mas por quê?

O objetivo é manter todo o gás carbono restante dentro da garrafa, porque é o gás carbônico, espoucando suas borbulhas minúsculas na nossa língua, que nos dá a sensação boa de cócegas. Além disso, o gás carbônico dissolvido na água produz um ácido: o ácido carbônico, que dá a vivacidade. Uma tampa hermética, é claro, não deixa que o gás escape. Mas a necessidade de se manter o refrigerante gelado pode não ser tão evidente.

Por motivos que são expostos de maneira mais completa no curso Química 1 do que em Alimentos 1, quanto mais frio estiver um líquido, mais gás carbônico (ou qualquer outro gás) ele consegue absorver e reter. O refrigerante, por exemplo, consegue reter cerca de duas vezes mais gás carbônico à temperatura da geladeira do que à temperatura ambiente. É por isso que há uma explosão de gás escapando quando você abre uma lata de refrigerante ou de cerveja quente: há muito mais gás do que pode ser absorvido pelo líquido quente.

ESPOCAR DO CHAMPANHE

Quando abro uma garrafa de champanhe, ela muitas vezes deixa sair espuma por todo o lado, e detesto desperdiçar uma coisa tão cara. O que a faz se comportar dessa maneira?

Sem dúvida, a garrafa foi tratada com rudeza em algum momento anterior, sem ter tido tempo o bastante para se recuperar. Ela deve ficar descansando, quieta, na geladeira, por pelo menos uma hora antes de ser delicadamente retirada e aberta.

De qualquer modo, em grande parte das sociedades contemporâneas, a champanhe não é feita para se beber. É feita para "dar um banho" nos vencedores do Fórmula 1.

A técnica apropriada para o esguicho comemorativo, que registro aqui apenas pelo seu valor científico e educacional, é primeiro despejar um pouco do líquido, para ter mais espaço para sacudir, depois pôr o dedo sobre a abertura do gargalo, sacudir vigorosamente a garrafa e rapidamente deslizar o polegar ligeiramente para trás – não de lado! –, para dirigir um jorro concentrado de líquido espumante precisamente para a frente.

A questão científica e educacional que quero apontar é essa: a razão pela qual o líquido espirra não é – repito, não é – qualquer aumento na pressão do gás dentro da garrafa. Você poderia enganar um bom número de químicos e físicos quanto a isso, mas é verdade. A pressão do gás sobe temporariamente dentro de uma garrafa sacudida, fechada, mas não é isso o que propele o líquido, porque assim que você abre a garrafa ou retira o polegar, a pressão cai à pressão do ar no ambiente. E, de qualquer modo, como poderia a pressão do gás no espaço *acima* do líquido fazer com que ele jorrasse para fora da garrafa? A carga de pólvora numa bala tem de estar atrás dela, não é?

Então, por que o líquido jorra com tanta força quando você o solta imediatamente depois de sacudi-lo? A resposta está na liberação extremamente rápida do gás carbônico do líquido. É como uma espingarda de ar comprimido que recebe sua força da liberação repentina do ar preso. Há alguma coisa no ato de sacudir a garrafa que faz com que o gás queira fugir quase instantaneamente do líquido. E na corrida louca para fugir, leva um bocado de líquido junto.

Eis por quê.

O dióxido de carbono dissolve-se muito facilmente na água, mas uma vez lá, reluta bastante em sair. Por exemplo, você pode deixar uma garrafa aberta de refrigerante, cerveja ou champanhe na mesa durante várias horas, antes que fique totalmente choca. Uma razão para isso é que as borbulhas de gás simplesmente não conseguem formar-se espontaneamente. As moléculas de gás precisam de alguma coisa em que se agarrar, algum tipo de local de reunião atraente, onde possam agregar-se num ponto até que haja moléculas suficientes para formar uma bolha. Os locais de reunião, chamados de pontos de nucleação, podem ser partículas microscópicas de poeira no líquido ou imperfeições minúsculas nas paredes do recipiente. Se houver muito poucos desses pontos de nucleação disponíveis, o gás não vai formar borbulhas e ficará dissolvido no líquido. Os engarrafadores de bebidas usam água altamente filtrada por esse motivo.

Mas se por acaso houver muitos pontos de nucleação disponíveis, as moléculas de gás irão reunir-se rapidamente em redor deles e formar borbulhas pequenas. À medida que mais e mais moléculas de gás reúnem-se, as borbulhas crescem, terminando por ficar grandes o suficiente para subir pelo líquido e escapar na superfície.

Sacudir a garrafa põe milhões de borbulhas minúsculas no líquido, vindas do espaço do gás acima do líquido. Essas borbulhinhas são extremamente eficazes, pontos de nucleação já prontos, sobre os quais zilhões de outras moléculas de gás podem reunir-se rapidamente para formar bolhas cada vez maiores. E quanto maiores as bolhas ficam, maior superfície elas oferecem para que suas companheiras moléculas de gás reúnam-se, e mais rápido elas crescem. Então, sacudir o recipiente acelera imensamente a liberação do gás, que acontece com uma força tão explosiva que uma porção do líquido é varrida junto dele. Resultado: uma arma muito eficaz em guerra de champagne.

Fora a artilharia fluida, há algumas implicações pacíficas para esses princípios.

Primeiro, você não precisa ter medo de que solavancos ou sacudidelas numa garrafa ou lata fechada de bebida carbonatada façam com que ela estoure. É verdade que, sacudindo a garrafa, parte do gás irá mesmo ser varrido do líquido para o espaço acima do líquido, mas não haverá espaço suficiente na garrafa para aguentar muita pressão. Além disso, pouco tempo depois de uma lata ou garrafa ter sido sacudida, todos os pontos de nucleação das microborbulhas terão subido de volta para a o espaço acima do líquido, onde não podem mais consumar o feito sujo, se me perdoem a expressão, de soltar gás. É só não abrir um recipiente logo depois de ele ter sido sacudido, enquanto as bolhas de nucleação ainda estão distribuídas pelo líquido. Deixe-as descansar primeiro, para que voltem ao que os químicos chamam de "estado de equilíbrio".

O truque com a champanhe e outras bebidas espumantes é deixá-las descansar por umas horas antes de abri-las. O que torna uma guerra de efervescência tão eficaz é que você libera o conteúdo da garrafa imediatamente depois de sacudi-la, enquanto as bolhas ainda estão dentro do líquido, fazendo sua borbulhante confusão. Mas lembre-se: mesmo que a champanhe esteja bem descansada, a Convenção de Genebra proíbe terminantemente que se mire uma rolha de champanhe em qualquer pessoa, civil ou combatente, pois pode machucar seriamente.

Um último ponto: como o calor expele um pouco de gás do líquido para o espaço acima dele, uma bebida quente irá espirrar mais, ao ser aberta, do que uma gelada. Esse é o outro truque da champanhe; ela deve estar gelada. Na verdade, o calor pode provocar bastante pressão de gás no espaço acima do líquido de um recipiente de bebidas: já houve explosões ocasionais de uma lata ou garrafa na mala de um carro estacionado sob o sol quente.

COMO ABRIR UMA GARRAFA DE CHAMPANHE

Qual a melhor maneira de abrir uma garrafa de champanhe sem parecer um idiota trapalhão ou atingir o teto com a rolha?

O mais importante ao abrir uma garrafa de champanhe é realizar a tarefa com tanta pose que parecerá aos seus convidados que você faz isso todos os dias. A pose será muito pouco convincente se você se encolhe na expectativa de um desastre iminente. Desse modo, domine seus medos praticando algumas vezes sozinho com alguns vinhos espumantes baratos, como se descreve a seguir.

Primeiro, retire o envoltório metálico que cobre a tela metálica e a rolha. Para ajudar a fazer isso direito, sem rasgar todo o envoltório do gargalo da garrafa, muitas vezes há uma lingueta para puxar. (Às vezes, não consigo encontrá-la ou ela rasga quando a puxo.)

Com uma das mãos, segure a garrafa firmemente pelo gargalo, enquanto pressiona a rolha para baixo, com o polegar, como segurança contra o vexame de um espocar prematuro. Com a outra mão, destorça o arame na base da grade e retire-o. Agora, desça a mão que está segurando a garrafa para a parte mais larga dela e incline-a num ângulo de 45°, afastando-a de você. (Há mais sobre isso adiante.) Usando a mão livre, agarre a rolha com firmeza e gire a garrafa – não a rolha – até que a rolha comece a soltar-se e depois continue mais devagar, até que a rolha saia. Se você estiver enfrentando uma rolha recalcitrante que se recusa a se mover, empurre a rolha para frente e para trás para soltar o entravamento entre o vidro e a rolha.

Agora, por que eu disse para rodar a garrafa, e não a rolha?

Tanto Einstein quanto Newton concordam que não tem importância qual delas você gire, porque o movimento é precisamente relativo. Você consegue cortar uma fatia de pão esfregando o pão contra a faca, não consegue? Mas pense nisso: ao girar a rolha, você tem de reposicionar o dedo várias vezes, perdendo temporariamente seu domínio sobre ela. Numa dessas oportunidades ela poderia pular, descontrolada.

A respeito de inclinar a garrafa: você não quer que ela fique na vertical, é claro, porque a rolha poderia acertar sua cara. Por outro lado, se a garrafa estiver muito perto da horizontal, o gargalo fica cheio do líquido, e o espaço acima do líquido migra para formar uma bolha no "ombro" da garrafa. Então, quando você solta a pressão, retirando a rolha, a bolha expande-se subitamente, expelindo o líquido que estiver no gargalo. Uma inclinação de 45° em geral garante que o gás no espaço acima do líquido continue no gargalo, de onde não deve sair.

Gelatina de champanhe

A champanhe pode ser comida, além de bebida. O sabor e até algumas das bolhas podem ser capturadas nessa sobremesa espetacular. Criada pelo *chef* confeiteiro Lindsey Shere, da Califórnia, a gelatina cintilante e macia literalmente dissolve-se na sua boca. Use uma champanhe barata ou um Prosecco, um vinho espumante italiano. Ponha uma camada de frutinhas ou uvas por cima da gelatina, para dar um efeito de *parfait*.

- 3 ¼ colheres de chá de gelatina sem sabor (1 envelope mais parte de outro)
- 1 xícara de água fria
- ¾ de xícara mais 3 colheres de sopa de açúcar
- 1 garrafa de champanhe seca (750ml)
- meio quilo de framboesas

→

1. Salpique a gelatina sobre água gelada numa panela média e deixe amolecer durante uns 5 minutos.

2. Ponha a panela em fogo baixo e mexa com uma espátula apenas até a gelatina ter-se dissolvido; não cozinhe demais.

3. Reserve 1 colher de sopa de açúcar. Misture o açúcar restante e retire do fogo. Mexa até o açúcar se dissolver completamente e depois junte a champanhe. Despeje a gelatina num recipiente raso, tampe e refrigere até firmar, por 8 ou 10 horas.

4. Na hora de servir, misture as framboesas com a colher de açúcar restante. Mexa a gelatina com um garfo, formando pedaços pequenos.

5. Ponha algumas colheradas da gelatina de champanhe em cada um de seis copos de *parfait* ou em copos de pé. Acrescente algumas frutas e repita as camadas até ter usado toda a gelatina e as frutas, terminando com as frutas. Ponha na geladeira até a hora de servir.

▸ Rende 6 porções

ROLHAS DE PLÁSTICO

Alguns vinhos que compro têm "rolhas" feitas de plástico. Por acaso há falta de rolhas ou há motivos técnicos para isso?

Perguntei a mesma coisa numa viagem a Portugal e à Espanha ocidental, onde é cultivada mais da metade da rolha mundial, mas não consegui obter uma resposta satisfatória. Era como perguntar a um bicho-da-seda sobre poliéster.

Depois fiquei sabendo por que muitos fabricantes de vinho estão mudando para rolhas de plástico. Sim, elas são mais baratas do que as rolhas naturais de alta qualidade, mas o motivo é tanto tecnológico quanto econômico.

Nós todos aprendemos na escola que a rolha cresce em árvores chamadas sobreiros. Depois de imaginar milhares de rolhas amadurecidas na árvore, penduradas nos galhos, ficamos desapontados em saber que as rolhas na verdade vêm da casca da árvore.

Os sobreiros são o próprio modelo de recurso renovável, porque depois que as árvores alcançam a maturidade, o que leva 25 anos, a casca cresce de novo cada vez que é arrancada. Isso é feito cortando-se círculos ao redor do tronco de galhos grandes, dando um talho vertical na casca e despelando-a em lâminas que são então fervidas em água, empilhadas e achatadas. Nos quilômetros e quilômetros de bosques de sobreiros que vi em Portugal, cada árvore estava marcada com um grande número em tinta branca, indicando o ano em que a casca foi retirada da última vez. Ela será descascada de novo em nove anos a partir daquela data.

Ao olhar para algumas cascas recém-retiradas, fiquei contente em saber uma coisa que sempre imaginara: a casca é realmente tão grossa a ponto de dar o comprimento de uma rolha? Sim, depois de nove anos ela é. As rolhas são furadas perpendicularmente nas folhas de casca achatadas, como se estivéssemos cortando biscoitos altos, estreitos.

Durante as centenas de anos que a rolha tem sido usada para fechar garrafas de vinho, permanece um problema. Conhecido como defeito de rolha ou defeito do vinho, ou doença da rolha, há um cheiro de mofo, de um bolor que atinge uma pequena porcentagem das rolhas e afeta o gosto do vinho. O controle de qualidade dos produtores de vinhos modernos, especialmente os grandes, diminuiu as chances da garrafa estar *bouchonnée,* com gosto de rolha, a cerca de 2% a 8%. Entretanto, substituir a rolha por um plástico sintético é uma alternativa atraente, já que o mofo não cresce no plástico.

Eis como a doença aparece.

Durante o processo de descascar, classificar, armazenar e processar a casca do sobreiro, há muitas oportunidades para o crescimento de mofo. As rolhas prontas em geral são tratadas com uma solução de cloro, para desinfetá-las e alvejá-las. No entanto, o cloro não consegue matar todo o mofo e tem como efeito colateral a produção de compostos químicos chamados de clorofenóis, derivados dos fenóis naturais da rolha. O mofo sobrevivente e mais outros que possam ter se reunido a ele durante, por exemplo, uma longa travessia oceânica, conseguem converter alguns desses clorofenóis num composto químico fortemente odorífero, chamado de 2,4,6-tricloroanizol, misericordiosamente apelidado de TCA. É o TCA que faz com que os vinhos tenham gosto e cheiro de rolha. O TCA pode ser detectado em concentrações de algumas partes por trilhão.

As "rolhas" plásticas (vedação sintética, no jargão dos produtores) são agora usadas em diversos graus por mais de 200 produtores de vinho do mundo todo. Companhias como Neocork e Nomacorc estão produzindo rolhas de polietileno prensado aos milhões, enquanto a SupremeCorq faz suas rolhas plásticas por um processo de moldes e leva o prêmio de criatividade.

Como as rolhas sintéticas se comparam às rolhas verdadeiras? Elas parecem passar no teste de vazamento, exclusão de oxigênio e possibilidade de serem impressas – uma exigência, porque muitos produtores usam mensagens impressas nas rolhas. Mas como as vedações sintéticas não estão por aí há tempo suficiente para os estudos de envelhecimento a longo prazo, a maior parte dos produtores de vinhos vem usando essas rolhas em vinhos elaborados para serem tomados jovens – dentro, digamos, de seis meses, a partir do engarrafamento, embora a Neocork diga que suas vedações aguentam até 18 meses.

Mas quando há conhecedores que pagam mais de cem dólares por uma garrafa de vinho de qualidade superior, eles geralmente não querem saber dessas novidades. Numa tentativa de acabar com esnobismos, alguns produtores de vinho vêm introduzindo rolhas plásticas e até – dá para acreditar? – tampas de rosca em alguns de seus produtos *high-tech*. Afinal de contas, uma tampa de alumínio é provavelmente a vedação ideal; é impermeável ao ar, nunca mofa e pode ser retirada sem instrumentos.

E no futuro? Será que existirá um Mouton-Rothschild numa embalagem Longa Vida?

RETIRANDO UMA ROLHA SINTÉTICA

Algumas garrafas de vinho, atualmente, têm "rolhas" sintéticas que podem ser feitas de um plástico bem duro, dando trabalho a você e ao seu saca-rolhas. Examine a ponta do saca-rolhas para ver se está bem afiada. Se não estiver, afie-a com uma lima, e ela vai penetrar com facilidade até na "rolha" mais dura.

ROLHA DO VINHO

Num restaurante, quando o garçom abre o vinho e põe a rolha na mesa, o que devo fazer com ela?

Não esperam que você a cheire para verificar as evidências de mofo. Isso é raro hoje em dia. Além disso, quando despejam uma pequena porção de vinho para a aprovação de *monsieur* ou de *madame*, algumas giradas e cheiradas dirão tudo o que você deve saber. Se o vinho tiver cheiro e gosto bom, quem se importa com o cheiro da rolha?

Se você tiver um irresistível impulso de cheirar alguma coisa, cheire o copo antes de servirem o vinho. Se ele tiver cheiro de desinfetante ou de sabão, ou de qualquer outra coisa, aliás – copo limpo não tem cheiro –, peça outro copo, quer dizer, a não ser que você tenha pedido uma garrafa de vinho de má qualidade; nesse caso, um pouco de sabão poderá ser uma melhoria.

Você poderia, no entanto, dar uma olhada geral na rolha, para ver se está molhada (e manchada, se for vinho tinto) até a metade. Isso quer dizer que a garrafa foi guardada apropriadamente de lado, com a rolha sendo constantemente molhada para uma selagem hermética.

Historicamente, a apresentação da rolha ao cliente pelo dono do restaurante devia-se a um motivo inteiramente diferente do que aspirá-la em busca do cheiro de rolha. Essa é uma prática que começou no século XIX, quando comerciantes pouco escrupulosos desenvolveram o costume de fazer vinho barato passar por vinho caro. Os produtores de vinho começaram a combater essa prática imprimindo seu nome na rolha, pàra provar a autenticidade. E é claro que a garrafa era, e ainda é, aberta na presença do cliente.

Hoje, em vez de se arriscar a insultar um bom restaurante cheirando a rolha ou pondo os óculos de perto para examiná-la, o melhor conselho é simplesmente não tomar conhecimento dela. Eu gosto de ficar brincando com ela durante os intervalos entre os pratos, ao passo que, nos velhos tempos, eu costumava acender um cigarro.

O QUE É CONSUMO MODERADO DE ÁLCOOL?

Estou sempre lendo que o consumo moderado de álcool é benéfico para a saúde do coração. Mas o que exatamente é "consumo moderado"?

A vaga resposta costumeira a essa pergunta é: "um ou dois drinques por dia". Mas o que é "um drinque", afinal? Uma garrafa de cerveja? Um copo de vinho? Um martíni de 180ml cheio até a borda? Há drinques altos e drinques curtos, drinques fortes e fracos. O drinque de uma pessoa pode parecer, para outra, um dedal ou um balde.

Em casa, se você tiver o costume de despejar *scotch* no copo sem medir, a dose tende a ficar cada vez maior à medida que os anos passam. Num restaurante, quanto álcool aquele *barman* está realmente pondo no seu copo ao ser pão-duro ou generoso? Em resumo, na realidade, quanto álcool há "num drinque"?

É essa a pergunta que está na cabeça de todo mundo – bem, pelo menos na minha – desde que a USDA publicou sua última Diretriz Dietética – isso foi em 2000; ela é revisada a cada cinco anos. A minha intenção é responder a essa questão essencial aqui e agora.

Depois de avisar que bebida excessiva pode levar a acidentes, violência, suicídio, pressão arterial alta, derrame, câncer, desnutrição, defeitos de nascimento e danos ao fígado, pâncreas, rins, cérebro e coração (ufa!), as diretrizes da USDA afirmam claramente que "a bebida com moderação pode diminuir o risco de doenças cardíacas coronarianas, principalmente entre homens com idade acima dos 45 e mulheres acima de 50 anos".

Mas, atenção, afirma também que "o consumo moderado traz pouco ou nenhum benefício para a saúde dos jovens". Na verdade, acrescenta, "o risco do consumo exagerado de álcool aumenta quando se começa a beber muito jovem".

Praticamente ao mesmo tempo, um estudo epidemiológico feito na Universidade Havard, publicado em 6 de julho de 2000 no *New England Journal of Medicine*, relatou que, depois de acompanhar 84.129 mulheres, de 1980 a 1994, aquelas que bebiam com moderação demonstraram ter um risco de doenças cardiovasculares 40% menor do que as que não bebiam. Durante os últimos dez anos, resultados de pesquisas semelhantes têm sido manchetes. As conclusões parecem esclarecer que, como os autores do estudo de Harvard apresentam, "o consumo moderado de álcool está associado a um risco mais baixo de doenças cardíacas coronarianas" tanto em homens quanto em mulheres.

Consumo moderado de álcool? Bebida em excesso? O que esses termos significam?

Na tentativa de ser útil ao homem e à mulher na rua – ou no bar –, o relatório da USDA reduz "consumo moderado" a "não mais de um drinque por dia para mulheres e não mais de dois drinques por dia para homens". A diferença não tem nada a ver com machismo, mas deve-se a diferenças no metabolismo e no peso entre os gêneros.

Mas isso ainda não ajuda se "um drinque" significa qualquer coisa que você queira. Os pesquisadores de saúde, sendo bons cientistas, invariavelmente falam não em termos de "drinques", mas em termos de número de gramas de álcool, o que, é claro, é a única coisa que conta. Diversas pesquisas definiram consumo moderado – aquele único drinque por dia para as mulheres – como qualquer coisa entre 12g a 15g de álcool. (É engraçado notar-se que um "drinque padrão" nos outros países varia de 8g de álcool na Grã-Bretanha a 20g no Japão.) Quinze gramas é aproximadamente a quantidade de álcool em 340ml de cerveja, 150ml de vinho ou 50ml de uma bebida destilada com 40% de álcool. Mas experimente pedir aos *barmen* um drinque que contenha 15g de álcool. Eles vão pensar que você já bebeu demais.

A pergunta do milhão, então, é essa: como é que você consegue saber quantos gramas de álcool está ingerindo no seu "um ou dois drinques"?

Na verdade é muito simples. Para encontrar o número de gramas de álcool na sua bebida, tudo o que você tem de fazer é multiplicar o volume da bebida alcoólica pela sua porcentagem de álcool por volume, depois multiplicar pela densidade do álcool etílico em gramas por mililitros e dividir o resultado por 100. Em geral as bebidas trazem no rótulo a gradação alcoólica em graus GL (Gay Lussac), ou direto em porcentagem de álcool por volume, que é a mesma coisa.

Está bem, está bem, já fiz os cálculos para você.

O resumo dos resultados:

Para bebidas de 40% de álcool por volume, como o uísque, uma dose de 50ml tem cerca de 14g de álcool.

Para os vinhos, um copo de 150ml de um vinho de 13% de álcool por volume corresponde a 15g de álcool.

E para os cervejeiros, uma garrafa de 340ml de cerveja de 4% contém 11g de álcool.

Mas você não pode contar com essas percentagens "típicas" de álcool. Embora em sua maior parte as bebidas destiladas estejam padronizadas em 40% de álcool por volume (ou 80 *proof*), há diversas outras de 45 a 50%. Os vinhos podem variar de 7% a 24% (para os vinhos generosos ou fortificados), e as cervejas podem variar de 3% a 9% ou 10% (os assim chamados *malt liquors*). Em casa, leia os rótulos e meça seus drinques de acordo com o cálculo acima. Num restaurante ou num bar, o *barman* deve sempre estar apto a dizer o tamanho da dose e a porcentagem de álcool na bebida. Drinques muito misturados podem ser qualquer coisa.

Juntando tudo: se você tiver boa saúde e for sua escolha beber, calcule sua ingestão diária de álcool e limite-a a cerca de 15g, se você for mulher, e 30g, se for homem.

COMO GELAR UM COPO DE MARTÍNI

Um bom *barman* sempre irá gelar o copo antes de misturar e despejar nele um martíni. Mas, segundo minha experiência, eles fazem isso errado. Enchem o copo com gelo, juntam um pouco de água, com a intenção de melhorar o contato térmico entre o gelo e o copo, e deixam ficar por um ou dois minutos. Mas o acréscimo de água é um erro. O gelo do congelador é mais frio do que 0°C; tem de ser, ou não seria gelo. Mas a água acrescentada nunca vai chegar abaixo de 0°C, de modo que ela diminui o poder de resfriamento do gelo. Para os martínis domésticos, ponha um pouco de gelo no copo (picado, se quiser), mas não ponha água. Direto do freezer, o gelo vai estar a uns –18°C. Não se preocupe em buscar um melhor contato térmico; uma pequena quantidade do gelo derrete ao entrar em contato com o copo.

Minha melhor marguerita

Depois de três dias de exaustiva pesquisa para experimentar o máximo de margueritas em San Antonio, Texas, voltei para casa para preparar a minha própria receita, incorporando o que achei que fossem os melhores predicados. Muitas receitas incluem Cointreau ou Grand Marnier, mas os óleos da casca da laranja presente nessas bebidas e o *brandy* subjugam o sabor da tequila, que é a razão de ser da marguerita. Descobri que *triple-secs* modestos, como Hiram Walker, funcionam melhor. Essas margueritas descem bem por serem doces, mas contêm 16g de álcool cada; portanto tome cuidado.

O sal na beirada do copo de marguerita deverá ficar apenas do lado de fora, de modo a não cair dentro da bebida. Para revestir as beiradas, eu mergulho o dedo no suco de limão e molho com ele apenas a superfície externa da beirada.

- 30ml (ou 2 colheres de sopa) de suco de limão espremido na hora
- sal
- 90ml de tequila José Cuervo Especial
- 30ml de Hiram Walker *triple-sec*
- pequenos cubos de gelo ou gelo quebrado (não esmagado)

1. Mergulhe um dedo no suco de limão e use-o para molhar a beirada externa de 2 copos de martíni. Passe as beiradas exteriores no sal. Ponha os copos no freezer até a hora de misturar os drinques.

2. Usando um medidor de doses, meça os ingredientes líquidos numa coqueteleira. Junte o gelo e sacuda vigorosamente durante 15 segundos. Coe nos copos gelados.

- Rende 2 margueritas, cada uma contendo 16g de álcool

CERVEJA SEM ÁLCOOL

Não há álcool algum numa cerveja sem álcool?

O Código de Regulamentações Federais dos Estados Unidos, título 27, capítulo 1, parte 7 etc. etc. etc., diz que "os termos 'baixo teor' ou 'teor alcoólico reduzido' podem ser usados apenas em bebidas maltadas contendo menos de 2,5% de álcool por volume", e que a cerveja sem álcool deve conter menos de 0,5% de álcool por volume.

Por volume? É, por volume. Essa é outra mudança bastante nova. Diversos fabricantes de cerveja tinham o hábito de expressar o conteúdo alcoólico como porcentagem por peso: quantos gramas de álcool há em 100g de cerveja. Outros ficaram acostumados a expressá-lo como porcentagem por volume: quantos mililitros de álcool há em 100ml de cerveja. Mas, de novo, o Código de Regulamentação Federal dos Estados Unidos, título 27 etc., foi taxativo: "Declaração de conteúdo alcoólico será expressa em porcentagem de álcool por volume, e não porcentagem por peso...". Isso é bom, pois o conteúdo alcoólico de vinhos e de bebidas destiladas é também expresso como porcentagem por volume, de modo que agora as medidas estão consistentes.

capítulo 8

Essas misteriosas micro-ondas

Com inabalável ironia, o ensaísta e crítico britânico Charles Lamb (1775-1834) conta, em *A Dissertation on Roast Pig*, como os seres humanos descobriram pela primeira vez como cozinhar ou, mais precisamente, como assar, depois de comer "durante as primeiras 70 mil eras" a carne crua, "dilacerando ou mordendo-a do animal vivo".

A história, supostamente descoberta num antigo manuscrito chinês, conta sobre o jovem filho de um criador de porcos que pôs acidentalmente fogo na cabana deles, que queimou inteiramente, matando nove porcos que estavam lá dentro. Ao inclinar-se para tocar um dos porcos mortos, o filho queimou os dedos e instintivamente levou-os à boca, para esfriá-los, e assim provou um sabor delicioso, nunca antes experimentado pela humanidade.

Reconhecendo naquilo uma coisa boa, o criador de porcos e seu filho construíram então uma série de cabanas cada vez menos substanciais, queimando-as todas com porcos dentro, para produzir a carne com um sabor tão maravilhoso. O segredo deles espalhou-se, no entanto, e não custou muito para que todo mundo na aldeia começasse a construir e queimar frágeis casas com porcos dentro. Por fim, "no processo do tempo, apareceu um sábio... que fez uma descoberta: a carne do porco ou de qualquer outro animal pode ser cozida (queimada, como chamavam) sem a necessidade de se consumir uma casa inteira para isso".

Até o início do século XX, nós, seres humanos, continuávamos a fazer fogueiras cada vez que queríamos cozinhar. É claro que já aprendêramos a fazer as fogueiras em lareiras na cozinha e, mais tarde, a confiná-las em espaços fechados chamados de fornos. Mesmo assim, cada cozinheiro tinha de obter combustível e acendê-lo para assar um porco ou até para ferver água.

Mas não precisava ser assim.

E se pudéssemos construir um único fogo, imenso, num local remoto, e de algum modo capturar sua energia e levá-la, como leite fresco, diretamente a milhares de cozinhas? Bem, hoje em dia podemos fazer isso pelo milagre da eletricidade.

Apenas há cem anos descobrimos como queimar enormes quantidades de combustível numa usina central, usar o calor do fogo para aquecer água e produzir vapor, usar esse vapor para gerar eletricidade e então enviar a onda de energia elétrica por centenas de quilômetros a milhares de cozinhas, em que milhares de cozinheiros podem voltar a transformá-la em calor para assar, tostar, ferver e grelhar. Tudo vindo de uma única fogueira.

No princípio, usamos essa nova forma de fogo transmissível para substituir o gás de iluminação das ruas e das salas de visitas (quando tínhamos salas de visitas). Então, em 1909, a eletricidade passou à cozinha quando a General Electric e a Westinghouse comercializaram suas primeiras torradeiras elétricas. Os fogões elétricos, os fornos e as geladeiras vieram a seguir. Hoje, mal conseguimos preparar uma refeição sem nossos fornos, fogões, grelhas, batedeiras, liquidificadores, processadores de alimento, cafeteiras, panelas de arroz, máquinas de fazer pão, fritadeiras, frigideiras, *woks*, grelhas, panelas de vapor, máquinas de waffles, cortadores de frios e facas elétricos. (Certa vez eu inventei um garfo elétrico para combinar com a faca elétrica, mas não deu certo.)

É esse o fim da história da energia para cozinhar? Era, até 50 anos atrás, quando um método inteiramente novo, sem fogo, de fazer calor para cozinhar foi inventado: o forno de micro-ondas. Funcionava com um princípio inteiramente novo que poucas pessoas conheciam e, como consequência, muitos tinham medo dele. Algumas pessoas ainda temem o forno de micro-ondas, que, apesar de sua onipresença, ainda é o mais desconcertantes de todos os aparelhos domésticos. É, funciona com eletricidade, mas aquece os alimentos de uma forma jamais sonhada, sem sequer ter, ele mesmo, de ficar quente. É o primeiro modo de cozinhar novo em mais de um milhão de anos.

Já recebi provavelmente mais perguntas a respeito de fornos de micro-ondas do que sobre qualquer outro assunto. O que se segue são algumas das perguntas mais frequentes. Espero que as respostas levem a uma compreensão suficiente desses aparelhos para permitir que você responda às suas próprias perguntas, quando elas surgirem.

SURFANDO EM MICRO-ONDAS

O que é uma micro-onda?

Há tanta ansiedade entre os cozinheiros domésticos a respeito de fornos de micro-ondas que parece que eles são reatores nucleares dentro de uma cozinha. Alguns autores de livros sobre alimentos também não ajudam, parecendo não saber a diferença entre micro-ondas e radioatividade. Sim, ambas são radiações, mas a televisão também é radiação, e uma radiação que nos traz comédias insípidas. É difícil dizer o que deve ser mais evitado.

Micro-ondas são ondas de radiação eletromagnética exatamente iguais às ondas de rádio, mas com um comprimento de onda mais curto e com energia mais intensa. (O comprimento de onda e a energia são relacionados: quanto menor o comprimento de onda, maior a energia.) A radiação eletromagnética consiste de ondas de energia pura, que viajam pelo espaço à velocidade da luz. A própria luz, na verdade, consiste de ondas eletromagnéticas de comprimento de onda ainda mais curto e energia maior do que as micro-ondas. As propriedades específicas de uma radiação são dadas pelo comprimento de onda específico e pela energia. Desse modo, você não consegue cozinhar alimentos com luz (mas veja a página 263) e não consegue ler com micro-ondas.

As micro-ondas são geradas por uma espécie de tubo de vácuo, chamado magnétron, que as descarrega para dentro do seu forno, uma caixa metálica selada em que as micro-ondas ficam continuamente quicando de um lado para outro enquanto o magnétron estiver operando. Os magnétrons são classificados pela potência de saída das micro-ondas, que em geral vai de 600 a 950 watts. (Note que esse é o número de watts produzido pelas micro-ondas, e não o número de watts de eletricidade que o aparelho consome, que é maior.)

Mas isso não conta a história toda. A potência de cozimento de um forno de micro-ondas, ou seja, a velocidade com que ele cumpre suas tarefas, depende do número de watts das micro-ondas que são produzidas por litros de espaço na caixa. Para comparar fornos, divida o número de watts do micro-ondas pelo número de litros. Por exemplo, um forno de 950 watts e 38 litros tem uma potência relativa de cozimento de $950 \div 38 = 25$, que é bastante comum. Como fornos diferentes têm potências de cozimento diferentes, as receitas não podem ser precisas sobre o tempo de qualquer operação do micro-ondas.

CALOR

Como as micro-ondas produzem calor?

Não tente encontrar a resposta a essa pergunta em livros de culinária. Apenas com uma exceção, todos os livros na minha biblioteca culinária, inclusive aqueles dedicados exclusivamente ao cozimento com micro-ondas, fogem inteiramente da pergunta ou dão a mesma resposta enganosa. Fugir da questão apenas reforça a ideia, que não ajuda em nada, de uma caixa mágica. Mas divulgar uma resposta errada é ainda pior.

A não explicação onipresente é que "as micro-ondas provocam fricção entre as moléculas de água, e o atrito resultante gera o calor". Essa informação errada *me* arrepia, porque não há qualquer fricção envolvida. Essa ideia de moléculas de água esfregando-se umas nas outras para produzir calor é simplesmente tola. Tente acender um fogo esfregando dois pedaços de água um contra o outro. No entanto, você vai encontrar a ficção da fricção até em alguns manuais de instrução que vêm com os fornos.

Eis o que acontece, na realidade.

Algumas moléculas dos alimentos – especialmente as moléculas de água – comportam-se como eletroímãs minúsculos. (Papo técnico: as moléculas são dipolos elétricos ou, em outras palavras, são polares.) Elas tendem a alinhar-se com a direção de um campo elétrico, exatamente como um ímã numa bússola tende a se alinhar com o campo magnético da Terra. As micro-ondas do seu forno, que têm uma frequência de 2,45 gigaHertz, ou 2,45 bilhões de ciclos por segundo, estão produzindo um campo elétrico que reverte sua direção 4,9 bilhões de vezes por segundo. As pobres moleculinhas de água ficam inteiramente birutas na tentativa de acompanhar a direção, invertendo sua orientação para frente e para trás 4,9 bilhões de vezes por segundo.

Nessa agitação, as moléculas energizadas pelas micro-ondas, virando-se freneticamente, batem contra as moléculas vizinhas e derrubam-nas, como um grão de pipoca, que quando estoura espalha seus vizinhos. Uma vez tendo levado o empurrão, uma molécula que antes estava estacionária torna-se uma molécula em movimento rápido, e uma molécula em movimento rápido, por definição, é uma molécula quente. É assim que a virada das moléculas, induzida pelas micro-ondas, é transformada em calor espalhado.

Por favor, em lugar algum eu disse alguma coisa a respeito da fricção entre moléculas. Fricção, devo lembrar, é a resistência que evita que duas superfícies sólidas deslizem livremente uma sobre a outra. Essa resistência retira uma parte da energia do movimento, e essa energia retirada tem de aparecer em algum outro lugar, porque energia não pode simplesmente desaparecer no nada. Então ela aparece como calor. Isso está bem para pneus de borracha de alta fricção, ou até mesmo para os discos de borracha de baixa fricção usados num jogo de hóquei, mas uma molécula de água não precisa ser esfregada por algum tipo de massagista molecular para ficar quente dentro de um forno de micro-ondas. Tudo o que ela tem a fazer é ser derrubada por uma vizinha que está se virando rapidamente e que engoliu uma micro-onda.

Por mais estranho que pareça, fornos de micro-ondas não são muito bons para derreter gelo. Isso é porque as moléculas de água no gelo estão unidas de modo bastante forte numa estrutura rígida (papo técnico: estrutura cristalina), de modo que elas não conseguem virar-se para frente e para trás sob a influência da oscilação das micro-ondas, embora tenham vontade. Quando você descongela alimentos no forno de micro-ondas, está aquecendo principalmente as outras partes, e não gelo da comida, e o calor resultante então flui para os cristais de gelo e os derrete.

COMO ESTERILIZAR ESPONJAS

Se você usar uma esponja sintética para limpar a pia e a bancada, é bom esterilizá-la de vez em quando, especialmente depois de ter manuseado carne ou ave crua no balcão (o que, aliás, não se deve fazer de jeito algum; trabalhe em cima de papel-manteiga, que depois é jogado fora). Você pode fervê-la em água, mas um método mais rápido é pô-la bem molhada num prato e colocá-la no forno de micro-ondas por um minuto, na posição "forte". Mas tenha cuidado quando for retirá-la; ela estará quente demais para ser manuseada. Tem gente que põe as esponjas na máquina de lavar pratos, mas muitas dessas máquinas não alcançam temperatura suficiente para esterilizar.

DESCANSO

Por que às vezes os alimentos que foram aquecidos no forno de micro-ondas têm de passar por um período de descanso?

Ao contrário de seus primos eletromagnéticos, os raios X, que têm uma frequência e uma energia muito maiores, as micro-ondas não conseguem penetrar mais de dois centímetros na comida; a energia delas é completamente absorvida e transformada em calor dentro dessa região. É essa uma das razões para a imposição "tampe e espere" das receitas e dos fornos "inteligentes": leva um tempo para que o calor externo seja transferido para o interior do alimento. Muitas vezes uma receita vai lhe dizer para parar e mexer a comida antes de continuar o aquecimento. Mesmo motivo.

O calor se distribui de duas maneiras. Na primeira, as moléculas mais quentes quicam contra as moléculas adjacentes, menos quentes, na comida, transferindo parte de seu movimento – seu calor – para elas, de modo que o calor vai aos poucos indo mais fundo no alimento.

Na segunda, grande parte da água já se transformou em vapor, que então é difundido pela comida, liberando seu calor pelo caminho. É por isso que a maior parte do aquecimento por micro-ondas é feito em recipientes frouxamente cobertos; você quer que o vapor quente fique lá, mas não quer que ele aumente a pressão e faça a tampa voar. Esses dois processos de transferência de calor são lentos, de modo que se o calor não tem tempo suficiente para se distribuir uniformemente, você vai acabar com pontos quentes e frios na comida.

Praticamente todos os alimentos contêm água, de modo que praticamente todos os alimentos podem ser aquecidos por micro-ondas. (Não tente cozinhar cogumelos secos, por exemplo.) Mas as moléculas não água de certos alimentos, especialmente gorduras e açúcares, também são aquecidas pelas micro-ondas. É por isso que bacon fica tão bom em forno de micro-ondas, e é por isso também que as passas doces, dentro de um bolinho de fibra com passas, aquecido por micro-ondas, podem ficar perigosamente quentes demais e queimar a língua, mesmo que a parte do bolo esteja apenas morno.

Por esse motivo, vale a pena ter cuidado com alimentos gordurosos e açucarados. Moléculas de água muito quentes podem ferver como vapor, mas moléculas de gordura e de água muito quentes são perigos inesperados. Essa é uma outra razão por que é sempre aconselhável esperar um pouco para que o vapor se acalme e os pontos quentes se igualem antes de retirar e comer alimentos aquecidos por micro-ondas.

BARULHO DO MICRO-ONDAS

Por que o forno de micro-ondas faz um barulho que parece estar ligando e desligando a toda hora?

Porque está. Os ciclos do magnétron ligam e desligam para dar margem a períodos de tempo, de modo que o calor se distribua pela comida. Quando você liga o forno numa porcentagem da "potência", o que você está ajustando não é a potência em watts do magnétron: ele só consegue funcionar na potência plena considerada (veja abaixo). O que você está estabelecendo é a porcentagem de tempo que ele fica ligado. "Potência Média" quer dizer que fica ligado metade do tempo. O barulho de estar ligando e desligando é o barulho do ventilador que esfria o magnétron.

Em alguns fornos mais sofisticados, diversas sequências e durações dos períodos ligado e desligado são programadas na máquina para otimizar tarefas específicas, como "reaquecer o prato do jantar", "cozinhar batata assada", "degelar legumes" e, a mais importante de todas, "pipoca".

Um desenvolvimento relativamente novo nos fornos de micro-ondas, no entanto, é a "tecnologia da inversão". Em vez de ligar e desligar o ciclo, o forno consegue, na verdade, fornecer níveis mais baixos, contínuos, de potência para o aquecimento se dar mais por igual.

VELOCIDADE DE COZIMENTO

Por que os fornos de micro-ondas cozinham tão mais depressa que os fornos convencionais?

Antes de aquecer a comida, um forno convencional a gás ou elétrico primeiro tem de aquecer de 60 a 120 litros de ar ("preaqueça o forno"), depois o ar quente tem de transferir sua energia calorífica para o alimento. Esses processos são muito lentos e ineficientes. Um forno de micro-ondas, por outro lado, aquece a comida – e não apenas a comida – depositando sua energia diretamente nela, sem o envolvimento de intermediários, como o ar ou água (como no cozimento em água).

A afirmação encontrada em diversos livros de culinária de micro-ondas, no sentido de que as micro-ondas cozinham o alimento tão rapidamente "porque são tão pequenas que viajam rapidamente" é bobagem. Todas as ondas eletromagnéticas viajam na velocidade da luz, não importa seu comprimento de onda. E "micro", em "micro-ondas", não quer dizer "minúsculas". Elas foram batizadas de "micro-ondas" por serem essencialmente ondas de rádio ultracurtas.

PRATO GIRATÓRIO

Por que a comida tem de rodar enquanto está cozinhando?

É difícil projetar um forno de micro-ondas em que a intensidade das micro-ondas seja completamente uniforme por todo o volume da caixa, de modo que todos os locais da comida sejam submetidos à mesma potência de aquecimento. Além disso, toda comida no forno está absorvendo micro-ondas e perturbando qualquer uniformidade que, de outra maneira, possa existir. Você pode comprar um dispositivo barato, sensível a micro-ondas, numa loja de equipamentos culinários, pô-lo em diversas partes do forno e observar que ele registra intensidades diferentes nos diferentes locais.

A solução é manter a comida em movimento, de modo que equilibre as disparidades na intensidade das micro-ondas. A maior parte dos fornos, hoje em dia, tem prato giratório automático, mas se o seu não tem, muitas receitas e instruções para descongelamento de alimentos irão lembrá-lo de rodar a comida a meio caminho do tempo de aquecimento.

METAL NO MICRO-ONDAS

Por que não se deve pôr metal num forno de micro-ondas?

A luz se reflete em espelhos; as micro-ondas se refletem em metais. Se o que você puser no forno refletir de volta um excesso de micro-ondas, em vez de absorvê-las, o tubo do magnétron poderá ser danificado. Deve sempre haver alguma coisa dentro do forno para absorver as micro-ondas. É por isso que você nunca deve ligá-lo vazio.

Os metais em fornos de micro-ondas se comportam de modo imprevisível, a não ser que você seja formado em engenharia elétrica. As micro-ondas provocam o aparecimento de correntes elétricas nos metais, e se o objeto de metal for muito fino, ele pode não aguentar a corrente, incandescer e derreter, como quando um fusível queima. E se ele tiver pontas afiadas, pode até funcionar como um para-raios e concentrar tanta energia das micro-ondas nas pontas que irá soltar faíscas feito raios. (Esses arames cobertos de papel, usados para fechar embalagens, são notórios, por serem tanto finos quanto pontudos, de modo que tenha cuidado.)

Por outro lado, os engenheiros que desenharam os fornos de micro-ondas podem inventar tamanhos e feitios seguros de metal que não causarão problemas, e alguns fornos podem mesmo aceitar bandejas e grades de metal.

Como é muito difícil prever que tamanhos e feitios de metal são seguros e quais os que podem provocar fogos de artifício, o melhor conselho é nunca pôr nada metálico num forno de micro-ondas. E isso também vale para os belos pratos com beiradas douradas ou de outro metal.

Farinha de rosca no micro-ondas

Alguns acessórios especiais para micro-ondas têm revestimentos delgados de metais que ficam bastante quentes no forno de micro-ondas e poderão dourar as comidas que estiverem em contato com eles. Em geral, as micro-ondas não douram o alimento, porque sua energia é absorvida principalmente no interior da comida, e a superfície não fica quente o bastante para que as reações de douramento aconteçam.

Desse modo, não espere conseguir fazer *croutons* ou torradas no forno de micro-ondas. Mas você poderá tostar rapidamente migalhas de pão fresco, se elas estiverem misturadas com óleo. O óleo absorve as micro-ondas, fica quente e "frita" o pão.

Quando as últimas fatias de um pão estiverem muito velhas para se comer, mas ainda boas demais para serem jogadas fora, faça essa farinha de rosca no forno de micro-ondas. Use-a por cima de pasta ou de legumes.

- 2 ou 3 fatias grossas de pão dormido, sem as cascas
- cerca de 2 colheres de chá de azeite de oliva
- pitada de sal grosso

1. Parta o pão em pedaços e ponha-o no processador de alimentos. Acrescente lentamente o azeite através do tubo de alimentação, enquanto processa, até atingir o tamanho desejado. Junte uma pitada de sal e dê uma girada para misturar.

2. Espalhe as migalhas em camada fina numa travessa à prova de micro-ondas. Ponha no forno, descobertas, e ligue em "alto" durante 1 minuto. Mexa as migalhas e ligue mais 1 minuto ou mais, até elas ficarem torradas. Se as migalhas forem grandes e não estiverem nem um pouco úmidas, deixe mais 30 segundos. Vigie cuidadosamente, porque quanto menores forem as migalhas maior a probabilidade de torrarem demais.

▸ Rende cerca de 1 xícara generosa

VAZAMENTO DE MICRO-ONDAS?

As micro-ondas podem escapar da caixa e cozinhar o cozinheiro?

Um forno velho, castigado, com porta empenada, pode realmente deixar passar micro-ondas pelas frestas o suficiente para causar algum dano, mas há muitíssimo pouco vazamento nos fornos cuidadosamente projetados de hoje. Além disso, no instante em que a porta é aberta, o magnétron desliga, e as micro-ondas desaparecem como a luz, quando você apaga uma lâmpada.

E a porta de vidro? As micro-ondas conseguem penetrar no vidro, mas não no metal, de modo que a porta de vidro é recoberta por um painel de metal perfurado que deixa a luz passar, para que você possa ver lá dentro, mas não deixam as micro-ondas atravessar, porque seu comprimento de onda (12cm) é grande demais para passar pelos orifícios do painel metálico. Não há qualquer fundamento para se pensar que é perigoso ficar a menos de alguns metros de um forno de micro-ondas em operação.

RECIPIENTES PARA MICRO-ONDAS 1

O que torna um recipiente "seguro para micro-ondas"?

Em princípio, a resposta é simples: recipientes cujas moléculas não sejam dipolares e não absorvam as micro-ondas. Essas moléculas não serão jogadas de lá para cá pelas micro-ondas e não ficarão quentes. Mas na prática a resposta não é tão simples assim.

É de surpreender que, na nossa sociedade super-regulamentada, pareça não existir qualquer definição, por parte de governo, indústria ou comércio, definindo a expressão "seguro para micro-ondas". Já tentei extrair uma definição da FDA, da Comissão Federal do Comércio e da Comissão de Segurança de Produtos para o Consumidor, sem resultados. Tampouco consigo fazer com que qualquer fabricante de produtos "seguros para micro-ondas" me diga por que ele faz essa afirmação.

Então, parece que estamos sozinhos nessa. Mas há alguns princípios para orientação.

Metais: já expliquei por que os metais devem ser evitados nos fornos de micro-ondas.

Vidro e papel: vidro (quer dizer, vidro padrão usado na cozinha, não cristais sofisticados), papel e papel-manteiga são sempre seguros; eles não absorvem nada das micro-ondas. O assim chamado cristal, que é vidro com alto teor de chumbo, absorve micro-ondas até certo ponto e pode, portanto, ficar quente. Se for uma peça grossa, pode gerar tensões que o levem a rachar. Melhor não arriscar com aquelas coisas caras.

Plásticos: os plásticos também não absorvem micro-ondas. Mas a comida no forno de micro-ondas pode ficar bastante quente, e qualquer recipiente, não importa do que seja feito, irá então ficar quente por causa da comida. Alguns plásticos delgados, como sacos de armazenamento, potes de margarina e isopor de caixas "para viagem" de restaurantes podem deformar-se. Você vai ter de aprender isso com a experiência.

Cerâmica: as xícaras e pratos de cerâmica em geral são bons, mas alguns podem conter minerais que absorvem energia das micro-ondas e podem ficar quentes. Na dúvida, teste o suspeito aquecendo-o vazio no forno, junto com um pouco de água numa xícara de medida de vidro. Se o objeto que está sendo testado ficar quente, não é à prova de micro-ondas. (A água está lá para absorver as micro-ondas e evitar o problema do forno vazio a que me referi antes.)

Para complicar ainda mais as nossas vidas, algumas canecas e xícaras de cerâmica, mesmo sendo feitas de argilas perfeitamente inocentes e que não absorvem micro-ondas, podem quebrar-se no forno de micro-ondas. Se o verniz estiver rachado ou lascado pelo uso, pode passar água para dentro dos poros, ou bolsas de ar na argila por baixo do verniz, talvez ao ser lavado na máquina. Então, quando o objeto é posto no forno de micro-ondas, a água presa irá ferver, e a pressão do vapor pode rachar a caneca. Embora isso aconteça raramente, é melhor não usar louça lascada ou do tipo craquelê no forno de micro-ondas.

RECIPIENTES PARA MICRO-ONDAS 2

Por que mesmo assim alguns recipientes "seguros para micro-ondas" ficam quentes no forno?

"Seguro para micro-ondas" significa apenas que o recipiente não vai ficar quente por absorção direta das micro-ondas. Mas o alimento nele contido absorve a energia das micro-ondas, como já falei antes, e grande parte desse calor é transmitida ao prato. A temperatura do prato vai depender da eficiência com que ele absorve calor da comida, e diferentes materiais – mesmo diferentes materiais "seguros para micro-ondas" – podem variar bastante a esse respeito. Use sempre pegadores de panelas ao retirar recipientes do forno de micro-ondas. E ao abrir o recipiente, cuidado com o vapor contido nele, que pode estar bem quente.

ESQUENTANDO ÁGUA NO MICRO-ONDAS

É perigoso aquecer água num forno de micro-ondas?

Não e sim. Não, não é provável que vá acontecer qualquer coisa, mas sim, você deve ter cuidado. A água aquecida por micro-ondas ainda não atingiu uma fervura plena, vigorosa, e pode ser uma armadilha.

Como a energia das micro-ondas é absorvida apenas pela camada exterior de uns dois centímetros da água numa xícara, o calor resultante pode então difundir-se para as porções interiores antes que toda a água possa alcançar uniformemente seu ponto de ebulição. Essa difusão de calor é um processo lento, e parte da água da porção externa pode ficar mesmo muito quente, antes que se veja a xícara inteira fervendo. Partes da água podem, na verdade, ficar mais quentes do que o ponto de ebulição, sem ferver; diz-se então que ela foi superaquecida. Água – na verdade, qualquer líquido – pode não ferver, mesmo estando quente o suficiente, porque, para ferver, as moléculas precisam de um local conveniente para se reunirem até que haja um número suficiente delas em um ponto para formar uma bolha de vapor. (Papo técnico: precisam de um ponto de nucleação.) Um ponto de nucleação pode ser um grão de poeira ou uma impureza na água, uma minúscula bolha de ar ou até imperfeições mínimas nas paredes da xícara.

Agora, suponha que você tem um pouco de água limpa, pura, numa xícara lisa e sem defeitos, de modo que praticamente não haja pontos de nucleação. Você a põe no forno de micro-ondas e, como é claro que você está com pressa, liga-o no máximo, posição que aquece intensamente as porções exteriores da água. Sob essas condições, é possível que você produza alguns bolsões de água superaquecida, loucas para ferver furiosamente se tiverem oportunidade para tanto. Então, quando você abre a porta do forno e agarra a xícara, lhes dá essa chance, sacudindo a água. Por causa da sacudidela, parte do excesso de "superaquecimento" encontra o caminho para a porção ligeiramente mais fria, não exatamente fervendo, fazendo com que tudo ferva subitamente. Essa perturbação, por seu lado, faz com que também as porções superaquecidas fervam subitamente. O resultado vai ser uma erupção de borbulhas inesperadas que podem espirrar líquido quente.

O motivo pelo qual esse borbulhamento retardado nunca acontece na água aquecida no fogão é que o calor no fundo da chaleira cria continuamente pequenas bolhas de ar e vapor d'água, que servem como pontos de nucleação, de modo que nunca há chance de se desenvolver um superaquecimento. Além disso, a água aquecida por baixo está continuamente subindo e circulando, o que evita o acúmulo de calor exagerado em um único lugar.

Por medida de segurança, nunca retire a xícara do forno de micro-ondas assim que você vir aparecerem algumas bolhas, porque poderá haver algumas porções ainda não exatamente fervendo, mas que podem começar a ferver inesperadamente. Observe a água pela janela do forno e deixe-a ferver vigorosamente durante vários segundos antes de desligar o forno e retirá-la. Aí você saberá que toda a água está bem misturada, a uma temperatura de ebulição uniforme.

Mesmo assim, tenha sempre muito cuidado ao retirar qualquer líquido quente do forno; ele ainda pode ferver inesperadamente e escaldá-lo ao espirrar. Eu desenvolvi o costume de mergulhar um garfo na xícara, para "desativar" pontos superaquecidos antes de retirá-la do forno.

Quando você acrescenta depois o saquinho de chá ou (ugh!) café instantâneo à água aquecida por micro-ondas, pode observar uma efervescência, mas ela não está fervendo e não é violenta; essa efervescência é formada sobretudo por bolhas de ar. Os sólidos estão proporcionando novos pontos de nucleação, que não existiam antes, e esses pontos liberam o ar que estava dissolvido na água fria original, mas que não teve tempo de sair durante alguns minutos de aquecimento.

Sopa de verão verde-jade

Assim como *vichyssoise* e *gazpacho,* a sopa de verão verde-jade é igualmente refrescante.

As sopas não têm de ficar fervendo em fogo baixo durante horas. Esta leva cerca de 15 minutos, graças à mágica das micro-ondas. Pode ter sido criada pela mulher de algum fazendeiro, com a intenção de usar a generosidade estival de sua horta.

Essa sopa fica mais bonita quando servida numa tigela branca ou de cores vivas e guarnecida com ervas frescas picadas. É tão baixa em calorias, por que não botar mais alguma coisa? Tente um fio de azeite de oliva extra virgem ou uma bolinha de creme azedo para arredondar os sabores.

- 5 xícaras de caldo de galinha
- 2 xícaras de vagens verdes cruas, picadas
- 2 xícaras de alface-romana crua picada
- 2 xícaras de abobrinha crua picada
- 2 xícaras de ervilhas cruas ou 1 pacote de ervilhas congeladas
- 1 xícara de aipo picado
- ½ xícara de cebolinha picada, tanto a parte branca como a verde
- ¼ de xícara de salsa picada
- sal e pimenta-do-reino moída na hora
- ervas frescas picadas
- azeite de oliva ou creme fresco (opcional)

1. Ponha o caldo de galinha, as vagens, a alface-romana, a abobrinha, as ervilhas, o aipo, as cebolinhas e a salsa numa tigela de vidro grande. Tampe com um prato de papel e ponha no forno de micro-ondas em "alto" durante 15 minutos, ou até os legumes ficarem macios.

2. A mistura vai estar muito quente. Retire-a cuidadosamente do forno, deixe esfriar um pouco e depois passe-a cuidadosamente no liquidificador, acrescentando cerca de 1 xícara por vez, até ela ficar lisa. Tempere generosamente com sal e pimenta-do-reino, porque quando a sopa é servida fria o sabor deles fica atenuado. Transfira a sopa em purê para pequenos recipientes e deixe-a esfriar antes de pô-la na geladeira, para evitar que aqueça as outras coisas que estão lá dentro. Deixe gelar completamente antes de servi-la nas tigelas geladas.

3. Guarneça cada porção com as ervas frescas picadas. Junte um salpico de azeite de oliva ou uma bolota de creme, se quiser.

Nota: para cozinhar a sopa no fogão, combine o caldo e os legumes numa panela grande, parcialmente tampada, e ferva em fogo baixo por 15 ou 20 minutos. Continue a partir da etapa 2, acima.

▸ Rende 6 a 8 porções

MICRO-ONDAS E A ESTRUTURA MOLECULAR

As micro-ondas modificam a estrutura molecular dos alimentos?

Sim, claro que modificam. O processo é chamado de "cozimento". Todos os métodos de cozimento provocam mudanças químicas e moleculares nos nossos alimentos. Um ovo cozido certamente tem uma composição química diferente da de um ovo cru.

MICRO-ONDAS E OS NUTRIENTES

As micro-ondas destroem os nutrientes dos alimentos?

Nenhum método de cozimento destrói os sais minerais. Mas o calor destruirá a vitamina C, por exemplo, não importa como a comida for cozida.

Como o aquecimento pelas micro-ondas é desigual, partes da comida poderão ser submetidas a temperaturas muito mais altas do que em outros métodos, de modo que há a possibilidade de alguma destruição de vitaminas. Mas mesmo que as micro-ondas destruam todas as vitaminas X do seu prato, certamente não haverá danos nutricionais em se comer de vez em quando um alimento que não contenha vitamina X. Numa dieta equilibrada, cada prato não tem de conter todas as vitaminas e sais minerais.

REFEIÇÃO ESFRIA MAIS RÁPIDO

Por que a refeição cozida por micro-ondas esfria mais rápido do que a refeição cozida num forno convencional?

A simplicidade dessa resposta poderá parecer decepcionante: a comida cozida por micro-ondas pode não ter ficado tão quente, para começar.

Diversos fatores, como o tipo, a quantidade e a espessura do alimento, afetam o modo como ela vai se aquecer num forno de micro-ondas. Se, por exemplo, o ciclo de liga e desliga escolhido para o magnétron não for exatamente o mais adequado para aquele alimento ou recipiente em particular, ou se o alimento não for girado ou mexido completamente, ou se o recipiente não estiver tampado para manter o vapor dentro, então o calor poderá não ficar distribuído por igual pela comida. As partes exteriores poderão estar escaldantes, mas as partes de dentro poderão estar ainda parcialmente frias. Então a temperatura total média do alimento estará mais baixa do que você pensa, e ela irá esfriar até a temperatura ambiente com maior rapidez.

Num forno convencional, por outro lado, o alimento é rodeado por ar muito quente durante um tempo relativamente longo, e o calor tem bastante tempo para chegar a todas as partes. Assim, a temperatura do alimento vai acabar sendo a mesma da temperatura do ar no forno (a não ser que você esteja fazendo deliberadamente um assado malpassado, por exemplo) e vai demorar mais para esfriar.

Há um outro motivo. Num forno convencional, o recipiente de cozimento fica tão quente quanto o ar do forno e conduz o calor diretamente para a comida. Mas os recipientes "seguros para micro-ondas" são deliberadamente projetados para não ficarem quentes. Dessa forma, o alimento de um forno de micro-ondas está em contato com um recipiente que permaneceu mais frio do que o alimento e que retira parte de seu calor.

Finalmente, há dois mistérios de micro-ondas estranhos que cozinheiros ansiosos e perplexos me pediram que resolvesse.

ERVILHAS NO MICRO-ONDAS

Quando cozinho ervilhas frescas no micro-ondas, a água ferve e derrama para fora do recipiente; no entanto, quando aqueço ervilhas enlatadas do mesmo modo, elas se comportam bem. Qual é a diferença?

A energia das micro-ondas é absorvida principalmente pela água do alimento. As ervilhas empapadas de lata e seu líquido circundante absorvem as micro-ondas mais ou menos na mesma proporção e vão, portanto, ficar quentes praticamente do mesmo modo. Quando a água começa a ferver, as ervilhas estão mais ou menos à mesma temperatura, no que sem dúvida você as considera prontas e para o forno.

As ervilhas frescas, muito mais secas, por outro lado, não absorvem as micro-ondas com tanta presteza quanto a água ao seu redor, de modo que a água aquece mais depressa. Mas as ervilhas relativamente mais frias impedem que a água seja aquecida por igual. Ao mesmo tempo, as ervilhas estão funcionando como instigadoras de bolhas (papo técnico: pontos de nucleação), encorajando a água a irromper de modo exuberante sempre que houver pontos quentes. Tudo isso acontece antes de as ervilhas estarem adequadamente cozidas e você ache que elas estão prontas para sair do forno.

Tente usar uma potência menor que a máxima, na qual o forno bombardeia o alimento de modo intermitente, dando à água tempo de distribuir seu calor pelas ervilhas. Assim, elas provavelmente cozinharão antes que a água tenha a chance de transbordar.

Melhor ainda, compre ervilhas congeladas. O produtor já experimentou a melhor maneira de cozinhá-las num forno de micro-ondas e as instruções estão lá, no pacote.

FAÍSCAS NOS LEGUMES

Quando cozinhei alguns legumes misturados, congelados, numa tigela de vidro no forno de micro-ondas, eles de repente começaram a soltar faíscas, como se contivessem metal. Desliguei imediatamente o forno e examinei os legumes, mas não consegui encontrar nenhuma partícula metálica. Os legumes estavam, na verdade, carbonizados pelas faíscas! Repeti com um outro pacote da mesma marca e aconteceu de novo. Ouvi histórias diferentes do homem que conserta fornos de micro-ondas e do departamento de gerenciamento de risco do supermercado, que transmitiu minha queixa ao seu fornecedor, que a transferiu para a companhia de seguros deles. O que aconteceu?

Relaxe. Não processe a empresa de alimentos. Não havia metal nos seus legumes. Aposto que foram principalmente as cenouras que ficaram carbonizadas, certo? Eis o que provavelmente aconteceu.

Os alimentos congelados em geral contêm cristais de gelo. Mas, como já mencionei antes, o gelo sólido não absorve as micro-ondas tão prontamente quanto a água líquida. A posição de descongelar dos fornos de micro-ondas, portanto, não tenta derreter o gelo diretamente, mas funciona em rajadas curtas de aquecimento do alimento, deixando tempo entre as rajadas para que o calor se distribua e derreta o gelo.

Mas você não usou o botão em "descongelar", usou? (Ou talvez o seu forno não tenha um.) Você ligou o forno para um nível alto, constante, de aquecimento, que elevou porções localizadas do alimento a temperaturas extremamente altas sem deixar tempo suficiente para que o calor se dissipasse pela tigela. Então esses pontos localizados ficaram queimados e carbonizados.

Por que as cenouras e por que as faíscas? As ervilhas, o milho, os feijões e seja-mais-lá-o-quê têm feitio redondo, enquanto as cenouras em geral são cortadas em cubos ou retângulos com beiradas nítidas. Essas beiradinhas secaram e carbonizaram mais rapidamente do que o resto dos legumes. Agora, uma beirada carbonizada, nítida ou pontuda pode funcionar exatamente como a ponta de um para-raios, que atrai para si a energia e portanto evita que ela caia em outro lugar. (Papo técnico: pontos agudos condutores de eletricidade desenvolvem gradientes de campo elétrico altamente concentrados em torno deles mesmos.) A energia altamente concentrada atraída pela cenoura foi o que causou as faíscas.

Sei que tudo isso parece um tanto rebuscado, mas é bastante lógico. Já aconteceu antes. Da próxima vez, use o botão de "degelar legumes" do forno ou outra potência menor. Ou então acrescente bastante água à tigela, de modo a cobrir os legumes.

Seu forno não foi possuído pelo demônio.

capítulo 9

Ferramentas e tecnologia

Os cozinheiros de hoje, como outros artistas, têm suas próprias paletas e pincéis sob a forma de um arsenal de equipamentos que tornam as antigas tarefas fáceis e as novas tarefas possíveis.

As cozinhas de hoje ostentam uma variedade de dispositivos mecânicos e elétricos que vão do simples almofariz ao forno e fogão mais tecnologicamente sofisticado.

Progredimos, como espécie, e estamos tão longe das fogueiras, das pedras quentes e dos potes de barro (será que futuros arqueólogos vão desenterrar cacos de máquinas de fazer pão do início do século XXI?) que podemos até mesmo não saber como funcionam alguns dos nossos instrumentos. Fazemos uso deles, e nem sempre corretamente, sem conhecê-los inteiramente.

Os fornos de micro-ondas são apenas o início. Acompanhe-me em uma cozinha cheia de dispositivos *high-tech*, como bobinas de indução magnética, fornos de luz, termistores e "cérebros" de computadores que algumas vezes parecem saber mais do que você. No caminho, vamos aprender como usar com maior proveito nossas conhecidas e velhas frigideiras, copos de medida, facas e pincéis de pastelaria.

No final, vamos acabar ao lado de Alice no País das Maravilhas, num lugar adequado para terminar nossa jornada pelos únicos lugares da Terra em que os milagres realmente acontecem todos os dias: nossas maravilhosas e loucas cozinhas.

Utensílios e técnicas

FRIGIDEIRAS ANTIADERENTES

Por que nada gruda em frigideiras antiaderentes?
E se a camada de antiaderente não gruda em nada,
como é que gruda nas panelas?

O ato de grudar é uma faca de dois gumes. Para que aconteça, tem de haver tanto o "grudador" quanto o "grudado". Pelo menos um dos parceiros deve ser grudento.

Teste – identifique o que gruda em cada um desses pares: cola e papel; goma de mascar e sola de sapato; pirulito e uma criança.

Em cada um dos casos, pelo menos um elemento do par tem de ser feito de moléculas que gostam de se prender em outras. Cola, goma de mascar e pirulitos contêm sabidamente moléculas volúveis; quase qualquer coisa pode ser objeto de seus afetos. Os adesivos são criados deliberadamente por químicos para formar ligações fortes, permanentes, com o máximo de substância possível.

Mas bem longe, lá do outro lado, está o PTFE, aquele revestimento preto nas panelas antiaderentes. Se as moléculas simplesmente se recusarem a ser ou "grudador" ou "grudado", não interessa que parceiro em potencial possa ter. E isso é extremamente raro no mundo químico das atrações intermoleculares. Nem Super Bond gruda em PTFE.

O que o PTFE tem que as outras moléculas não têm? Esta pergunta espinhosa surgiu em 1938, quando um químico chamado Roy Plunkett, da DuPont de Nemours Corp., elaborou um composto químico inteiramente novo, que os químicos chamam de politetrafluoroetileno, mas que por sorte foi apelidado de PTFE e tornou-se marca registrada da DuPont como Teflon.

Depois de aparecer sob diversos disfarces industriais, como dobradiças deslizantes que não precisam de óleo, o Teflon começou a aparecer na cozinha nos anos 1960 como revestimento para frigideiras que podiam ser limpas num instante, porque não ficavam sujas, para começar.

Variações modernas são conhecidas por diversas marcas comerciais, mas são todas essencialmente PTFE. Há diversos esquemas para fazê-lo grudar na frigideira, o que, como se pode imaginar, não é fácil. Vou chegar lá.

Mas, primeiro, vamos saber como um ovo tende a grudar numa frigideira sem antiaderente, só para começar.

Coisas podem grudar-se umas nas outras (e serem desgrudadas umas das outras) por motivos que são principalmente mecânicos ou químicos. Embora haja atrações fracas entre moléculas de proteínas e metais, o fato de um ovo grudar numa frigideira comum é em grande parte mecânico; durante o processo de coagulação, as claras agarram-se em fendas e rachaduras. Os arranhões na frigideira, causados pelo uso violento de espátulas de metal, só pioram as coisas. Eu uso espátulas revestidas de PTFE, mesmo nas frigideiras com superfície de metal.

Para diminuir a aderência mecânica, usamos o óleo de cozinha. Ele preenche as fendas e faz com que o ovo boie acima das rachaduras, numa camada fina de líquido. (Qualquer líquido faz isso, mas a água não dura o tempo suficiente numa frigideira quente para ser útil, a não ser que você use muita água, e nesse caso você vai ter um ovo poché, e não um ovo frito.)

A superfície dos revestimentos das panelas antiaderentes, por outro lado, é extremamente lisa em escala microscópica. Como elas praticamente não têm rachaduras, não há nada em que a comida se agarrar. É claro que o vidro e muitos plásticos compartilham dessa virtude, mas o PTFE é elástico e suporta bem temperaturas altas.

Mas a aderência química também é importante. A aderência mais forte do mundo, como a dos adesivos, deve-se, em grande parte, àquelas atrações molécula-molécula que já mencionei, que então precisam de uma guerra química para se desmancharem. Por exemplo, *thinner* de tinta (álcool mineral) retirará o resíduo de goma de mascar do seu sapato, depois que a raspagem mecânica falhou.

Na cozinha, os átomos ou as moléculas na superfície de uma frigideira podem formar ligações químicas fracas com determinadas moléculas de alimentos. Mas as moléculas de PTFE são únicas, no sentido de que não formam ligações com nada. Eis por quê.

O PTFE é um polímero feito de apenas dois tipos de átomos, carbono e flúor, numa proporção de quatro átomos de flúor para cada dois átomos de carbono. Milhares dessas moléculas de seis átomos são unidas em moléculas gigantescamente maiores, que parecem longas espinhas dorsais de carbonos com átomos de flúor eriçando-se como os espetos de uma lagarta lanosa.

O que nos traz (finalmente) à questão de como eles conseguem fazer com que o revestimento grude na frigideira, para início de conversa. Você pode adivinhar que eles usam uma grande variedade de técnicas mecânicas, e não químicas, para tornar a superfície da frigideira áspera o suficiente para que a camada de PTFE borrifada por cima consiga firmar-se. As melhorias fantásticas nessas técnicas fizeram com que os utensílios de cozinha não aderentes de hoje sejam muito superiores às camadas finas, quebradiças, raspáveis, de antigamente. Alguns fabricantes agora chegam a desafiá-lo a usar implementos metálicos nas panelas fabricadas por eles.

QUAL FRIGIDEIRA COMPRAR?

Quero comprar uma frigideira de uso geral, de alta qualidade, mas há tantos tipos de metais e revestimentos que não consigo saber quais os melhores. O que devo procurar?

Primeiro, abra a carteira, porque você disse "alta qualidade", e isso nunca sai barato.

A frigideira ideal irá distribuir o calor do queimador de forma uniforme sobre toda a sua superfície, transferi-lo rapidamente para o alimento e reagir prontamente a mudanças nas posições do fogo. Isso se resume em duas qualidades: espessura e condutividade do calor. Procure uma frigideira grossa, feita de um metal que conduza o calor do modo mais eficiente possível.

Uma frigideira deveria ser feita de metal de alto calibre, pois quanto mais volume ela tiver, mais calor conseguirá reter. Quando você acrescenta alimentos que estão à temperatura ambiente a uma frigideira quente, fina, eles conseguem roubar o calor do metal, que cai abaixo da temperatura ideal de cozimento. Além do mais, pontos mais quentes nos queimadores do fogão passarão direto para a comida, através do fundo de uma frigideira fina, sem se dispersarem para os lados, o que resulta em pontos queimados ou secos no alimento. Uma frigideira grossa, por outro lado, tem reservas de calor suficientes ou "inércia de calor" para manter uma temperatura de cozimento constante, apesar dessas contingências.

A propriedade mais crucial do metal de uma frigideira é sua possibilidade de conduzir calor rapidamente; ela deverá ter o que os cientistas chamam de alta condutividade térmica. Isso é verdade por três motivos:

1. Você quer que a frigideira conduza o calor do queimador de maneira rápida e eficiente para o alimento. Você não conseguiria fritar grande coisa numa frigideira de vidro ou de porcelana, que são condutores de calor lentíssimos.

2. Você quer que todas as partes da superfície da frigideira estejam à mesma temperatura, de modo que o alimento todo receba o mesmo tratamento, apesar da desigualdade na temperatura do queimador. Queimadores a gás têm chamas

separadas, lambendo partes diferentes do fundo da frigideira, enquanto queimadores elétricos são espirais de metal quente com espaços mais frios entre as espirais. Uma frigideira com fundo de alta condutividade térmica irá igualar rapidamente todas essas irregularidades.

3. Você quer que a frigideira reaja rapidamente a mudanças no calor do queimador, tanto para cima como para baixo. Frituras e refogados são batalhas constantes para manter o alimento a temperaturas altas sem queimá-lo, de modo que você tem de ajustar constantemente o queimador. Uma frigideira feita de metal de alta condutividade reagirá rapidamente a essas mudanças.

Está bem, qual é o melhor metal?

A melhor frigideira do mundo teria um fundo grosso feito do metal que melhor conduz o calor: prata.

Você diz que não tem dinheiro para uma frigideira de prata? Bem, existe um segundo lugar bem próximo: cobre, que conduz 91% do calor conduzido pela prata. Mas cobre em demasia na dieta pode ser pouco saudável, de modo que a parte interna das frigideiras de cobre devem ser forradas com um metal menos tóxico. O estanho foi durante muitos anos o recurso habitual, mas o estanho é mole e derrete a apenas 230°C. A tecnologia metalúrgica moderna consegue unir camadas finas de níquel ou de aço inoxidável ao interior de panelas de cobre.

Na minha opinião, então, você não vai encontrar nada melhor do que uma frigideira de cobre pesada, forrada com aço inoxidável ou níquel. Esse é o mais caro utensílio de cozinha, porque o cobre é mais caro que o alumínio ou o aço inoxidável, é um metal difícil de se trabalhar, e ligar a forração de aço ou de níquel a ele não é fácil de se fazer em escala de mercado.

Então, qual é a outra alternativa? Alumínio. É muito barato e no entanto conduz calor 55% tão bem quanto a prata – sem relaxar na corrida da transmissão de calor. Uma frigideira grossa de alumínio pode desempenhar uma bela tarefa de fritar ou refogar e tem a vantagem de ser apenas 30% menos pesada (densa) do que o cobre.

MAS (sempre há um mas): o alumínio é suscetível ao ataque pelos ácidos presentes nos alimentos, de modo que é também muitas vezes revestido com uma camada não reativa, como aço inoxidável 18/10: uma liga que contém 18% de cromo e 10% de níquel. Uma camada dura de aço inoxidável também resolve o principal problema do alumínio: sua relativa maciez. Ele arranha com facilidade, e a comida vai grudar numa superfície arranhada da frigideira.

Existe, no entanto, uma outra maneira de se proteger o alumínio. Sua superfície pode ser convertida por métodos eletroquímicos em uma camada de óxido de alumínio densa, dura e não reativa, por um processo conhecido como anodização – passando uma corrente elétrica entre o alumínio e outro eletrodo num banho de ácido sulfúrico. A Calphalon é uma marca conhecida de panelas de alumínio anodizado. A camada de óxido, geralmente branca ou incolor, mas enegrecida por um pigmento no banho de ácido, serve tanto para proteger a superfície do alumínio – é 30% mais dura do que o aço inoxidável – quanto para protegê-lo de ácidos, embora o óxido seja suscetível a compostos químicos alcalinos, como detergente de lavar pratos. A superfície anodizada é também resistente à aderência, mas não chega a ser antiaderente. Certamente vale pensar numa frigideira de alumínio anodizado realmente pesada. Deverá ter pelo menos 4 milímetros de espessura.

No final da lista qualitativa de frigideiras está o aço inoxidável sólido, que é o pior condutor de todos entre os materiais comuns de frigideiras: apenas 4% da qualidade da prata. Pode ser reluzente e bonito quando novo, mas eu o chamo de "aço sem-vergonha", porque dizem que não é corroído ou manchado e, no entanto, mancha; o sal pode lhe fazer buracos, e ele mancha em altas temperaturas.

As virtudes individuais do cobre, do alumínio e do aço inoxidável podem ser combinadas com camadas de metais, como já vimos com o cobre e o alumínio forrado com aço inoxidável. As panelas Master-Chef da All-Clad, por exemplo, têm um núcleo de alumínio ensanduichado entre duas camadas de aço inoxidável. As panelas Cop-R-Chef são um sanduíche de alumínio entre aço inoxidável por dentro e cobre por fora, mas o cobre é principalmente cosmético; não é espesso o suficiente para competir com as caríssimas panelas francesas de cobre puro. E falando em camadas, você pode optar por um revestimento antiaderente nas superfícies internas de diversas dessas panelas.

Finalmente, a mais barata de todas, e numa categoria à parte, é velha frigideira de ferro fundido que as esposas das histórias em quadrinhos usam para bater na cabeça dos maridos. É espessa e pesada (o ferro tem 80% da densidade do cobre), mas não é muito boa condutora de calor: apenas 18% da prata. Desse modo, uma frigideira de ferro fundido pode ser lenta para aquecer, mas, uma vez quente – pode suportar alguns milhares de graus sem deformar ou derreter –, vai segurar tenazmente esse calor. Isso faz dela uma frigideira excelente para determinados usos especiais, nos quais temperaturas altas, uniformes, têm de ser mantidas durante muito tempo.

Você certamente deve ter uma à mão para lidar com aves e falhas domésticas, mas não é aquela que serve para tudo o que você perguntou.

COMO CUIDAR DAS SUAS FACAS

Qual é a melhor maneira de guardar minhas facas de cozinha? Já li que mantê-las numa barra imantada pode, de alguma forma, danificar as lâminas. É verdade?

Não, acredite se quiser, mas uma barra imantada pode até mesmo manter suas facas afiadas por mais tempo. Na verdade, num daqueles catálogos chiques de acessórios caros de que ninguém precisa, vi até um encaixe magnético para guardar lâmina de barbear que, segundo alegavam, mantinha a lâmina afiada.

Você pode ter notado que as facas mantidas numa barra magnética ficam magnetizadas. (Tente pegar clipes de papel com elas.) E, de acordo com o professor Bob. O. Handley, do Departamento de Engenharia e Ciência dos Materiais, do MIT, um pedaço de aço magnetizado será um pouco mais duro do que um não magnetizado. Provavelmente ele poderá ganhar um fio mais fino e ficar afiado mais tempo durante o uso.

Mas não conte com isso. As lâminas das facas são feitas de diversas ligas diferentes de aço, algumas delas podendo até não reter o magnetismo durante muito tempo. De todo modo, é pouco provável que o efeito de endurecimento seja muito grande.

Por outro lado, o uso descuidado da barra magnética pode mesmo danificar suas facas, se você bater ou arrastar o fio contra a barra magnética ao retirá-las ou botá-las de volta. Pode ser por aí que tenha começado essa história de que as barras magnéticas podem fazer as facas ficarem cegas.

Se estiver preocupado com a perda do fio de suas facas quando as apanha às pressas da barra magnética, você pode preferir guardá-las nas fendas de um bloco de madeira em cima da bancada. Tem gente que acha que essa é realmente a melhor maneira. Mas quem, além daqueles que recebem presentes de casamento, possui um conjunto de facas perfeitamente graduadas, todas enfiadas em suas fendas feitas sob medida no bloco de madeira? O verso da moeda é que as fendas são difíceis de limpar e não é fácil dizer, a partir dos cabos, que faca você está pegando. Com a barra magnética na parede, você sempre pode escolher a faca certa para o serviço.

Como avisa qualquer livro de culinária, uma faca afiada é uma faca segura; ela não vai escorregar da comida para um dedo. Há muitos amoladores elétricos e manuais no mercado, de modo que o consagrado e lento método de afiá-las numa pedra já não é mais necessário.

Uma palavra de advertência, no entanto: aqueles afiadores de força bruta, contendo dois conjuntos entrelaçados de discos pelos quais você passa a faca, raspam lascas inteiras de metal que irão grudar-se na lâmina, se ela estiver magnetizada. (Esses amoladores não são recomendados, a não ser que você goste de facas que fiquem cada vez mais finas.) Lascas de metal não são boas de se comer, no entanto, de modo que depois de usar um amolador desses, limpe a faca cuidadosamente com uma toalha de papel molhada. É uma boa ideia você manter suas facas numa barra magnética, não importa que tipo de amolador você use, porque as partículas de metal da abrasão podem ser invisivelmente pequenas.

PEGADOR DE AZEITONA

Eis um modo fácil de retirar uma azeitona ou um pepininho de dentro de um pote muito cheio. (Como é que conseguem pô-los lá dentro, para começar?) As lojas de ferragens e de implementos culinários vendem uma pequena garra para prender pequenos objetos. Parece uma seringa hipodérmica. Você aperta o êmbolo e três ou quatro "dedos" de arame saem da parte de baixo. Desça-os na sua presa, solte o êmbolo e os dedos de arame tentam voltar para dentro da parte exterior do aparelho, segurando a vítima com firmeza. Aperte de novo para soltar o cativo.

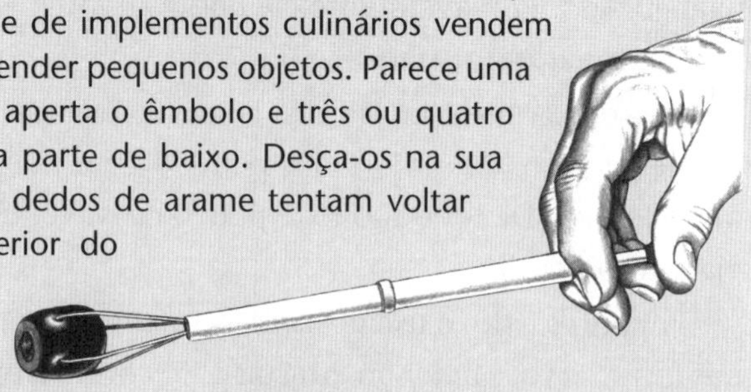

Pegador de azeitonas

COMO CUIDAR DOS PINCÉIS

Parece que jamais consigo manter meus pincéis de confeiteiro limpos ou sem danos. Já comprei dez pincéis novos no ano passado. Alguma sugestão?

Sim. Lave-os adequadamente e não os use para outros propósitos que não os intencionados.

Depois de ser usado para pincelar ovo ou manteiga derretida, um pincel de confeiteiro fica pegajoso e rançoso, a não ser que você o lave muito bem antes de guardá-lo. Molhe-o em água quente e passe-o numa barra de sabão até formar uma boa espuma, como se fosse um pincel de barba. Depois esfregue bem a espuma pelos pêlos do pincel contra a palma da mão. Ou então mergulhe-o várias vezes num recipiente com água quente e detergente. Nos dois casos, enxágue-o bem em água quente e seque-o ao ar muito bem secado antes de guardá-lo na gaveta.

Quanto aos danos: não confunda pincel de confeiteiro com pincel de regar assados, como já fizeram diversos artigos em revistas populares de culinária. São instrumentos distintos, projetados para tarefas diferentes.

Os pincéis de confeiteiro não foram feitos para suportar calor; seus pelos macios de javali podem derreter se forem usados para aplicar óleo ou molho a alimentos quentes no forno ou na grelha. Os pincéis de regar assados, de cabo longo, por outro lado, têm pelos mais duros, sintéticos, que podem aguentar calor sem derreter.

Do mesmo modo que um pincel de confeiteiro não deve ser usado para pincelar assados, um pincel de assados é duro demais para ser usado em massas delicadas.

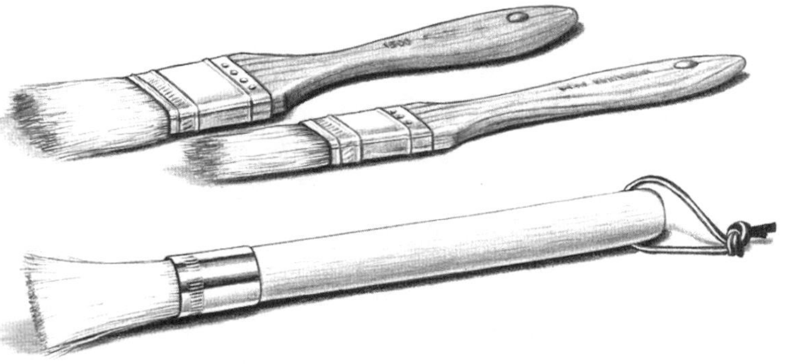

Dois pincéis de confeiteiro (*acima*) e um pincel para regar assados (*abaixo*)

PINCÉIS MAIS BARATOS

Os pincéis de tinta, baratos, com cabos de madeira não envernizada e pelos brancos, naturais, que são vendidos em lojas de ferragens são praticamente idênticos aos caros pincéis vendidos em lojas de artigos culinários.

ÓLEO EM SPRAY

Com o intuito de diminuir o uso de gordura, pus um pouco de óleo num vidro de borrifar, mas o que aconteceu foi ele espirrar um rio de calorias. Existe algum modo melhor de fabricar o meu próprio "spray" de cozinha?

Sim, existe um modo melhor.

Em geral, os frascos de plástico para borrifar são feitos para espalhar os líquidos aquosos, e não os oleosos. A água é mais fina (menos viscosa) do que o óleo e quebra-se com facilidade numa névoa, mas a pressão fraca da bomba do gatilho não é suficiente para quebrar o óleo em gotículas microscópicas, como faz uma lata de aerossol.

As lojas de equipamentos culinários e os catálogos vendem borrifadores de azeite ótimos para pôr óleo em frigideiras e grelhas, para untar assadeiras, fazer pão de alho, borrifar folhas de salada e muitos outros usos. Você põe o óleo neles e dá pressão bombeando a tampa. O óleo sai, então, numa névoa fina, ao toque de um botão, exatamente como numa lata de aerossol.

BORRIFADOR DE ÁGUA

Eu guardo na cozinha um pequeno frasco de plástico, daqueles com gatilho, cheio de água pura, para diversas tarefas. A melhor maneira que encontrei para tornar um pão francês fresco é umedecê-lo ligeiramente com uma borrifada de água e pô-lo numa torradeira a 180°C. Muitos pratos vão parecer mais coloridos e mais frescos se borrifados logo antes de serem levados da cozinha à mesa. Quase qualquer prato quente que tenha ficado na cozinha durante algum tempo antes de ser servido pode ser beneficiado com esse tratamento de beleza. Os estilistas de alimentos usam esse truque para fazer com que os pratos pareçam frescos na fotografia.

COMO TIRAR O MÁXIMO DE UM LIMÃO

Muitas vezes faço creme talhado de limão para pequenas tortas, e é claro que uso caldo de limão espremido na hora. Mas tenho a impressão de que desperdiço um bocado de caldo, não tirando tudo do limão. Há algum modo de retirar o máximo de caldo de um limão?

Você lerá em alguns livros e revistas de culinária que deve rolá-los com firmeza na bancada. Outros recomendam colocá-los durante mais ou menos um minuto no forno de micro-ondas. Essas providências me parecem perfeitamente razoáveis, mas sempre indaguei se realmente funcionam.

Tive a oportunidade de descobrir, quando o meu amigo Jack, que adora pechinchas, percebeu que um supermercado local estava com um estoque exagerado de limões e estava vendendo 20 por um dólar. Com a visão de infinitas margueritas dançando na cabeça, ele comprou 40 e me ligou, para espalhar a notícia.

Que boa oportunidade! Lá estava minha chance de fazer o experimento que sempre quis. Mas, dada minha longa experiência como cientista acadêmico, eu sabia que uma proposta de financiamento apresentada à National Science Foundation tinha pouca chance de render os fundos necessários. Então, mergulhei nas minhas próprias reservas, comprei quatro dólares de limão, sem precisar de edital de concorrência e nem mesmo de nota fiscal, e entreguei-os pessoalmente, via Toyota, no meu laboratório, digo, cozinha. Eles eram grandes limões verdes, lindos, persas, o tipo mais comum nos supermercados norte-americanos.

Eu queria descobrir se o fato de aquecer um limão num forno de micro-ondas ou rolá-lo na bancada antes de espremê-lo realmente produziria mais caldo. Sempre suspeitei dessas recomendações que, como muitos dogmas do saber culinário, nunca foram (que eu saiba) investigadas cientificamente. Queria testá-los com todos os rigores de uma experiência científica controlada. Foi o que fiz, e os resultados poderão surpreendê-lo.

Experimento nº 1

Procedimento: Dividi 40 limões em quatro grupos (o cálculo era fácil.) Coloquei o primeiro grupo no forno de micro-ondas de 800 watts por 30 segundos; o segundo, rolei firmemente na bancada com a palma da mão; o terceiro, rolei na bancada e botei no micro-ondas; com o quarto eu não fiz nada, como grupo-controle. Pesei cada limão, dei-lhe o tratamento previsto, cortei-o ao meio, espremi-o num espremedor elétrico e medi a quantidade de caldo obtido. Depois comparei os rendimentos em mililitros de suco por grama de fruta. Vou poupá-lo dos detalhes da medida de peso, volume e temperatura e análise estatística dos dados.

Resultados e discussão: Não houve diferença discernível entre os quatro grupos de limões. Nem as micro-ondas, nem a rolagem, nem a rolagem e as micro-ondas produziram qualquer aumento no rendimento de caldo.

Por que aumentaria, na verdade? Uma fruta contém uma determinada quantidade de suco, dependendo de sua variedade, condições de cultivo e manuseio depois da colheita. Por que razão seria de se esperar que aquecê-la ou maltratá-la mudaria essa quantidade de caldo? É essa a parte do folclore de citros que nunca fez sentido para mim, e agora provei que é falsa.

Mas, é claro que um espremedor elétrico extrai praticamente todo o suco contido no limão. Talvez as micro-ondas e a rolagem façam com que o suco fique mais fácil de ser extraído. Ao espremê-lo à mão, então, você poderá retirar mais suco com a mesma quantidade de pressão ao espremer.

Experimento nº 2

Procedimento: Dividi mais 40 limões em quatro grupos, como antes, mas dessa vez espremi-os o máximo que pude à mão. Naturalmente, obtive menos caldo: em média, menos de dois terços do rendimento da máquina. Um homem muito mais forte poderia sem dúvida obter mais. Mas orgulho-me de que a força da minha mão direita seja provavelmente maior do que a da típica cozinheira mulher.

Resultados e discussão: Espremer os limões à mão, do jeito que eles chegaram do mercado, rendeu uma média de 61% de seu suco total. A aplicação de micro-ondas rendeu 65%, enquanto a rolagem rendeu 66%. Esses três resultados são os mesmos, dentro do erro experimental. Meu ceticismo foi mais uma vez justificado; nem a rolagem nem as micro-ondas antes de espremer à mão aumentaram a quantidade de suco obtido.

Mas aqui houve uma grande surpresa: a rolagem seguida das micro-ondas tornou os limões mais fáceis de se espremer, e eles soltaram 77% de seu caldo total, uns 26% a mais do que os limões sem tratamento. Eles praticamente espirraram suco, e eu tive de cortá-los em cima de um recipiente para evitar perdas.

Eis o que concluí que devia estar acontecendo: a rolagem quebra alguns dos vacúolos – aquelas almofadinhas cheias de caldo nas células da fruta. Mas o suco ainda assim não consegue fluir muito facilmente, porque sua tensão superficial (a "cola superficial" que faz com que gotas de líquidos queiram continuar esféricas) e sua viscosidade (sua não fluidez) são bem altas. Mas quando o líquido é aquecido em seguida, a tensão superficial e a viscosidade caem substancialmente, e o caldo consegue fluir mais facilmente, muito mais facilmente do que eu esperava, sem verificar as viscosidades reais. Nas temperaturas médias, antes e depois das micro-ondas, acontece que a água (bastante semelhante ao caldo) flui quatro vezes mais facilmente quando está quente. Desse modo, a rolagem quebra as comportas, e o aquecimento permite que o jorro flua com maior facilidade.

Resumo

Se você for usar um espremedor elétrico ou mecânico, a rolagem e/ou as micro-ondas não irão acrescentar nada.

O mesmo acontece com aqueles espremedores estriados, de madeira ou de plástico, e com os antigos espremedores de vidro estriado, porque eles também soltam praticamente todo o caldo contido na fruta.

Mas se você estiver espremendo limões à mão e tiver um forno de micro-ondas, role-os na bancada e depois ponha-os nas micro-ondas. A rolagem só faz com que eles pareçam mais macios, e pareçam ter mais caldo, mas dificilmente altera o rendimento. As micro-ondas tornam o caldo confortavelmente quente: 76°C a 88°C, no meu experimento.

Por fim, qual a quantidade máxima de caldo que você pode esperar obter de um limão? Os limões são frutas especialmente caprichosas, e as receitas deveriam, portanto, especificar quantos mililitros, em vez de "caldo de meio limão". O rendimento médio do espremedor elétrico para meus limões foi exatamente 60ml, enquanto forno, rolagem e espremidela à mão renderam uma média de 45ml. O campeão das minhas amostras proporcionou 75ml, enquanto dois espécimes de aparência saudável renderam apenas 9ml, cada.

Como resultado do meu experimento, agora tenho caldo de limão suficiente para fazer 130 margueritas. É só me dar algum tempo. (Se quiser juntar-se a mim, veja a receita na página 213.)

Creme talhado de limão

Bem que vale a pena o esforço modesto de espremer limões para fazer esse creme delicioso para espalhar por cima de torradas ou biscoitos. Dá também um recheio excelente para tortas ou bolos e fica maravilhoso num rocambole. Mantém-se durante meses na geladeira.

- 5 gemas grandes
- ½ xícara de açúcar
- ⅓ de xícara de caldo de limão
- raspa de dois limões
- pitada de sal
- ¼ de xícara (50g) de manteiga sem sal

1. Combine as gemas com o açúcar numa panela grossa ou na parte de cima de um banho-maria e mexa, em fogo baixo. Junte o suco de limão, as raspas e o sal.

2. Mexa, adicionando porções de manteiga aos poucos. Cozinhe até engrossar, 3 a 4 minutos, mexendo sem parar.

3. Despeje num pote limpo e ponha um círculo de papel encerado na superfície, para evitar que se forme uma nata por cima. Guarde na geladeira.

- Rende cerca de 1 xícara

COMO LIMPAR COGUMELOS

Todos os livros de culinária dizem que cogumelos nunca devem ser lavados, porque absorvem água como uma esponja, e que devemos apenas dar uma enxaguada rápida ou simplesmente limpá-los com um pano. Mas eles não são cultivados em esterco?

Absorver água? Não é verdade. Esses livros estão errados.

Cultivados em esterco? Temo que sim.

Em primeiro lugar, vamos tratar do esterco.

O cogumelo comum dos supermercados, branco ou marrom (*Agaricus bisporus*), é cultivado em canteiros, ou nas chamadas misturas de substratos, que podem levar qualquer coisa, desde feno e sabugos de milho esmigalhados a esterco de galinha e palha de estábulos de cavalos usada.

Esse conhecimento incomodou-me durante vários anos. Sendo constantemente advertido para não encharcar meus cogumelos dando-lhes um banho, usei no entanto o recurso de uma escova de cogumelos, de pelos macios, que supostamente retirava os detritos indesejáveis dos cogumelos secos, sem machucá-los. Não funcionava muito bem. Cheguei às vezes a descascar os cogumelos, uma chateação que leva um tempo enorme.

Agora sei que os produtores de cogumelos deixam seu material de substrato maturando durante 15 a 20 dias, o que eleva a temperatura a um nível apropriado para a esterilização. O composto, não importa sua origem, é livre de micróbios antes de ser "inoculado" com os esporos dos cogumelos.

No entanto, não posso deixar de pensar que esterco contém mais coisas que micróbios. Portanto, ainda limpo meus cogumelos. E, sim, lavo-os em água, porque eles só absorvem uma quantidade ínfima, como irei mostrar abaixo. Tenho sérias dúvidas de que uma lavada com água retire o sabor, como alegam alguns livros de receitas. Isso só seria verdade se o sabor ficasse em sua maior parte na superfície e fosse predominantemente solúvel em água.

Sempre suspeitei dessa ideia de que a polpa do cogumelo fosse como uma esponja, porque nunca me pareceu ser nem um pouco porosa, mesmo sob o microscópio. (É, eu fiz isso.) Quando li o livro *O cozinheiro curioso*, de Harold McGee, senti-me vingado. Um cara igualmente desconfiado, McGee pesou uma porção de cogumelos, deixou-os de molho em água durante cinco minutos – cerca de dez vezes mais do que qualquer lavagem demoraria –, enxugou-os e pesou-os outra vez. Ele descobriu que o peso aumentou muito pouco.

Já repeti a experiência de McGee com dois pacotes de 350g de cogumelos *Agaricus* brancos (um total de 40 cogumelos) e um pacote de 300g de cogumelos marrons (16 cogumelos). Pesei cada porção cuidadosamente, numa balança de laboratório, deixei-as de molho em água fria, mexendo de vez em quando, pelos mesmos cinco minutos, depois joguei a maior parte da água fora numa centrífuga de saladas, enrolei-os numa toalha e pesei-os outra vez.

Os cogumelos brancos, todos botões fechados, absorveram apenas 2,7% de seu peso em água. Isso é menos do que três colheres de chá de água por meio quilo de cogumelo, bem de acordo com os resultados de McGee. Os cogumelos marrons retiveram mais água: 4,9% de seu peso, ou cinco colheres de chá por meio quilo. É provável que isso aconteça porque os capelos dos cogumelos marrons estavam ligeiramente separados dos talos, e a água ficou presa nos espaços entre as ranhuras, e não porque a polpa deles seja mais absorvente. Muitos outros legumes de feitio irregular captariam mecanicamente pequenas quantidades de água. E o tímido "enxágue rápido" recomendado para os cogumelos por muitos livros de receitas poderia captar exatamente tanto quanto meu molho de cinco minutos.

Então, vá em frente e lave seus cogumelos o quanto quiser – pelo menos os do tipo comum, em botão; não testei as variedades mais exóticas. Mas lembre-se de que qualquer poeira marrom que você veja não é esterco; provavelmente é musgo de turfa com que os produtores cobrem o substrato composto e através do qual os cogumelos, na verdade, levantam suas cabecinhas.

Aliás, se você verificar que os cogumelos estão soltando muita água na frigideira e que estão cozendo no vapor, em vez de dourarem, isso não é porque você os lavou. É porque os próprios cogumelos são quase inteiramente água, e você colocou uma quantidade exagerada na panela expulsando o vapor que não consegue escapar da panela. Refogue-os em porções menores ou use uma frigideira maior.

Torta de cogumelos de outono

Escove, enxágue ou lave, quem se importa? Essa torta de cogumelos com gosto de bosque irá maravilhar a todos.

Use uma combinação de cogumelos bem saborosos, como o *cremini, porcini, chanterelle* e *portobello*. Para manter o custo baixo, você pode usar metade de cogumelos brancos, embora o gosto não vá ficar tão "cogumélico".

O recheio pode ser feito de véspera.

- massa para uma torta de crosta dupla de 23cm
- 2 ½ xícaras de cebolas muito bem picadas (3 a 4 cebolas médias)
- 4 colheres de sopa de manteiga sem sal
- 8 xícaras de cogumelos sortidos e limpos, grosseiramente picados (1,5kg, mais ou menos)
- 1 colher de chá de folhas de tomilho secas

→

- ¼ de xícara de vinho Marsala seco
- sal
- pimenta-do-reino moída na hora
- 1 colher de sopa de farinha de trigo
- 1 gema misturada com 1 ½ colher de chá de água
- galhinhos de tomilho fresco para enfeitar (opcional)

1. Para fazer o recheio, refogue as cebolas na manteiga, numa frigideira de 30cm, em fogo médio. Cozinhe as cebolas até ficarem macias e douradas, mas sem deixar escurecer, durante cerca de 10 minutos. Acrescente os cogumelos e o tomilho seco. Os cogumelos soltarão os sucos e reduzirão em volume.

2. Junte o Marsala e continue cozinhando até que o líquido fique reduzido à metade. Tempere generosamente com sal e pimenta-do-reino a gosto. Salpique a farinha sobre a mistura e mexa por cerca de um minuto até que os sucos engrossem ligeiramente. Retire do fogo. Deixe esse recheio esfriar antes de fazer a torta.

3. Preaqueça o forno a 200°C. Estenda a massa no fundo de uma forma de torta de 23cm. Junte os cogumelos, alisando-os uniformemente. Umedeça a beirada da massa com água. Ponha a massa restante por cima, apertando as beiradas para selar. Apare e sulque as beiradas

4. Ponha a gema e a água num pratinho e misture com um garfo. Pincele delicadamente essa mistura de gema e água por cima da crosta com os dedos ou com um pincel de confeiteiro macio. Asse a torta durante 35 minutos, ou até a crosta ficar dourada. Sirva quente ou à temperatura ambiente. Enfeite as porções com galhinhos de tomilho, se quiser.

- Serve 6 num almoço ou como prato de acompanhamento

COMO ESCOLHER COGUMELOS

Como contava meu pai, meu avô costumava ir ao bosque e colher cogumelos silvestres para minha avó preparar. Meu pai uma vez perguntou como ela sabia se os cogumelos eram seguros para se comer. Ela disse que sempre punha um dólar de prata na panela com os cogumelos; se ele não escurecesse, os cogumelos eram bons. Meu pai e eu ficamos imaginando qual seria a base científica por trás desse método.

Pare! Espero ter pego você antes que ponha à prova a sabedoria da vovó. Não há qualquer base científica para o truque do dólar de prata. É bobagem. Eu chamaria isso de histórias de velhas senhoras, só que as senhoras que viveram até ficarem velhas nunca acreditaram nelas.

Não há método simples para se distinguir entre cogumelos venenosos e não venenosos, a não ser conhecer e identificar as espécies. Há dezenas de milhares de espécies conhecidas de cogumelos, e muitas das venenosas parecem-se muito com as comestíveis. Pessoalmente, não tenho uma boa memória visual para feitios, de modo que só me permito colher duas ou três espécies que não têm gêmeos maus. Deixo que os especialistas (ou meus restaurantes preferidos) me forneçam os *cèpes*, *morelles*, *chanterelles*, *porcini*, *shiitake*, *enoki* e *pletorus* que enriqueceram tanto a cozinha norte-americana nos últimos anos.

Aliás, esses *portobellos* onipresentes em todos os menus de hoje em dia não são uma espécie à parte; eles são os *Agaricus* marrons, comuns, que deixaram crescer antes de serem colhidos.

Seu avô fez um desserviço ao seu pai, deixando-o acreditar no teste da moeda de prata. Ele simplesmente conhecia os cogumelos.

COMO CUIDAR DA SUA PANELA DE COBRE

Acabo de comprar um conjunto de panelas de cobre, e elas são lindas. Como faço para que fiquem sempre parecendo novas?

O cobre reluzente é lindo e há diversos polidores excelentes no mercado. Mas você é cozinheiro ou decorador? A grande virtude das panelas de cobre ou revestidas de cobre é que conduzem o calor de modo eficaz e por igual. Por isso, merecem ser tratadas com carinho, e não polidas. Se você tentar manter suas panelas de cobre em seu estado virginal, terá assumido uma tarefa em tempo integral.

Mas para evitar que elas fiquem parecendo manchadas demais, há algumas poucas coisas que você pode fazer. Jamais coloque-as na máquina de lavar pratos; o detergente, altamente alcalino, pode manchar o cobre. Seque-as inteiramente depois de lavá-las com sabão de coco. Certifique-se de que retirou toda a gordura com um limpador suavemente abrasivo. Finalmente, não aqueça demais as panelas, seja com óleo ou, especialmente, se estiverem vazias. O óxido de cobre, escuro, forma-se com maior rapidez nos pontos mais quentes, e você poderá ter o formato do queimador impresso no fundo da panela.

Medida por medida

QUANDO UMA XÍCARA NÃO É UMA XÍCARA

Por que temos copos de medidas diferentes para ingredientes secos e líquidos? Um copo de açúcar não tem o mesmo volume que um copo de leite?

Isso depende da sua definição de "tem".

Uma xícara é mesmo uma xícara em qualquer lugar: 250ml, seja seu conteúdo úmido ou seco. Mas você deve estar pensando: se uma xícara é uma medida de líquidos, como pode ser também uma medida de farinha e outros artigos secos? E qual a diferença entre uma xícara de volume e uma xícara de peso?

Agora, se isso não for uma discussão para o Sistema Internacional de Medidas, conhecido internacionalmente como SI, de *Système International*, em francês, e, para nós, como o Sistema Métrico, não sei o que é. No SI, peso é sempre em quilogramas, e volume é sempre em litros. No mundo inteiro, os Estados Unidos são a única nação que ainda usa o que se chamava de sistema inglês de medidas, até que os próprios britânicos o abandonaram e adotaram o sistema métrico.

Vamos pôr sua pergunta em outras palavras. A velha e boa xícara de leite não tem o mesmo volume que a boa e velha xícara de açúcar?

Certamente tem. Caso contrário, estaríamos em apuros. Mas ainda precisamos de um conjunto de medidores de vidro para os líquidos e um conjunto em separado, de metal, para medir sólidos.

Tente medir uma xícara de açúcar em um medidor de vidro de duas xícaras e você vai ter dificuldade em julgar exatamente quando o açúcar alcança a marca da uma xícara, porque a superfície do açúcar não é perfeitamente nivelada. Mas mesmo depois de você dar pancadinhas em cima da bancada para achatá-lo e ajustá-lo exatamente ao volume pedido, você não vai ter a quantidade de açúcar que a receita requer. Isso porque a receita foi testada num medidor de uma xícara de ingredientes "secos", de metal, cheio, nivelado até a boca. Acredite ou não, isso lhe dará uma quantidade de açúcar diferente da que você teria medido num medidor de vidro.

Tente. Meça exatamente uma xícara de açúcar enchendo a medida um pouco demais e depois raspando o excesso com uma lâmina reta, como as costas de um facão grande. Agora despeje o açúcar em um medidor de vidro com capacidade de duas xícaras e sacuda até a superfície do açúcar ficar plana. Aposto que não chegará à linha de uma xícara.

Isso poderia ser atribuído a alguma imprecisão nos próprios copos de medida? Não, a não ser que você esteja usando uma oferta do mercado das pulgas, com linhas que parecem ter sido pintadas à mão num jardim de infância; os fabricantes de utensílios de cozinha conscienciosos são bastante cuidadosos no que diz respeito à precisão de seus produtos. Não, a resposta está na diferença fundamental entre líquidos e sólidos granulados, como açúcar, sal e farinha.

Quando você despeja um líquido dentro de um recipiente, ele flui para dentro de qualquer fenda, sem deixar espaços, nem mesmo os microscópicos. Mas um sólido granulado é imprevisível quanto à maneira como vai depositar-se, dependendo do feitio e do tamanho dos grãos e do recipiente. Em geral, ao serem despejados num recipiente grande, os grãos têm a oportunidade de espalhar-se mais e preencher os espaços entre eles, de modo que se depositam de um jeito mais compacto do que se forem empilhados num recipiente estreito. E como eles se depositam de um modo mais denso, ocupam um volume menor. O mesmo peso de açúcar irá, portanto, ocupar menos volume num recipiente largo do que num estreito.

De volta à cozinha e aos seus copos de medida. De moedas a rosquinhas, você vai descobrir que, no mesmo nível de capacidade, o diâmetro do seu copo de medida de vidro é substancialmente mais largo na boca do que a boca da sua xícara de metal. Portanto, o açúcar, e especialmente, a farinha, que é conhecida pela sua sedimentação aleatória, irá ocupar menos volume no medidor de vidro. Se você usar um medidor de vidro para seus ingredientes secos, você estará acrescentando mais do que o pedido na receita.

Para confirmar isso, testei o efeito oposto: despejei uma xícara de metal de açúcar nivelado num recipiente alto, estreito – um cilindro graduado de químico. Como eu esperava, o açúcar encheu o cilindro até bem acima da marca de 250ml.

Os utensílios de medida modernos, de vidro, infelizmente são ainda mais largos que seus predecessores, provavelmente porque as pessoas, hoje, querem aquecer leite ou outros líquidos dentro deles, em fornos de micro-ondas, e esses líquidos não irão espumar e transbordar tão facilmente num recipiente grande. Desse modo, os medidores de líquidos atuais são especialmente ruins para se medir ingredientes secos. Mas há um problema, mesmo quando se medem líquidos neles. Num recipiente grande, um erro pequeno na altura do líquido pode tornar-se um erro relativamente grande no volume. Esses copos de medidas grandes, de boca larga, não são portanto tão precisos no uso do que os mais antigos, de boca estreita. Se você ainda tiver um dos velhos, trate-o com carinho.

E depois há o problema de medir colheres de chá e colheres de sopa de líquidos. Já notou como a tensão superficial faz com que o líquido fique abaulado por cima da beirada da colher? O quão preciso isso poderá ser? Essas colheres foram feitas para sólidos, e não para líquidos.

A solução perfeita para esses problemas, descobri, abrangendo inclusive medidas norte-americanas, é o muito adequadamente chamado *Perfect Beaker*, fabricado pela EMSA Design of Friedling USA. Esse copo é marcado com todo tipo de medidas líquidas que você possa precisar: onças, mililitros, colheres de chá, colheres de sopa, xícaras e *pints*, inclusive suas frações. Esse único dispositivo de medidas é tudo o que você precisa, de uma colher de chá a uma xícara. Seu formato de casquinha de sorvete garante que quantidades menores de material sejam automaticamente medidas num recipiente mais estreito, produzindo maior exatidão na leitura. Você também pode usá-lo para converter uma unidade em outra.

O *Perfect Beaker*. Sua forma cônica dá o máximo de precisão para pequenas quantidades de líquidos.

A resposta final à pergunta sobre precisão e reprodutibilidade na cozinha é muito simples, mas a não ser por alguns confeiteiros profissionais e outros *chefs*, são raras as pessoas que fazem isso: em vez de medir ingredientes sólidos em volume, como colheres de sopa e xícaras, pesem-nos; é isso o que faz a maior parte dos cozinheiros no resto do mundo. Em unidades métricas, por exemplo, 100g de açúcar é sempre a mesma quantidade de açúcar, não importa que seja granulado ou em pó, ou em que tipo de recipiente você o ponha. Para os líquidos, há apenas uma unidade métrica: o mililitro ou seu múltiplo, o litro. Nada de xícaras, *pints* ou galões com que se preocupar.

Bolo de framboesa

Essa sobremesa suculenta fica entre um doce e um bolo. Corte-a em cunhas para servir quente, com café. Ou meça todos os ingredientes na noite anterior e asse-a de manhã, para um *brunch* especial. O papel principal pode ficar com framboesas pretas ou vermelhas, mirtilos ou amoras pretas. A sobremesa congela bem, mas não conte com sobras.

Para a cobertura de migalhas

- 100g (½ xícara) de açúcar mascavo claro, bem apertado na xícara
- 20g (2 colheres de sopa) de farinha de trigo
- 15g (1 colher de sopa) de manteiga sem sal, gelada
- 15g de chocolate meio amargo, bem picado

1. Misture o açúcar mascavo com a farinha e a manteiga, numa tigela pequena, cortando a manteiga na farinha com um misturador de massa ou duas facas, até que a mistura pareça uma farinha grossa. Acrescente o chocolate e misture bem. Reserve até o momento de usar.

Para o bolo

- 150g (1 xícara) de farinha de trigo
- 150g (¾ de xícara) de açúcar
- 2g (½ colher de chá) de fermento em pó
- ¼ de colher de chá de bicarbonato de sódio
- ¼ de colher de chá de sal
- 1 ovo grande
- 80ml (⅓ de xícara) de iogurte desnatado líquido
- 5ml (½ colher de chá) de extrato de baunilha
- 80g (⅓ de xícara) de manteiga sem sal, derretida e esfriada
- 200g (1 ¼ de xícara) de framboesas pretas (ou vermelhas) frescas

1. Preaqueça o forno a 190°C e unte uma forma de pudim (do tipo anel) com 20cm de diâmetro. Peneire juntos a farinha, o açúcar, o fermento, o bicarbonato de sódio e o sal numa tigela média. Em outra tigela, bata juntos o ovo, o iogurte, a baunilha e a manteiga derretida.

2. Entorne a mistura líquida na mistura da farinha de uma vez. Misture até a massa ficar lisa. Espalhe-a de modo uniforme na forma preparada. Espa-

→

lhe as frutinhas por igual no topo. Distribua a cobertura de migalhas uniformemente por cima das frutinhas.

3. Asse até ficar bem dourado, de 40 a 45 minutos. Sirva quente.

▸ Rende 8 a 10 porções

TERMÔMETROS DE LEITURA INSTANTÂNEA

Por que meu termômetro de "leitura instantânea" demora tanto para me dar a temperatura do alimento?

Há dois tipos dos assim chamados termômetros instantâneos: o de leitura digital e o analógico. Mas será que eles dão mesmo a leitura da temperatura em um instante? Nem pensar! Esses famosos demônios podem demorar de 10 a 30 segundos para subir à sua leitura máxima, que, é claro, é o número que você quer ver. Retire-o da comida antes que tenha alcançado a leitura máxima, e você estará subestimando a temperatura.

Com certeza você está com pressa de obter a leitura. Você não quer ficar lá, com a mão dentro do forno, até que o termômetro resolva revelar a temperatura interna real do seu assado. Mas a triste realidade é que nenhum termômetro consegue registrar a temperatura de um alimento até que ele mesmo – o termômetro, ou pelo menos o seu sensor – tenha alcançado a temperatura do alimento em que ele foi introduzido. Na verdade, pode-se dizer que a única coisa que um termômetro pode fazer é contar a temperatura *dele mesmo*. Não há muito a fazer a respeito do tempo que um termômetro leva para aquecer até atingir a temperatura do alimento, a não ser escolher um termômetro digital, e não um analógico, porque, como vou explicar abaixo, os digitais em geral propiciam uma leitura mais rápida.

O que você *pode* fazer é saber exatamente onde, no alimento, você está medindo a temperatura. Os dois tipos de termômetros de "leitura instantânea" diferem substancialmente a esse respeito.

Os analógicos percebem a temperatura por meio de uma bobina bimetálica na haste: uma bobina feita de dois metais diferentes unidos. Como os dois metais expandem-se em proporções diferentes ao serem aquecidos, o calor faz com que a bobina se torça, o que, por sua vez, torce um ponteiro no mostrador. Infelizmente, a bobina que percebe a temperatura em geral tem mais de 2,5cm de comprimento, de modo que o que você está medindo, na verdade, é a temperatura média de uma região bastante ampla do alimento. Mas muitas vezes você precisa saber sobre uma temperatura precisamente localizada. Dentro de um peru que está assando, por exemplo, a temperatura varia bastante de um local a outro, mas para testar o ponto de cozimento, você precisa saber a temperatura específica da parte mais grossa da coxa.

Um termômetro digital, no entanto, mede a temperatura em um ponto mais específico do alimento. Ele contém um minúsculo semicondutor operado por bateria, cuja resistência elétrica varia com a temperatura. (Papo técnico: termistor.) Um *chip* de computador converte a resistência em sinais elétricos que fazem funcionar o mostrador numérico. Como os minúsculos termistores estão na ponta do sensor, um termômetro digital é especialmente bom para monitorar um bife ou uma costeleta grelhada, por exemplo, quando você quer saber a temperatura bem no centro.

A outra vantagem dos termômetros digitais é que seus termistores são tão pequenos, que atingem rapidamente a temperatura do alimento. É por isso que em geral eles proporcionam uma leitura mais rápida do que os analógicos.

Na cozinha

PANELA DE PRESSÃO

A diabólica panela de pressão da minha mãe, dos anos 1950, parece estar voltando em roupagens modernas. O que exatamente elas fazem?

Elas aceleram o cozimento fazendo a água ferver a uma temperatura mais alta do que a normal.

No processo, elas podem assobiar, chacoalhar e chiar como uma máquina infernal, ameaçando redecorar sua cozinha em tons de *goulash*. Mas a panela de pressão da sua mãe foi projetada de novo para ter mais educação e ser praticamente à prova de erros. Como todo equipamento culinário, no entanto, segurança é uma questão de conhecimento. Infelizmente, as instruções que vêm com as panelas de pressão são cheias de assustadores "façam e não façam" que não têm sentido, a não ser que você entenda como as coisas funcionam. É para isso que estou aqui.

As panelas de pressão apareceram depois da Segunda Guerra Mundial como a maneira "moderna" de cozinhar para as donas de casa assoberbadas com cozinha, limpeza e crianças. Hoje em dia, essa molecada do *baby-boom* cresceu e está, por sua vez, assoberbada com empregos, academias de ginástica e jipes. Qualquer dispositivo que prometa medalha de ouro para velocidade na Olimpíada da Cozinha vai ter um sucesso de venda assegurado.

Não importa quantos atalhos você tome, há duas etapas demoradas inevitáveis em todos os processos de cozimento. Um é a transmissão de calor – levar calor para o interior do alimento. Isso pode ficar complicado em muitas receitas "rápidas", porque a maior parte dos alimentos é má condutora de calor. A outra etapa lenta são as próprias reações de cozimento. As reações químicas que transformam nossos alimentos crus em cozidos podem ser bem demoradas.

Os fornos de micro-ondas contornam a lentidão da condução de calor gerando calor já dentro do próprio alimento. Mas muitos pratos, como sopas e ensopados, beneficiam-se do casamento lento dos sabores que se combinam nos métodos de cozimento baseados em água. Como, por exemplo, o cozimento em fogo baixo de carnes e legumes numa pequena quantidade de líquido num recipiente tampado. Você não consegue fazer isso num forno de micro-ondas, porque as micro-ondas, e não o líquido fervendo, é que farão o cozimento.

Gostaríamos de usar uma temperatura mais alta, para acelerar o assado, porque todas as reações químicas, inclusive as do cozimento, são aceleradas em temperaturas mais altas. Só que existe um enorme obstáculo: a água tem um limite de temperatura incorporado em 100°C, seu ponto de ebulição no nível do mar. Aumente a temperatura, e a água, ou molho, certamente irá ferver mais rapidamente, mas não ficará nem um pouco mais quente.

Entra a panela de pressão. Ela joga o ponto de ebulição da água para 120°C. Como? Ainda bem que você perguntou, porque os livros de receitas raramente dizem, assim como as instruções que vêm com as panelas.

Para que a água ferva, é preciso que suas moléculas ganhem energia suficiente para que elas escapem do líquido e voem livremente no ar, como vapor ou gás. Para isso, elas têm de vencer a resistência do manto de atmosfera que cobre o planeta inteiro. O ar é leve, mas vai a mais de 160km, portanto esse manto é bem pesado; cada polegada quadrada dela pesa cerca de 6,8kg (15 libras) no nível do mar. Sob condições normais, as moléculas de água devem adquirir energia equivalente a uma temperatura de 100°C antes de conseguirem atravessar aquele manto de 6,8kg (15 libras) por polegada quadrada (psi) e evaporar.

Agora, se aquecermos uma pequena quantidade de água numa panela de pressão, um recipiente hermético com uma válvula pequena, controlável, para liberar ar e vapor, à medida que a água começa a ferver, ela gera vapor, e com a válvula fechada, a pressão dentro do recipiente aumenta. Só depois de ter alcançado uma pressão total de 30psi – as 15 libras da atmosfera mais outras 15 libras do vapor – é que a válvula controladora deixa o excesso de vapor sair para a cozinha. Daí por diante, ela mantém a pressão no nível de 30psi.

Para atravessar esse "manto" maior de pressão e continuar fervendo, as moléculas de água agora têm de atingir uma energia maior do que antes. Para ultrapassar a pressão de 30psi, elas precisam de uma energia equivalente a 120°C, que passa a ser a nova temperatura de ebulição. O vapor, a alta temperatura e alta pressão aceleram o cozimento passando através de todas as partes do alimento.

Quando você começa a aquecer a panela de pressão fechada, a válvula libera o ar até que a água comece a ferver e forme vapor. A pressão do vapor é mantida no nível desejado, de 30psi, por meio de um tipo de dispositivo que limita a pressão. Em muitos casos, é um pequeno peso na parte de cima do tubo da válvula. Durante o cozimento, o peso balança de um lado para o outro, para aliviar qualquer vapor que esteja a mais de 30psi, e esse vapor assobia enquanto escapa, assustando as pessoas, que pensam que a coisa está a ponto de explodir. Não está. O desenho das novas panelas de pressão usa uma válvula com mola, em lugar do peso, para manter a pressão no nível desejado.

Durante o cozimento, você ajusta o queimador para que o conteúdo ferva rápido o suficiente para manter a pressão do vapor, mas não tão rápido para que uma quantidade excessiva de vapor seja perdida pela válvula. De todo modo, o regulador de pressão não vai deixar que você a transforme numa bomba. Depois do tempo de cozimento calculado, você esfria a panela para que o vapor dentro condense – transforme-se outra vez em líquido – e a pressão seja aliviada. Um dispositivo de segurança assegura que a pressão tenha acabado (alguns modelos sequer permitem que você abra a panela até que a pressão acabe), depois do quê, você pode abrir e servir.

FOGÃO POR INDUÇÃO MAGNÉTICA

Meus vizinhos acabaram de reformar a cozinha deles e instalaram um fogão que aquece por indução. Como isso funciona?

Os fornos de micro-ondas foram a primeira maneira nova de produzir calor para cozinhar em mais de um milhão de anos. Bem, agora há uma segunda forma: o calor por indução magnética.

A indução magnética já vem sendo usada há uns dez anos em algumas cozinhas industriais europeias, japonesas e, mais recentemente, em cozinhas comerciais norte-americanas.

Os fogões por indução diferem dos fogões elétricos no sentido de que os elétricos geram calor por meio da resistência *elétrica* de metal (as espirais dos queimadores), enquanto os fogões por indução geram calor pela resistência *magnética* do metal: o metal nos próprios recipientes de cozimento.

Eis como ele funciona.

Por debaixo daquela linda superfície lisa de cerâmica do fogão do seu vizinho estão diversas espirais de fios, como as espirais de fios de um transformador. Quando uma das unidades de aquecimento é ligada, a corrente elétrica alternada (AC) da casa, com 60 ciclos, começa a fluir através dela. Por motivos que não vamos abordar (e que até mesmo Einstein não conseguiu explicar inteiramente), sempre que a eletricidade passa pelas espirais de uma bobina, ela faz com que a bobina se comporte como um ímã completo, com pólos norte e sul. Nesse caso, como a corrente alternada está invertendo sua direção 120 vezes por segundo, o ímã está invertendo sua polaridade para frente e para trás 130 vezes por segundo.

Até aí não há evidências na cozinha de que qualquer coisa esteja acontecendo; não vemos, não sentimos nem ouvimos campos magnéticos. O fogão ainda está frio.

Agora ponha uma frigideira de ferro em cima das espirais. A alternância do campo magnético imanta o ferro, primeiro numa direção, depois na outra, mudando sua polaridade para frente e para trás 120 vezes por segundo. Mas o ferro magnetizado não é persuadido tão facilmente a inverter sua polaridade e resiste a essas oscilações até um determinado grau. Isso faz com que uma grande parte da força magnética seja desperdiçada, e a força desperdiçada aparece sob a forma de calor no ferro. Como resultado disso, só a panela é que fica quente. Não há chama ou espirais aquecidas até o tom rubro, e a cozinha permanece fresca.

Qualquer metal magnetizável (papo técnico: ferromagnético) será aquecido por esse processo de indução magnética. O ferro certamente, seja ele esmaltado ou não. Muitos mas nem todos os aços inoxidáveis irão aquecer-se. Mas alumínio, cobre, vidro e cerâmica, não. Para ver se um determinado utensílio pode ser usado num fogão por indução magnética, pegue um daqueles ímãs bobos de geladeira e veja se ele gruda no fundo da panela. Se grudar, a panela vai funcionar para o cozimento a indução.

Então, além do custo substancial do fogão por indução magnética, você não vai poder usar aquelas preciosas e caras panelas de cobre. Será que seus vizinhos pensaram nisso antes de comprarem esse impressionante fogão *high-tech*?

FORNO A LUZ

Há um novo tipo de forno que supostamente cozinha com luz, em vez de calor. Como ele funciona?

Seria um novo e quarto modo de fazer calor para cozimento, depois do fogo, das micro-ondas e dos fogões por indução? Não. O assim chamado forno a luz produz calor do mesmo modo que seu fogão elétrico: por meio do aquecimento de metal por resistências elétricas.

Os fornos a luz vêm sendo usados no comércio especializado desde mais ou menos 1993, mas agora estão sendo produzidos para uso doméstico.

A primeira vez que ouvi falar do forno a luz, fiquei bastante cético. Algumas das alegações promocionais pareciam exageros pseudocientíficos: eles "dominam o poder da luz"; eles cozinham "com a velocidade da luz" e "de dentro para fora".

A luz realmente viaja, bem apropriadamente, à velocidade da luz, mas não penetra intensamente na maior parte dos sólidos. Tente ler esta página através de um bife. Como, então, a luz consegue depositar energia suficiente dentro do alimento para cozinhá-lo, a não ser que seja incrivelmente intensa? Pensei nos lasers, aqueles raios de luz ultrapotentes que usamos para tudo, desde cirurgia dos olhos até chatear os vizinhos com pequenos pontos vermelhos, mas a luz deles é tão compacta e concentrada que, no máximo, poderiam esquentar um grão de arroz de cada vez.

Ah, mas há "luzes" e "luzes". O segredo do forno a luz não está na intensidade da radiação, mas na mistura de comprimentos de onda que ela gera. Eis como funciona, com bases nas informações que consegui com os técnicos da GE. (Eles não contariam *todos* os seus segredos.)

"E Deus disse, 'faça-se a luz visível, mas também ultravioleta, infravermelha e todo o espectro eletromagnético de comprimentos de onda mais curtos e mais longos'." O que nós, seres humanos, chamamos de *luz* não passa de uma fatia fina do espectro da energia solar que nossos olhos são capazes de perceber. Mas, num sentido mais amplo, a palavra "luz" realmente exige uma especificação mais exata.

Os fornos a luz contêm baterias de lâmpadas de halogênio desenhadas especialmente, de longa duração, que não diferem muito das lâmpadas de halogênio de muitas das luminárias modernas. Só que apenas cerca de 10% da energia liberada por uma lâmpada de halogênio doméstica são de luz visível; 70% são de luz infravermelha, e os 20% restantes são de calor. As lâmpadas de halogênio dos fornos a luz produzem uma mistura secreta de luz visível, diversos comprimentos de ondas de infravermelho e calor. É a combinação dos três que produz o cozimento.

A despeito do que muitos livros científicos digam, a radiação infravermelha não é calor; é uma forma de energia irradiante, que é convertida em calor apenas ao ser absorvida por um objeto. Chamo isso de "calor em trânsito". A radiação infravermelha do sol não é calor até ser absorvida pelo teto do seu carro. A "lâmpada infravermelha", que alguns restaurantes usam para manter seu prato servido até que o garçom volte das férias, está emitindo radiação infravermelha, e a comida é aquecida absorvendo essa radiação.

A luz visível e a próxima do visível nos fornos a luz realmente penetram na carne, até certo ponto – você consegue ver a luz de uma lanterna elétrica através do seu polegar, num quarto escuro. E elas não são absorvidas por moléculas de água, como as micro-ondas, de modo que conseguem depositar toda a sua energia diretamente nas porções sólidas do alimento, em vez de desperdiçar energia aquecendo primeiro a água. Alguns dos comprimentos de onda emitidos pelas lâmpadas de halogênio conseguem penetrar de 7,5mm a 1cm nos alimentos. Isso pode parecer muito, mas o calor depositado é então conduzido mais para dentro da comida. E os fornos trapaceiam, suplementando as lâmpadas de halogênio com micro-ondas, que penetram mais profundamente. Ou seja, você também pode usar os fornos a luz como fornos de micro-ondas independentes.

Enquanto isso, as radiações infravermelhas, com comprimento de onda maior, e o calor estão sendo absorvidos na superfície do alimento, dourando e tostando, coisa que os fornos de micro-ondas não fazem. Os fornos normais demoram muito para dourar a comida porque só uma parte de sua energia chega ao alimento pela radiação infravermelha; o resto tem de chegar lá pelo ar, que é mau condutor de calor. A radiação infravermelha do forno a luz aquece a superfície do alimento diretamente a uma temperatura mais alta do que a de um forno comum, de modo que doura mais rapidamente.

Na verdade, a velocidade é o ponto principal dos fornos de luz. Quando a equipe de pesquisa de mercado da GE perguntou o que os consumidores mais queriam em seus aparelhos culinários, as três principais respostas foram velocidade, velocidade e velocidade. As pessoas disseram que adorariam conseguir assar uma galinha inteira em 20 minutos e grelhar um bife em nove.

O que é realmente admirável nos fornos a luz é sua tecnologia computacional. Um microprocessador, dirigido por software próprio, programa a ciclagem liga-desliga das lâmpadas e o gerador de micro-ondas em uma sequência cuidadosamente elaborada para o cozimento ideal de cada prato. As pesquisas de mercado da GE descobriram que 90% de toda a preparação culinária dos consumidores norte-americanos envolve apenas 80 receitas (sem comentários), de modo que essas 80 receitas são programadas no banco de dados do forno para o cozimento apertando-se um botão. É só apertar que tipo de bife você está fazendo, sua espessura e peso e a que ponto você o quer passado, e o bife estará no seu prato antes que você consiga pedir a bênção.

Agora, se pudéssemos ter um computador que fornecesse todas aquelas músicas suaves, a luz de velas, a conversa e o vinho, que demoram tanto...

BOLACHAS

Por que as bolachas têm furos?

Por que bolachas têm todos aqueles furinhos?

Saltines, Cream Crackers e todos os outros – é difícil uma bolacha que não tenha um modelo de furinhos nela.

Os fabricantes de *matzos*, o pão ázimo, achatatado, da Páscoa judaica, parecem ter sido fascinados com perfurações. Os *matzos* têm muito mais orifícios do que bolachas seculares. Mas não é apenas tradição; a razão é prática.

Quando você está batendo 5kg de massa, pondo água e farinha num enorme batedor, como se faz nas fábricas de biscoito, simplesmente não há jeito de evitar que um pouco de ar entre na mistura. Então, ao abrir a massa bem fina e colocá-la num forno quente (os saltines são assados a 340°C-370°C), as bolhas de ar presas expandem-se em bolhas que podem até explodir. O ar se expande ao ser aquecido porque suas moléculas estão se movimentando mais rapidamente e pressionando seus limites com mais força.

Além de feias, bolhas finas podem vir a assar depressa demais, queimando antes que o restante da massa esteja assado. E se estourarem, deixam marcas e crateras na superfície. Uma bolacha que pareça um campo de batalha queimado e cheio de trincheiras não dá uma boa impressão à mesa do chá.

Então, antes que uma folha fina de massa vá ao forno, um grande cilindro cheio de espetos ou pinos rola por cima da superfície da massa. Os pinos furam as bolhas de ar, deixando aqueles orifícios na massa. Os pinos são espaçados de maneiras diferentes para os diferentes tipos de bolachas, dependendo dos ingredientes, da temperatura de assadura e da aparência final desejada. Nos saltines, por exemplo, os consumidores parecem preferir um terreno suave, com colinas ondulantes, de modo que se permite que algumas bolhas ondeiem entre as covinhas.

Se isso ainda não for tudo o que você queria saber sobre furos de bolachas, pense nisso: nas bolachas que contêm agentes para fermentação, como bicarbonato de sódio, a massa em crescimento, ao se expandir, irá apagar parcialmente os buracos, enquanto estiver descansando ou assando. Mas, em geral, eles ainda estarão ali, pelo menos como pequenas depressões.

Furar bolhas é especialmente importante nos *matzos*, porque eles são assados muito rapidamente e a temperaturas muito altas: 420-480°C. Nessas temperaturas, a superfície da massa seca muito depressa, e qualquer bolha que esteja se expandindo vai tender a estourar através da crosta endurecida, produzindo uma fornada de granadas *kosher*. Por isso, há necessidade de uma perfuração maciça de bolhas. Ela é feita passando-se por cima da massa fina um rolo parecido com o anterior, mas com linhas de dentes muito mais próximas. É isso o que deixa aqueles sulcos paralelos.

Como as leis dietéticas para a Páscoa judaica proíbem o uso de qualquer agente de fermentação, os *matzos* são feitos apenas de farinha e água. Uma das razões para o cuidado na elaboração dos sulcos de orifícios, na verdade, é evitar até mesmo a aparência de fermentação, mesmo quando eles são causados por inocentes bolhas de ar em expansão. Como não é fermentada, a massa de *matzo* não incha no forno e, portanto, não se cobrem as trilhas do rolo furador, que permanecem bastante evidentes no produto acabado. Mas você ainda poderá ver algumas bolhas entre os sulcos num *matzo*. Elas vêm de bolhas de ar muito pequenas que fugiram do rolo furador, mas não tiveram a chance de crescer até um tamanho destrutivo, explosivo. Essas bolhas não estouradas contribuem para uma aparência interessante no produto acabado, porque a superfície mais fina delas escurece mais rapidamente do que o resto da massa.

Agora você sabe por que deve perfurar a massa de uma torta antes de assá-la, ou, como medida de segurança extra, segurar a massa com feijões ou pesos. Além das bolsas de ar na própria massa, poderá haver um pouco de ar escondido entre a massa e o fundo da forma. Nada irá explodir, mas você poderá ser premiada com um fundo de torta arqueado se não tomar precauções.

IRRADIAÇÃO DE ALIMENTOS

Há muita controvérsia sobre a irradiação de alimentos. O que é exatamente irradiação? É segura?

A irradiação de alimentos é a prática dos produtores de submeter seus produtos alimentícios a intensos campos de raios gama, raios X ou elétrons de alta energia antes de enviá-los para o mercado.

Por que eles querem fazer isso?

- A irradiação mata bactérias daninhas, inclusive *E. coli*, salmonela, estafilococos e *Listeria*, entre outras, reduzindo assim o perigo de doenças provocadas pelo alimento.
- A irradiação mata insetos e parasitas sem o uso de pesticidas químicos. Muitas das especiarias, ervas e temperos usados hoje nos Estados Unidos foram irradiados durante algum tempo com essa finalidade.
- A irradiação impede que os alimentos estraguem e consegue esticar o suprimento de alimentos existentes no mundo. Em mais de 30 países mundo afora, uns 40 tipos diferentes de alimentos, inclusive frutas e legumes, especiarias, grãos, peixe, carnes e aves, estão sendo irradiados rotineiramente.

Há duas turmas de oposição ao uso disseminado de irradiação de alimentos. Uma se centra em questões socioeconômicas, e a outra, na segurança.

A principal objeção socioeconômica é que a irradiação de alimentos poderá trazer vantagens para as indústrias de alimentos, mas só para seus próprios fins e propósitos. Em vez de limpar suas leis de saneamento, muito aquém de satisfatórias, as indústrias de alimentos e de agricultura podem vir a depender da irradiação como uma saída no final da linha para "neutralizar" carnes e outros alimentos contaminados, produzidos sem cuidado.

Não faço apologia dos agronegócios ou de qualquer outro empreendimento cujo propósito único seja ganhar dinheiro – mesmo sendo vantajoso, à custa da segurança do público. Existe uma inegável história de descarte ilegal de rejeitos tóxicos, por exemplo, para não mencionar o conluio de uma determinada indústria para omitir seu conhecimento sobre os efeitos letais da queima e inalação da fumaça de seus produtos. Sob essa luz, é difícil não acreditar que a irradiação de alimentos seja tentadora para produtores de alimentos, pelos motivos que muitos poderiam considerar como sendo os errados.

Mas vou evitar aqui as discussões políticas, sociais e econômicas a favor e contra a irradiação de alimentos, sobre as quais tenho opiniões, no meu papel de cidadão, e focalizar unicamente as questões científicas, as quais me considero mais qualificado para abordar. Só depois que os fatos científicos ficarem claros é que as outras questões podem ser discutidas com alguma objetividade.

A irradiação de alimentos é segura? Os aviões são seguros? As vacinas contra gripe são seguras? A margarina é segura? Viver é seguro? (É claro que não; sempre acaba em morte.) A minha intenção não é minimizar a questão, mas "seguro" talvez seja uma palavra inútil. Ela é tão carregada de contextos, conotações, interpretações e implicações que perde todo o sentido. E, é claro, uma palavra sem sentido desmente o próprio objetivo da linguagem.

Qualquer cientista dirá que é praticamente impossível provar-se uma negativa. Ou seja, é inútil provar que alguma coisa (por exemplo, um evento desagradável) *não* acontecerá. É relativamente fácil provar-se que alguma coisa *acontece*; é só tentar diversas vezes e observar o que acontece. Mas se não acontece, há sempre a próxima vez, e predizer a próxima vez é profecia, e não ciência. No fundo, a ciência só pode lidar com probabilidades.

Deixe-me então formular a pergunta em outras palavras. Quais as chances – as probabilidades – de que o consumo de alimentos irradiados produza de algum modo efeitos nocivos? O consenso científico é "muito tênue".

Aqui estão algumas respostas rápidas de um químico nuclear, que, em seu tempo, já gerou e foi exposto à sua quota de radiação:

Os alimentos irradiados provocam câncer ou danos genéticos?

Nunca aconteceu.

A irradiação torna os alimentos radiativos?

Não. As energias das radiações são baixas para causar reações nucleares.

A irradiação muda a composição química daquilo que é irradiado?

É claro. É por isso que funciona.

Um grande problema está em que a primeira vez que muitas pessoas se deparam com a palavra *radiação* é no contexto de "radiação mortal" (a mídia adora usar essa expressão) expelida de bombas atômicas e reatores nucleares quebrados. Mas radiação é um conceito muito mais amplo – e mais benigno – do que isso.

Radiação é qualquer onda ou partícula energética que esteja viajando de um lugar para outro à velocidade aproximada da luz. A lâmpada da sua escrivaninha envia radiação visível, chamada de luz. O dispositivo de grelhar no seu forno envia radiação infravermelha, invisível, para o seu bife. Seu forno de micro-ondas envia radiação micro-onda para suas ervilhas congeladas. Centrais de telefones celulares, estações de rádio e de TV enviam radiações que carregam sua conversa sem sentido, música que não presta e comédias idiotas.

E, sim, dentro de reatores nucleares, radiações nucleares intensas que emanam de materiais radioativos, inclusive os mesmos raios gama que são usados na irradiação de alimentos. Estas, junto com raios X e feixes de elétrons de alta energia também usados na irradiação de alimentos, são chamadas de "radiações ionizantes", porque têm energia suficiente para quebrar átomos em "íons" – partículas carregadas. Elas são realmente perigosas para as coisas vivas, de micróbios ao ser humano.

Mas o calor com que cozinhamos é o mesmo calor que arde nos fogos do inferno. Você não gostaria de estar no forno, ao lado do seu assado, do mesmo modo que não gostaria de estar dentro de um reator nuclear ou junto do alimento quando ele estiver sendo irradiado. Isso não torna cozinhar nem a irradiação perigosos. É uma questão de quem ou do que está exposto.

Os raios X e gama penetram profundamente nos tecidos vegetais e animais, danificando, pelo caminho, átomos e moléculas nas células vivas. Esses dois tipos de radiações, junto com feixes de elétrons, são usados para irradiar alimentos exatamente porque *causam* dano às células de insetos e microorganismos, alterando seus DNAs e evitando que se reproduzam, ou que permaneçam vivos. É claro que o calor faz o mesmo. É por isso que leite, suco de frutas e outros alimentos são pasteurizados por aquecimento. No entanto muitos micróbios são mais difíceis de matar do que as bactérias que a pasteurização foi programada para desativar. Medidas drásticas são necessárias, mas temperaturas mais altas iriam mudar demais o gosto e a textura dos alimentos. É aí que entra a irradiação.

As radiações ionizantes conseguem quebrar as ligações químicas que mantêm as moléculas unidas. Depois disso, os fragmentos podem se recombinar em configurações novas e pouco comuns, formando moléculas de novos compostos, chamados de produtos radiolíticos. Desse modo, a irradiação realmente causa mudanças químicas destruidoras. É assim que matam bactérias. Mas ao passo que as mudanças no DNA da bactéria são letais para ela, a quantidade de mudança química no alimento propriamente dito é minúscula, nas intensidades de radiação usadas. De todo modo, 90% dos novos compostos químicos formados estão naturalmente presentes nos alimentos, especialmente nos alimentos cozidos. (O cozimento também causa mudanças químicas, é claro.) E os outros 10%? Em mais de 400 estudos examinados pela FDA antes de aprovar a irradiação de alimentos, não foi encontrado qualquer efeito desfavorável causado pela ingestão de alimentos irradiados por seres humanos ou por diversas gerações de animais.

Embora nada, nem mesmo pudim de chocolate, possa ser definitivamente provado como sendo absolutamente "seguro", acredito no bem conhecido princípio científico de que a prova do pudim está em comê-lo. Aparentemente, a FDA, a USDA, o Centro de Prevenção e Controle de Doenças, o Instituto de Tecnólogos de Alimentos, a Associação Médica Americana e a Organização Mundial da Saúde também, sendo que todos eles avalizaram a segurança de diversas formas de alimentos irradiados.

Uma preocupação expressa com muita frequência é que o uso disseminado de irradiadores de alimentos irá causar um problema sério de descarte de lixo radioativo. Conscientes das enormes quantidades de lixo intensamente radioativo, gerado durante o reprocessamento de combustíveis de reatores nucleares, as pessoas naturalmente especulam sobre o que é feito com os irradiadores de alimentos usados. Mas os irradiadores de alimentos, mesmo perigosos, são tão diferentes de um reator nuclear quanto uma bateria de lanterna é diferente de uma usina geradora de energia elétrica. Os materiais radioativos estão realmente sendo usados, mas não há acúmulo de lixo decorrente do uso deles.

Vamos ver os perigos dos três tipos de irradiadores de alimentos, um de cada vez.

Raios X e feixes de elétrons usados na irradiação de alimentos desaparecem como a luz de uma lâmpada, assim que o interruptor é desligado. Não há perigos remanescentes e não há radioatividade alguma envolvida.

Irradiadores de *cobalto-60* têm sido usados com segurança em terapias de câncer durante décadas. O cobalto radiativo, que tem de ser isolado das pessoas por paredes maciças de concreto, vem na forma de pequenos "lápis" de metal sólido, que não pode vazar. Ninguém vai jogar um desses no riacho mais próximo. Opositores da irradiação de elementos chamam a atenção para o fato de que, em 1984, uma unidade de radioterapia por cobalto de algum modo acabou num ferro-velho no México, e sua radioatividade foi parar em produtos de consumo de aço reciclado, como pernas de mesa. Mas essa não foi uma questão de descarte de lixo radioativo. Foi uma deplorável situação de estupidez, e nenhuma porção de precaução ou regulamentação consegue apagar isso da psique humana.

O *césio-137*, outra fonte de raios gama usados em alguns irradiadores, vem na forma de um pó encapsulado em aço inoxidável. Ele é subproduto do reprocessamento de combustível de reatores, sua meia-vida é de 30 anos, de modo que depois que termina sua longa vida útil, ele pode ser devolvido para o lixo de reatores como mais um grão na pilha de areia. Uma fonte de césio-137 que estava sendo usada para a esterilização de produtos médicos realmente vazou desastrosamente, em 1989, mas o problema foi identificado e solucionado.

Aqui vão algumas das objeções "técnicas" mais comumente expressas quanto à irradiação de alimentos:

"A irradiação de alimentos usa o equivalente a 1 bilhão de raios X *de tórax, o que corresponde à radiação suficiente para matar uma pessoa 6 mil vezes."*

Qual a relevância disso, pergunto eu? A irradiação de alimentos é usada em alimentos, não em pessoas. Numa siderúrgica, a temperatura do aço derretido é de 1.650°C, suficiente para vaporizar um corpo humano. Os trabalhadores das siderúrgicas e das instalações de irradiação de alimentos estão, portanto, bem avisados para não tomarem banho nos tonéis de aço derretido ou tirar sonecas nas esteiras rolantes dos irradiadores de alimentos.

"Com cada mordida de alimento irradiado estamos expostos a radiação ionizante indireta."

Não há absolutamente radiação alguma na comida, direta ou indireta, seja lá o que isso signifique. Ficamos expostos indiretamente a 1.650°C de temperatura com cada pedaço de aço que tocamos?

"A radiação ionizante pode matar microorganismos benéficos, além dos perigosos."

Isso é verdade. Assim como enlatar e praticamente todos os demais métodos de conservação de alimentos. Mas e daí? Uma porção de alimentos sem microorganismos benéficos não faz mal.

"As radiações ionizantes não conseguem distinguir entre, por exemplo, E. coli *e vitamina* E. *Tudo que estiver no seu caminho poderá ser modificado, inclusive os nutrientes."*

Isso também é verdade até certo ponto, dependendo do alimento e da dose de radiação. Mas não vejo a perda de vitaminas como uma razão para proibir a esterilização de alimentos por irradiação. Todos os métodos de conservação de alimentos mudam o perfil dos nutrientes em alguma medida. E duvido que a dieta de alguém vá se limitar exclusivamente a alimentos irradiados.

E então, a irradiação de alimentos é segura? Há alguma coisa que possa ser provada como absolutamente segura? É só ler os "possíveis efeitos" impressos em letras miúdas nos avisos de cada embalagem de remédio receitado para recuperar a saúde e preservar a vida. Se "absolutamente seguro" fosse um critério para a aprovação de novos remédios, não teríamos drogas comerciáveis. Como chamou a atenção James B. Kaper, professor de microbiologia e imunologia na Escola de Medicina da Universidade de Maryland, que viu o efeito devastador do envenenamento por *E. coli* em crianças, "talvez alguns efeitos adversos de menor importância possam, no fim, ser ligados à ingestão de alimentos irradiados. Mas a essa altura, muitas pessoas, principalmente crianças, terão morrido de *E. coli* quando poderiam ter sido protegidas ingerindo alimentos irradiados".

A vida é uma análise contínua de risco-benefício; algum grau de risco é o lado sombrio inevitável de qualquer progresso tecnológico. Até a última década do século XIX, por exemplo, não tínhamos eletricidade nas nossas casas. Na última década do século XX, uma média superior a 200 pessoas morreram eletrocutadas nos Estados Unidos a cada ano, por causa de equipamentos elétricos como lâmpadas, interruptores, TVs, rádios, máquinas de lavar, secadores e assim por diante, e outras 300 foram mortas por 40 mil incêndios elétricos. Lamentamos e no entanto aceitamos essas consequências de ter eletricidade em nossas casas, porque os benefícios superam em muito os riscos.

Devemos comparar os benefícios da conservação dos alimentos e da destruição de bactérias daninhas, insetos e parasitas – e ampliar o suprimento mundial de alimentos e salvar vidas – com os riscos vastamente improváveis e que não ameaçam a vida.

COMPARTIMENTOS DA GELADEIRA

Fico confusa com todos esses compartimentos separados na minha geladeira. O que devo guardar em cada um? O que, por exemplo, o "verduras" faz?

Cada vez que abro a porta da geladeira, Alex, meu gato siamês, olha o conteúdo como quem sabe que aquela caixa-forte inexpugnável contém todos os prazeres que a vida pode oferecer. (Ele foi castrado.)

Nós, seres humanos, não somos muito diferentes. Nossas geladeiras são nossas casas da moeda. O conteúdo delas reflete nossos estilos de vida até mais do que as roupas que usamos ou os carros que dirigimos.

O principal objetivo de uma geladeira, é claro, é exibir tudo quanto é objeto bobo concebível que se possa colar num ímã, sem mencionar os rabiscos de "arte" dos filhos e netos. Mas além disso as geladeiras produzem temperaturas baixas, e temperaturas baixas retardam todos os processos que estragam os alimentos, desde as reações enzimáticas às devastações promovidas pelas bactérias, levedos e mofos.

Há dois tipos de bactérias que queremos inibir: as patogênicas (que causam doenças) e as deteriorantes. As bactérias deteriorantes tornam o alimento repugnante e não comível, mas em geral não nos fazem ficar doentes. Por outro lado, pode ser completamente impossível detectar as bactérias patogênicas pelo gosto ou pela aparência, mas mesmo assim elas são perigosas. As temperaturas baixas inibem os dois tipos.

E agora, Alice, gostaria de dar uma volta pela Geladeira das Maravilhas? Beba dessa garrafa rotulada "Beba-me" para fazê-la ficar pequena e siga o coelho branco dentro da geladeira.

Alice: Brrr. Está gelado, aqui!

Coelho Branco: Exatamente. Aterrissamos no compartimento do congelador, que em geral fica em cima porque qualquer vazamento de ar frio irá descer e ajudar a esfriar as partes mais baixas.

A: Qual a temperatura aqui?

CB: Um compartimento de congelador deve estar sempre a –18°C ou ainda mais frio. Isso é 18 graus abaixo da temperatura de congelamento da água.

A: Como você pode saber se meu freezer em casa está suficientemente frio?

CB: Compre um termômetro de geladeira-freezer, que é especialmente projetado para ser preciso sob baixas temperaturas. Ponha-o aninhado entre embalagens de alimentos congelados no freezer, feche a porta e espere de seis a oito horas. Se o termômetro não ficar alguns poucos graus em torno de –18, ajuste o botão de controle da temperatura e olhe outra vez depois de seis ou oito horas.

Agora vamos descer para a parte principal da geladeira, onde está um pouco mais quente.

A: Você chama isso de quente?

CB: Tudo é relativo. Fora, na cozinha, está pelo menos 30 graus mais quente. O mecanismo da geladeira está retirando calor da caixa onde estamos, mas o calor é energia, e é impossível destruir energia; retire-a de um lugar e ela terá de ir para outro. Então a geladeira joga-a na cozinha. O Chapeleiro Louco alega que uma geladeira é, na verdade, um aquecedor de cozinha, e ele tem razão. De fato, uma geladeira libera mais calor do que retira de seu interior, porque os mecanismos de retirada criam calor. É por isso que você não consegue esfriar a cozinha deixando a porta da geladeira aberta; você estaria apenas transferindo calor de um lugar para outro, e até mesmo acrescentando um pouco mais, mas não se livrando dele.

A: Como é que a geladeira retira calor?

CB: Ela contém um líquido facilmente evaporável, chamado fréon, ou pelo menos continha antes que os cientistas descobrissem que o fréon destrói a camada de ozônio da atmosfera terrestre; as geladeiras novas contêm um composto químico menos hostil, com o nome absurdo de HFC134a. De qualquer modo, quando um líquido passa ao estado de vapor (ferve), ele absorve calor de sua vizinhança, que, consequentemente, esfria. (Não há lugar aqui para explicar por quê.) Quando o vapor é comprimido de volta ao estado líquido, ele libera o calor de volta. Uma geladeira deixa o líquido passar ao estado de vapor aqui, dentro da caixa, esfriando essa serpentina de metal que você vê na parede. Depois ela comprime o vapor de novo para o estado líquido (aquele zumbido que você ouve é o motor do compressor) e dissipa o calor resultante fora da caixa através de um labirinto de serpentinas enfiadas atrás ou embaixo dela. Um termostato liga e desliga o compressor, para manter a temperatura adequada.

A: O que é considerado uma temperatura adequada?

CB: O compartimento principal de uma geladeira deverá estar sempre abaixo de 4°C. Acima dessa temperatura, as bactérias podem multiplicar-se o bastante para serem perigosas.

A: Posso usar meu termômetro novo para medi-la?

CB: Claro. Ponha-o num copo d'água no meio da geladeira e espere seis a oito horas. Se a leitura não for 4°C ou menos, ajuste o botão de controle principal da geladeira e olhe de novo a temperatura depois de seis a oito horas.

A: Tenho certeza de que qualquer geladeira minha estará exatamente à temperatura adequada, obrigada. Mas o que devo guardar nela?

CB: Você sabe, aquelas coisas normais. Caranguejos vivos – eles ficam tão sedados que não espicham as pinças ao serem postos na água fervendo; toalhas de mesa com cera de vela pingada – você pode raspá-la depois de endurecer; roupas úmidas em sacos plásticos quando você não puder passá-las imediatamente a ferro buquês velhos...

A: Está bem, engraçadinho. Existe alguma coisa que *não* deva ser guardada na geladeira?

CB: Sim. Os tomates perdem o sabor ao serem gelados abaixo de 10°C, porque dissipa-se um composto químico importante para o sabor. As batatas ficam desagradavelmente adocicadas, porque parte de seu amido se transforma em açúcar. O pão resseca e fica com gosto de velho se não for muito bem embalado;

no entanto, os esporos de mofo conseguem crescer dentro de um saco plástico. Melhor congelá-lo. E uma grande quantidade de sobras de comida que ainda esteja quente pode elevar a temperatura da geladeira a um nível perigoso, bom para as bactérias. Divida os restos de comida em recipientes pequenos, facilmente esfriáveis, e resfrie-os em água gelada antes de pô-los na geladeira. Não os deixe esfriar em cima da mesa, porque eles estarão em temperatura perigosa durante muito tempo.

Alice, cuidado! Você está muito perto da beirada da prateleira!

A: Socorro! Caí dentro desta gaveta. Em qual estou?

CB: Você está no compartimento de verduras.

A: Eu não quero ficar crocante.

CB: Esse compartimento é só para frutas e legumes; ele controla a umidade, e não a temperatura. Os legumes irão secar e ficar flácidos, a não ser que se mantenha a umidade relativamente alta. Mas as frutas exigem uma umidade mais baixa do que os legumes, de modo que algumas gavetas têm aberturas ajustáveis que você deveria reajustar cada vez que muda o conteúdo delas.

A: É claro. Agora, o que é esse compartimento abaixo de nós?

CB: Esse é para guardar carne. É a parte mais fria da geladeira, tirando o freezer. Fica na parte de baixo da geladeira porque o ar frio desce. Carnes e peixes devem ser mantidos o mais frio possível, mas o peixe fresco não deve ser guardado por mais de um dia, de todo modo.

E, por falar em carnes, estou atrasado para uma reunião muito importante. Olhe aqui. Beba dessa outra garrafa que diz "Beba-me" para ficar grande outra vez e vamos sair daqui.

Não se esqueça de apagar a luz.

GLOSSÁRIO*

ÁCIDO ▸ qualquer composto químico que produza *íons* de hidrogênio (H^+) na água. (Os químicos às vezes usam definições mais amplas.) Os ácidos têm diferentes graus de acidez, inerentes a eles, mas todos têm gosto azedo.

ÁCIDOS GRAXOS ▸ *Ácidos* orgânicos que são ligados ao glicerol para formar glicerídio nas gorduras e óleos naturais. A maior parte das gorduras naturais é de *triglicerídios*, contendo três moléculas de ácido graxo por *molécula* de gordura.

ÁLCALI ▸ no uso diário, qualquer composto químico que produza *íons* hidroxila (OH-) na água, como lixívia (hidróxido de sódio) e bicarbonato de sódio. Os químicos chamam esses compostos de bases. Falando de um modo mais estrito, um álcali é um tipo de base especialmente forte: os hidróxidos de sódio, o potássio ou um dos outros chamados metais alcalinos. Ácidos e bases (incluindo os álcalis) neutralizam-se para formar *sais*.

ALCALOIDE ▸ uma família de compostos químicos de gosto amargo, fisiologicamente potentes, encontrados em plantas. Entre os membros da família dos alcaloides estão atropina, cafeína, cocaína, codeína, nicotina, quinina e estricnina.

AMINOÁCIDO ▸ um composto orgânico que contém tanto um grupo amina ($-NH_2$) quanto um grupo ácido (-COOH). Nessas fórmulas, N = nitrogênio, H = hidrogênio, C = carbono e O = oxigênio. Os blocos de construção natural das proteínas contêm uns 20 aminoácidos diferentes.

ANTIOXIDANTE ▸ um composto químico que evita reações de *oxidação* indesejáveis nos alimentos ou no corpo. Nos alimentos, a reação de oxidação mais comum a ser evitada é a produção de ranço nas gorduras. Os antioxidantes comumente usados nos alimentos incluem o hidroxitolueno butilado (BHT), o hidroxianisol butilado (BHA) e os *sulfitos*.

ÁTOMO ▸ a menor unidade de um elemento químico. Cada um dos mais de cem elementos químicos conhecidos consiste de átomos exclusivos daquele elemento.

BTU ▸ British Thermal Unit, uma unidade de energia. Quatro btus são aproximadamente equivalentes a uma *caloria* nutricional. Os queimadores dos fogões, sejam eles a gás ou elétricos, são classificados pelo número de btus de calor que eles geram por hora.

---

* As palavras definidas em separado estão em itálico.

CALORIA ▸ Uma unidade de energia, mais frequentemente usada no contexto da quantidade de energia que um alimento fornece ao ser metabolizado no corpo humano.

CARBOIDRATO ▸ Uma classe de compostos químicos encontrados nas coisas vivas, incluindo açúcares, amidos e celulose. Os carboidratos servem como fontes de energia nos animais e como componentes estruturais nas plantas.

DIPOLO ▸ Uma *molécula* cujas extremidades têm cargas positivas e negativas em relação uma à outra.

DISSACARÍDEO ▸ Um açúcar cujas *moléculas* podem ser quebradas (hidrolisadas) em duas moléculas de açúcares simples, ou *monossacarídeos*. Um dissacarídeo comum é a sacarose, o principal açúcar no açúcar de cana, no açúcar de beterraba e no açúcar do *maple*.

ELÉTRON ▸ Uma das partículas elementares muito leves e com carga negativa que ocupam as regiões de espaço fora dos núcleos muito pesados dos *átomos*.

ENZIMAS ▸ Proteínas produzidas por organismos vivos que preenchem a função de acelerar (catalisar) reações bioquímicas específicas. Como as reações bioquímicas são em si mesmas muito lentas, a maior parte delas não ocorreria sem a enzima adequada. Como são proteínas, muitas enzimas podem ser destruídas por condições extremas, como altas temperaturas.

FERRO ▸ Um *átomo* ou grupo de átomos carregados eletricamente. Um íon carregado negativamente tem um excesso de *elétrons*, enquanto um íon carregado positivamente tem falta de um ou mais do seu complemento de elétrons.

GLICOSE ▸ Um açúcar simples, ou *monossacarídeo*. Ela circula na corrente sanguínea e é a principal unidade produtora de energia dos *carboidratos*.

HEMOGLOBINA ▸ A proteína vermelha, contendo ferro, que transporta o oxigênio através da corrente sanguínea.

LIPÍDEOS ▸ Qualquer substância gordurosa, cerosa ou oleosa nas coisas vivas que se dissolva em solventes orgânicos, como clorofórmio ou éter. Os lipídeos incluem a própria gordura e os óleos, além de outros compostos relacionados.

MICRO-ONDAS ▸ Uma unidade de energia eletromagnética cujo comprimento de onda é maior do que a radiação infravermelha e mais curta do que ondas de rádio. Ela penetra em sólidos numa profundidade de vários centímetros.

MIOGLOBINA ▸ Uma proteína vermelha, contendo ferro, parecida com a *hemoglobina*. É encontrada nos músculos dos animais, servindo como um composto de armazenamento de oxigênio.

MOLÉCULA ▸ A menor unidade de um composto químico, consistindo de dois ou mais *átomos* ligados.

MONOSSACARÍDEO ▸ Um açúcar simples que não pode ser quebrado (hidrolisado) em outros açúcares. O monossacarídeo mais comum é a *glicose*, ou açúcar do sangue.

OSMOSE ▸ O processo no qual *moléculas* de água atravessam uma membrana, como uma parede de célula, de uma solução mais diluída de uma substância dissolvida para uma solução mais concentrada da substância, tendendo assim a igualar as concentrações.

OXIDAÇÃO ▸ A reação de uma substância com oxigênio, geralmente o oxigênio do ar. De um modo mais amplo, uma reação química na qual um *átomo, íon* ou *molécula* perdem *elétrons.*

POLÍMERO ▸ Uma *molécula* enorme, consistindo de, frequentemente, centenas de unidades moleculares idênticas, todas ligadas.

POLISSACARÍDEO ▸ Um açúcar cujas moléculas podem ser quebradas (hidrolisadas) em diversos *monossacarídeos.* Exemplos são a celulose e os amidos.

PONTO DE NUCLEAÇÃO ▸ Uma mancha, partícula, arranhão ou bolha minúscula num recipiente de líquidos, que serve como um local em que *moléculas* de um gás dissolvido podem congregar-se para formar bolhas.

RADICAL LIVRE ▸ Um *átomo* ou *molécula* que tenha um ou mais *elétrons* não pareados, sendo portanto muito reativo, porque os elétrons atômicos são mais estáveis quando presentes em pares.

SAL ▸ O produto de uma reação entre um *ácido* e uma base, ou *álcali.* O cloreto de sódio, sal de cozinha, é de longe o mais comum.

SULFITO ▸ Um sal do *ácido* sulfuroso. Os sulfitos reagem com ácidos para formar o gás dióxido de enxofre, usado com alvejante e bactericida.

TRIGLICERÍDIOS ▸ Uma *molécula* consistindo de três *moléculas de ácido graxo* unidas a uma molécula de glicerol. As gorduras naturais são, na maior parte, misturas de triglicerídios.

SUGESTÕES DE LEITURA

O mundo dos alimentos é ilimitado. O mundo da ciência é ilimitado. Uma única obra não consegue sequer arranhar a superfície de qualquer um dos dois, nem mesmo da interface entre eles.

Neste livro, escolhi um determinado número de questões práticas, que espero terem sido úteis para o cozinheiro doméstico curioso, e discuti-as numa linguagem o menos técnica quanto possível. O máximo que posso esperar é que esses aperitivos tenham estimulado o apetite dos meus leitores para um conhecimento maior da ciência da cozinha. Para aqueles cujos apetites foram aguçados, enumero aqui algumas obras que investigam mais profundamente a ciência dos alimentos.

LIVROS TÉCNICOS DE CIÊNCIA

(sem receitas)

BELITZ, Hans-Dieter e GROSCH, Werner. *Food Chemistry.* Berlim, Heidelberg: Springer-Verlag, 2ª ed., 1999.

- A química avançada e detalhada dos alimentos e da culinária, com um índice abrangente.

BENNION, Marion e SCHEULE, Barbara. *Introdutory Foods.* Upper Saddle River, NJ: Prentice-Hall, 11ª ed., 2000.

- Um livro-texto para cursos universitários de ciência dos alimentos.

FENNEMA, Owen R. (org.) *Food Chemistry.* Nova York: Marcel Dekker, 3ª ed., 1996.

- Vinte e dois acadêmicos, cientistas dos alimentos, contribuíram com capítulos sobre suas especialidades para este livro de referência.

MCGEE, Harold. *On Food and Cooking: The Science and Lore of the Kitchen.* Nova York: Macmillan, 1984.

- Um clássico pioneiro abrangente que cobre com detalhes a história, as tradições e a química dos alimentos e da culinária.

MCWILLIAMS, Margaret. *Foods, Experimental Perspectives.* Upper Saddle River, NJ: Prentice-Hall, 4ª ed., 2000.

▸ Composição, estrutura, teste e avaliação de alimentos.

PENFIELD, Marjorie e Campbell, Ada Marie. *Experimental Food Science*. San Diego: Academic Press, 3ª ed., 1990.
▸ Testes de laboratório e avaliação de alimentos.

POTTER, Norman N. e Hotchkiss, Joseph H. *Food Science*. Nova York: Chapman & Hall, 5ª ed., 1995.
▸ Um livro-texto universitário sobre ciência e tecnologia de alimentos.

LIVROS MENOS TÉCNICOS

(com receitas)

BARHAM, Peter, *The Science of Cooking*. Berlim: Springer-Verlag, 2000.
▸ Química introdutória, seguida de capítulos sobre carnes, pães, molhos etc. Com 41 receitas.

CORRIHER, Shirley O. *Cookwise: The Hows and Whys of Successful Cooking*. Nova York: Morrow, 1997.
▸ O que os diversos ingredientes das receitas fazem, como fazem e como usá-los da melhor maneira, com ênfase especial em pães, bolos, tortas e biscoitos. Com 224 receitas.

GROSSER, Arthur E. *The Cookbook Decoder, or Culinary Alchemy Explained*. Nova York: Beaufort Books, 1981.
▸ Uma coleção de informações sobre ciência da cozinha extravagante, mas prática, por um professor de química canadense. Com 121 receitas.

HILLMAN, Howard. *Kitchen Science*. Boston: Houghton Mifflin, 1989.
▸ Perguntas e respostas. Com 5 receitas.

MCGEE, Harold. *The Curious Cook: More Kitchen Science and Lore*. São Francisco: North Point Press, 1990.
▸ Uma coleção de tópicos específicos, discutidos em detalhes. Com 20 receitas.

PARSONS, Russ. *To Read a French Fry and Other Stories of Intriguing Kitchen Science*. Boston: Houghton Mifflin, 2001.
▸ Discussões práticas sobre frituras, legumes, ovos, amidos, carnes, gorduras etc. Com 120 receitas.

AGRADECIMENTOS

Depois de muitos anos dedicados a outra carreira, ao mesmo tempo que escrevia paralelamente como *freelance,* devo minha "grande oportunidade" como autor de culinária a Nancy McKeon, ex-editora de culinária do *The Washington Post,* que me deu a oportunidade de escrever uma coluna sobre ciência de alimentos naquele eminente jornal. A coluna "Food 101" vem sendo publicada no *Post* e em outros jornais já há uns quatro anos, graças à contínua confiança e ao apoio da atual editora de culinária, Jeanne McManus, que dá completa liberdade para eu "realizar minha tarefa".

O caminho que levou a este livro começou quando conheci e casei-me com Marlene Parrish, autora e professora de culinária e crítica de restaurantes. Como escritor-cientista amante de comida e cozinheiro por vocação, comecei a escrever mais a respeito de alimentos e sobre a ciência que está por trás deles. Sem a amorosa confiança de Marlene em mim, este livro não existiria. Ela desenvolveu e experimentou todas as receitas do livro, cada qual criada especificamente para exemplificar e fazer funcionar algum princípio científico que esteja sendo explicado. Além do mais, durante os árduos e longos meses em que eu escrevia e reescrevia, ela fez meus almoços.

Mais uma vez, devo expressar minha gratidão ao meu agente literário, Ethan Ellenberg, que defendeu meus interesses ao longo dos anos com honra, conselhos firmes e entusiasmo, mesmo quando o caminho se tornou inesperadamente acidentado.

Tenho a sorte fantástica de ter tido Maria Guarnaschelli como minha editora na W.W. Norton. Com um inabalável foco na qualidade, Maria estava sempre lá, para me levar delicadamente de volta ao caminho certo, sempre que eu me desviava, ao mesmo tempo que era uma fonte de encorajamento. Seja lá o que este livro tenha se tornado, o resultado é infinitamente melhor do que seria sem a intuição aguçada, o conhecimento e o julgamento de Maria, e sem a confiança, o respeito e a amizade que se formaram entre nós.

Autores não escrevem livros, mas manuscritos, meras palavras em papel, até que sejam convertidos em livros por equipes de profissionais pacientes e diligentes numa editora. Sou grato às pessoas da W.W. Norton que exerceram seus talentos para transformar o meu texto no belo volume que você agora tem em mãos. Meus agradecimentos especiais ao diretor de produção da Norton, Andrew Marasia, à diretora de arte, Debra Morton Hoyt, ao editor de gerenciamento, Nancy Palmquist, ao artista *freelance* Alan Witschonke e à designer Barbara Bachman.

Apesar das convicções de minha filha e de meu genro, Leslie Wolke e Ziv Yoles, eu não sei tudo. A escrita de um livro como este inevitavelmente exige consultas a cientistas de alimentos e representantes da indústria alimentícia, em número muito grande para serem mencionados. Agradeço a todos eles por sua boa vontade em compartilhar seus conhecimentos.

Provavelmente todo escritor contemporâneo de não ficção tem um débito enorme de gratidão com aquela entidade etérea, onisciente mas imaterial chamada internet, que põe todas as informações do mundo (junto com muita informação errada) literalmente sob seus dedos – a pressão de um dedo sobre um *mouse*. Acredito que a internet, seja lá onde esteja, gostará da minha sincera expressão de gratidão.

Finalmente, se não fosse pelos fabulosos leitores da minha coluna no jornal este livro poderia não ter sido escrito. As perguntas feitas por eles e o *feedback* por e-mail e snail-mail deram-me continuamente a certeza de que eu poderia estar prestando um serviço realmente útil. Nenhum autor poderia desejar uma plateia melhor.

ÍNDICE REMISSIVO